LA DYNASTIE

TUDOR

Les Éditeurs réunis bénéficient du soutien financier de la SODEC et du Programme de crédit d'impôt du gouvernement du Québec.

Nous remercions le Conseil des Arts du Canada de l'aide accordée à notre programme de publication.

Nous reconnaissons l'aide financière du gouvernement du Canada par l'entremise du Fonds du livre du Canada pour nos activités d'édition.

Édition :
LES ÉDITEURS RÉUNIS
www.leslediteursreunis.com

Distribution au Canada :
PROLOGUE
www.prologue.ca

Distribution en Europe :
DNM
www.librairieduquebec.fr

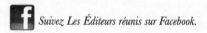 *Suivez Les Éditeurs réunis sur Facebook.*

Imprimé au Québec (Canada)

Dépôt légal : 2010
Bibliothèque et Archives nationales du Québec
Bibliothèque nationale du Canada
Bibliothèque nationale de France

CHARLES MAJOR

LA DYNASTIE
TUDOR

Princesse Marie, la sœur du monarque

Roman historique

Traduit par Jean-Louis Morgan

LER

LES ÉDITEURS RÉUNIS

Déjà paru:

LA DYNASTIE TUDOR — *La dernière reine d'Henri VIII*
De Louise Mühlbach

LA DYNASTIE TUDOR — *Anne Boleyn, la folle obsession du roi*
De Paul De Musset

CHAPITRE I

Il arrive parfois que, lorsqu'une femme déclare vouloir faire quelque chose, elle s'en abstienne, et que lorsqu'elle déclare qu'elle ne fera pas cette chose, elle la réalise.

Je pense que cette histoire se déroulait au cours du printemps de 1509, ou de toute façon peu de temps après le décès du «Salomon moderne». C'est ainsi que la reine Catherine appelait son beau-père, feu le roi Henri VII, alors que Son Auguste Majesté le roi Henri VIII, «la fleur infaillible et l'héritier des deux lignées dont il est question», montait sur le trône d'Angleterre et m'offrait la position honorable de maître de danse à sa fastueuse cour.

J'étais financièrement bien nanti si l'on examine mes «biens temporels», expression utilisée pour décrire la richesse par les personnes pieuses. J'avais hérité d'une belle fortune de mon père, un des conseillers du roi Henri VII. Je ne peux toujours pas expliquer la façon par laquelle mon richissime paternel a réussi à préserver tous ses biens de la cupidité de ce vieil avare. Il a été le seul homme à ma connaissance à réussir un tel prodige; en effet, le vieux roi pouvait allonger le bras sur tout son royaume et, sous un prétexte ou un autre, s'approprier la totalité de ce qui était à sa portée. Mon père, cependant, était également une personne pas mal astucieuse en ce qui concernait le domaine de l'argent, car il avait hérité, en même temps que de sa fortune, d'une habileté rare à la conserver. Son père était orfèvre à l'époque du roi Édouard, et il a profité des faveurs marquées de ce puissant monarque.

Me trouvant donc dans une position financière excellente, je me moquais totalement du fait que les émoluments que m'offraient ma situation étaient soit minimes, soit nuls. La position honorifique que je tenais suffisait à faire mon grand bonheur. De plus, elle faisait de moi un membre du palais royal, ce qui me mettait en relations étroites avec les membres de la cour et en particulier avec les plus belles femmes du royaume – la meilleure fréquentation que puisse avoir un homme, car cela lui permet d'élever son esprit. Cela purifie son cœur grâce à des mobiles plus francs et le rend plus doux sans lui faire perdre de sa force. Il s'agissait là d'une situation que n'importe quel lord du royaume aurait été fier de posséder.

Environ quatre ou cinq ans après mon entrée en poste au service du royaume, la cour a été informée qu'un terrible duel s'était déroulé dans le Suffolk, à l'issue duquel seul un homme en était ressorti vivant. En fait, ils étaient deux, mais l'un d'entre eux s'est trouvé dans un état pire que la mort. Le premier survivant était le fils de Sir William Brandon, et le second, un homme qui se nommait Sir Adam Judson. L'histoire raconte que le jeune Brandon et son frère aîné, qui revenaient tous deux de combattre sur le continent, avaient rencontré Judson dans une auberge d'Ipswich dans laquelle ils avaient tous joué. Ce dernier avait gagné une importante somme d'argent que les deux frères avaient rapportée avec eux. En effet, malgré leur jeune âge – l'aîné avait vingt-six ans et le cadet, vingt-quatre –, ils avaient remporté de grandes richesses outre les honneurs pendant les guerres et tout spécialement le plus jeune dont le nom était Charles.

Il est un peu difficile de se battre pour de l'argent et de le perdre aux dés dans un seul endroit, mais c'est ce qui attend la personne qui joue, et un philosophe encaissera sa malchance et choisira de se battre pour des raisons plus valables. Les Brandon auraient très bien pu agir ainsi, tout spécialement Charles qui était un philosophe désinvolte aimant les luttes joviales, si ce n'avait été que lors d'une mise le secret des gains de Judson avait été dévoilé, car il fut découvert qu'il trichait. Les frères ont attendu d'en avoir la certitude et les problèmes ont commencé. Il en a résulté le duel le second matin qui a suivi.

Adam Judson était un Écossais dont on ne sait pas grand-chose si ce n'est qu'il passait pour être le bretteur le plus cruel et le plus implacable de son époque. Il était surnommé «la Mort ambulante» et l'on rapporte qu'il était très fier de cette appellation. Il s'enorgueillissait d'avoir participé à quatre-vingt-sept duels au cours desquels il avait tué soixante-quinze hommes et l'on considérait que le rencontrer signifiait un arrêt de mort. Voici l'histoire du duel tel que Brandon me l'a racontée.

John était le plus vieux des deux frères et a eu droit à combattre Judson en premier. Charles a essayé de le détourner de ce droit d'aînesse. Les deux frères ont raconté l'histoire à leur père, Sir William Brandon, et, à l'heure dite, père et fils se sont rendus à l'endroit du rendez-vous. Ils y ont trouvé Judson avec ses deux témoins prêts au combat.

Sir William était encore un homme vigoureux, et peu de personnes égalaient sa façon de manier l'épée. Ses fils, tout spécialement le cadet, étaient plus compétents et plus habiles que leur père ne l'avait jamais été et pourtant ils savaient que ce duel signifiait une mort assurée, tant était grande la renommée de Judson en matière de cruauté et d'habileté. En dépit du fait qu'ils se trouvaient très handicapés par ce sentiment de danger imminent, ils ont obéi à leur devoir sans faillir car la devise de leur famille était «Plutôt mourir que faiblir».

La matinée de ce jour de mars était brumeuse. Brandon m'a dit que du fait que son frère s'était avancé en premier, il était immédiatement évident qu'il était supérieur à Judson, à la fois en force et en habileté, cependant après quelques coups, la lame de son frère a plié et s'est brisée à la poignée alors qu'elle aurait dû faire mouche. Là-dessus, Judson, qui arborait un sourire malveillant de triomphe, a délibérément choisi de viser le cœur de son adversaire et l'a transpercé de son épée, tout en faisant pivoter la lame en la retirant dans le but d'infliger des blessures plus importantes et des mutilations plus graves.

L'instant suivant, Sir William avait enlevé son justaucorps et avait suivi les traces de son fils aîné, prêt à le venger ou à mourir. Là encore, la botte qui aurait dû porter le coup fatal a été tellement forte que la lame s'est cassée et que le père est mort comme le premier fils.

Le jeune Charles est ensuite arrivé. Il attendait, ignorant la peur de se retrouver couché aux côtés de son père et de son frère morts, tellement grand était son courage. Il savait qu'il était le supérieur des deux siens en courage et en dextérité, et sa connaissance des hommes et de cet art noble lui indiquait qu'ils avaient été tous les deux plus forts que Judson. C'était toutefois la main de la mort qui conduisait son pair. Le jeu maladroit de son adversaire a donné au jeune Brandon une occasion d'allonger une botte dans le but de tuer, mais sa lame, tout comme celles de son frère et de son père, a pliée sans pouvoir pénétrer. Au contraire des deux autres lames, cependant, elle ne s'est pas brisée et la botte a révélé que l'adresse de Judson au duel provenait d'une cotte de mailles qu'il était inutile d'essayer de transpercer. Ayant pris connaissance de cet état de choses, Brandon sut que la victoire lui appartenait et que, bientôt, il vengerait les meurtres qui venaient de se produire. Il remarqua que le jeu de mains de son adversaire n'était pas puissant et que l'homme contrôlait mal sa respiration. De plus, il ne possédait pas la dextérité pour percer ses défenses même s'il avait essayé pendant une semaine. Brandon décida donc de se battre en restant sur la défensive jusqu'à ce que l'autre s'épuise. Ensuite, il pourrait l'occire au moment où il le déciderait.

La respiration de l'Écossais s'est faite haletante au bout de quelque temps et les coups qu'il portait manquaient de force.

«Mon jeune ami, je devrais bien te laisser vivre, a-t-il dit. J'ai suffisamment tué les tiens. Range ton épée et tiens-toi en là...»

Le jeune Brandon répondit: «Reste en position, espèce de lâche. Tu seras un homme mort dès que tes forces te lâcheront. Si jamais tu essaies de t'échapper, je te porterai un coup à la gorge tout comme je le ferais à un malotru. Remarques-tu comment tu grognes tel un pourceau? Je t'aurai bientôt. Tu es déjà presque mort. Tu dis vouloir m'épargner? Si je le voulais, je pourrais soit faire un sermon ou un pas de danse au moment où je te tuerai. Je ne briserai pas ma lame contre ta cotte de mailles, je vais attendre que tu sois terrassé par la fatigue et ensuite... je te porterai le coup fatal, espèce de chien!»

Judson était devenu pâle de fatigue et sa respiration était saccadée alors qu'il essayait d'éloigner la lame impitoyable de sa gorge. Finalement, grâce à un mouvement adroit, Brandon fit voler l'épée de son adversaire à dix mètres de là. Ce dernier partit à courir, se retourna et tomba à genoux pour implorer la clémence. Un éclair de métal a été la réponse de Brandon qui pratiqua une incision au niveau des yeux et de l'arête du nez de Judson, ce qui le laissa aveugle et hideux à voir pour le reste de ses jours. La mort aurait été une chose mille fois préférable à une telle vengeance.

Ce duel a fait sensation dans tout le royaume car la renommée de duelliste de Judson s'étendait à la grandeur du pays. Il avait été vu à la cour en différentes occasions, et il est même arrivé une fois qu'il ait combattu dans des tournois parmi les chevaliers royaux pour l'anniversaire du roi. C'est pourquoi le souverain et les courtisans ont été mis au courant de l'affaire, et cela a fait du jeune Brandon une personne digne d'intérêt. Il l'est devenu encore plus lorsque quelques gentilshommes qui avaient combattu sur le continent en sa compagnie ont fait état à la cour de son audace et de son courage et ont raconté ses faits d'armes dignes des plus grands chevaliers de la chrétienté.

Un de ses oncles, Sir Thomas Brandon, qui tenait la position de maître de cavalerie du roi, se trouvait à la cour. Il a pensé que l'occasion était bonne pour faire avancer la carrière de son neveu en gagnant les faveurs du monarque. L'oncle a donc abordé le sujet avec celui-ci, qui donna une réponse favorable. C'est ainsi que Charles Brandon, aidé par le sort, fit son entrée à la cour de Londres, là où le même sort lui réservait des événements que peu d'hommes ont la chance de vivre.

CHAPITRE II

Tout le monde croyait que Charles Brandon allait vite gagner les faveurs du roi, lorsque nous avons appris qu'il venait à la cour. Personne ne pouvait dire exactement quelles faveurs allaient lui être accordées étant donné que les favoris du monarque étaient nombreux, de tous les genres et provenant de tous les milieux. Il y avait Maître Wolsey, le fils d'un boucher qui avait commencé comme aumônier, puis était devenu conseiller en chef et évêque de Lincoln, puis évêque de York et cardinal de la sainte Église catholique romaine.

D'une provenance diamétralement opposée venaient le jeune Thomas, Lord Howard, l'héritier du comte de Surrey, et Lord Buckingham, le premier pair du royaume. Et puis, il pouvait arriver que le roi choisisse un hallebardier de la Garde royale pour en faire son compagnon lors des tournois et des joutes, tout simplement pour ses muscles et son squelette. Il y avait d'autres personnes qu'il gardait à ses côtés au palais en raison de leur intelligence et des divertissements qu'ils lui offraient. Et je me flatte d'être un membre relativement important de cette catégorie.

Pour commencer, je dois avouer que du fait que je ne dépendais pas, financièrement parlant, des émoluments que le roi aurait pu me verser, je n'ai jamais coûté un seul farthing (le quart d'un ancien penny) au trésor royal. Vous pouvez vous montrer certain que cet état de choses ne m'a jamais fait de tort car, bien qu'il arrivât que le roi puisse aimer donner, il détestait une chose en particulier: payer. Bien sûr, il existait d'autres bonnes raisons qui pouvaient faire de moi un favori du roi. Je ne désire pas passer pour un vaniteux, toutefois je pense que je peux supposer en toute vérité que ma conversation et mes bonnes manières font preuve de plus de raffinement et sont plus agréables que celles en usage de nos jours en Angleterre. En effet, je n'ai pas manqué de passer quelques semaines par an dans la noble capitale française, là où l'on retrouve le point culminant de la bonne éducation et de la politesse.

Je suis persuadé que ma nomination au poste de maître de danse a été attribuable uniquement à mes bonnes manières. Mon frère, le baron, que le roi avait en grande amitié, ne se montrait guère amical à mon égard parce que notre père avait trouvé normal de me léguer des compétences aussi bonnes au lieu de tout donner à son premier-né et de faire de moi une personne dépendante de la bonne volonté d'un frère plus âgé. C'est pourquoi je n'ai pas reçu d'aide de lui ni d'autre personne. Étant de stature assez modeste, je me trouvais donc dans l'incapacité de participer à des combats de lance et de massue avec des hommes plus corpulents. Toutefois, s'il fallait parier, je pouvais le faire avec n'importe quel homme, de n'importe quelle taille, au cours de n'importe quel jeu, n'importe où et n'importe quand pour n'importe quel montant. Et si je dis cela, même si je devrais m'en abstenir, riait bien qui riait le dernier devant les mines réjouies que de nombreux hommes plus forts que moi s'efforçaient d'afficher pour donner le change.

Je ne connaissais pas Brandon lorsqu'il est arrivé à Londres. Nous étions tous restés à Greenwich alors que le roi était parti à Westminster perdre son temps en s'occupant des affaires de l'État et en se disputant avec le Parlement qui était réuni pour discuter du montant de quelques subventions.

Marie, la sœur du roi, qui avait alors environ seize ans, un bourgeon parfait qui était en train de devenir une fleur non moins parfaite, était partie à Windsor rendre visite à sa sœur aînée, Margaret d'Écosse, et le palais se trouvait en conséquence assez sinistre. Il semble que Brandon ait été présenté à Henri à cette époque pendant la visite de ce dernier à Westminster et il était devenu, jusqu'à un certain point, un favori avant que je ne le rencontre. Je l'ai vu pour la première fois lors d'une joute donnée par le roi à Westminster pour célébrer le fait qu'il avait réussi à amadouer suffisamment le Parlement pour obtenir des subsides.

La reine et sa suite avaient été invitées et il était connu que Marie viendrait également de Windsor en compagnie du roi et de la cour jusqu'à Greenwich lorsque nous y retournerions. C'est ainsi que nous sommes allés à Westminster la nuit précédant la joute et que nous nous sommes levés de bonne heure le lendemain pour assister à tout ce qui allait venir.

Le lendemain, après le déjeuner, à un moment qui convenait à tous, la reine accompagnée de sa suite est arrivée pour assister à la joute. Les trompettes ont retenti et de nombreux hommes et gentilshommes en tenue d'apparat sur des destriers aux caparaçons de brocart de couleur dorée et brun roux ont fait leur apparition, suivis de chevaliers revêtus de tissus dorés et de velours brun. Ensuite, on vit un grand nombre de chevaliers à pied habillés de satin brun et jaune ainsi que des cavaliers en damas également brun et jaune. Tous portaient des guêtres de couleur cramoisie et des capes jaunes.

Le roi est arrivé ensuite sous son étendard royal en velours brodé de doré et de pourpre dans ses extrémités et surmonté de la couronne impériale.

Puis est venu un étranger de l'autre côté. Il était habillé d'une longue robe de satin brun, tel un reclus ou un religieux, et se trouvait sur un cheval qui était également couvert de satin brun, sans tambour ni trompette, et il s'est dirigé vers la reine pour lui adresser une pétition qui avait pour effet de lui permettre, si cela gréait à la souveraine, de lui donner la permission de participer à la course en sa présence; si jamais elle ne l'autorisait pas, il se ferait un plaisir de partir comme il était venu. Une fois sa demande acceptée, il a enlevé son triste habit et s'est armé de toutes pièces. Son cheval a été mené à l'autre extrémité par des hommes à pied vêtus de satin brun qui l'ont préparé pour la joute. C'est alors que les hérauts ont crié: « Oyez! » Et la terre a tremblé sous le galop des destriers.

Lorsque la reine a donné la permission de courir à l'étranger, et lorsque ce dernier s'est écarté, les dames ont applaudi longuement et ont agité leurs mouchoirs. Son allure était si noble et son visage, si beau qu'ils attiraient le regard de tous, y compris celui de Sa Majesté le roi.

Ses cheveux, qu'il portait longs jusqu'aux épaules, ornaient son front de boucles blondes, une mode tout à fait nouvelle, même en France. Ses yeux étaient bleu foncé et son teint, bien que hâlé par le soleil, possédait une beauté que même l'astre ne pouvait cacher et que les jeunes filles enviaient. Il ne portait ni la moustache ni la barbe, comme le font les hommes à l'heure actuelle, car ces derniers se trouvent souvent le visage défiguré. C'est ainsi que, depuis lors, une cicatrice orne le menton de François 1er. Le profil net de l'étranger, grâce à une bouche bien dessinée et à des narines dilatées et mobiles, donnait une impression d'assurance, de tendresse, de gentillesse, de défi et de force.

Je me trouvais alors aux côtés de la reine qui m'appela:

— Qui est ce bel étranger qui a si gracieusement demandé ma permission de participer à la course?

— Je ne peux pas renseigner Sa Majesté. Je ne l'avais jamais vu jusqu'à ce jour. Il est le plus beau chevalier qu'il m'ait été donné de contempler.

— Il l'est certainement, a répondu la reine, et nous désirons beaucoup le rencontrer, n'est-ce pas, mesdames?

Une douzaine de voix ont fait écho pour approuver cette affirmation et j'ai promis de revenir après la course et de leur rapporter tout ce que j'aurais appris au sujet de l'homme.

C'est à ce moment précis que les hérauts ont proclamé leur «Oyez» et que notre conversation s'est terminée.

En ce qui concerne sa taille, cet inconnu devait mesurer au moins six pieds et avait une structure tout en muscles, sans être massif. Il était la grâce personnifiée et le roi a déclaré par la suite qu'il n'avait jamais vu autant de force de bras et d'habileté dans le maniement de la lance – un présage certain d'un avantage, sinon d'une bonne fortune pour qui possédait de telles qualités.

La princesse Marie m'a demandé après la joute si je pouvais lui donner des détails concernant l'étranger. Du fait que je ne pouvais le faire, elle s'est dirigée vers le roi.

J'ai entendu qu'elle posait la question suivante:

— Qui était donc votre compagnon, mon frère?

— C'est un secret, ma sœur. Vous le découvrirez bien assez tôt et, à coup sûr, tomberez amoureuse de lui. J'ai toujours su que vos histoires de cœur ne m'apporteraient que des ennuis. Vous ne daignez même pas porter votre regard vers les damoiseaux que je vous choisis et je suppose, toutefois, que vous êtes prête à sourire à quelqu'un que je désapprouve.

— Cet étranger est-il quelqu'un que vous désapprouveriez ? a demandé Marie, en arborant un sourire malicieux alors que ses yeux s'éclairaient d'une nouvelle lumière.

— Il l'est, cela est certain, a répondu le roi.

— Je vais tomber amoureuse de lui dès que je m'approcherai de sa personne. En fait, je ne le savais pas, mais je suis déjà amoureuse de lui.

— Cela ne m'étonne guère. Si jamais il y avait eu quelqu'un qui corresponde à mes souhaits, fût-il Apollon en personne, vous l'eussiez refusé !

Le roi Henri avait été obligé de dire non à plusieurs alliances très avantageuses parce que sa sœur, aussi têtue que belle, ne pouvait consentir à être le jouet des manœuvres politiques de son frère.

— Mais vous pouvez au moins me dire qui il est et quel est son rang ? a continué Marie en badinant.

— Il ne porte aucun titre de noblesse. C'est un soldat ordinaire. Il n'a même pas été fait chevalier. C'est-à-dire que ce n'est pas un chevalier anglais. Je pense qu'il porte un titre allemand ou espagnol.

— Ce n'est pas un duc ni un comte, même pas un baron ou un chevalier ? Voilà donc un fait qui me le rend doublement intéressant.

— Oui, je le suppose. Arrêtez de m'importuner.

— Sera-t-il présent au banquet et au bal ce soir ?

— Non ! Non ! Je dois vous laisser maintenant. Cessez de m'importuner, je vous le redis.

Et le roi s'est éloigné.

Ce soir-là, un grand bal et un banquet avaient lieu à Westminster et le jour suivant nous sommes tous retournés à Greenwich par bateau, à l'exception de Lady Marie. Nous avons payé un farthing par personne pour notre trajet. Cela se déroulait juste après qu'une loi eut fixé les tarifs par bateau et les marins étaient très fâchés. Pensez donc! Payer un farthing pour faire le trajet entre Westminster et Greenwich! Huit milles terrestres! Il n'est pas étonnant que les nautoniers aient été si contrariés.

Je suis retourné à Londres le jour suivant car j'avais une course à y faire. Et je suis également allé à la maison de Wolsey pour lui emprunter un livre. Lorsque je m'y suis trouvé, Maître Cavendish, le secrétaire de Wolsey, m'a présenté au bel étranger et j'ai découvert qu'il s'agissait de nul autre que Charles Brandon, qui avait participé au terrible duel dans le Suffolk. J'ai eu du mal à croire que ce jeune homme aux bonnes manières avait eu le rôle principal au cours de cette tragédie. Toutefois, sous son affabilité se cachaient le défi et la froideur, ce qui était suffisamment implicite qu'après tout il n'était pas que gentillesse.

Nous avons immédiatement fraternisé. Nous étions attirés l'un vers l'autre grâce à cette qualité humaine qui fait que des personnes s'entendent bien, ce qui résulte en amitié entre les hommes et en amour entre les hommes et les femmes. Nous avons vite découvert que nous partagions de nombreux intérêts, dont le principal était une véritable passion pour la lecture. En effet, il avait également rendu visite à la superbe bibliothèque de Maître Cavendish et il pouvait lui emprunter des livres pour les emporter à Greenwich. Brandon m'a informé qu'il devait s'y rendre au cours de la journée. Nous avons donc décidé de visiter Londres qu'il ne connaissait pas encore et de prendre ensuite le bateau pour nous rendre au palais avant la tombée de la nuit.

Ce soir-là, en arrivant à Greenwich, nous sommes partis à la recherche de l'oncle de Brandon, le maître de cavalerie, qui l'a invité à passer la nuit. Brandon a refusé et a préféré accepter l'invitation que je lui avais faite de faire rajouter un lit dans ma chambre.

Le jour suivant, Brandon a été nommé un des capitaines de la Garde royale grâce à son oncle, et il ne lui a été assigné aucune tâche particulière sauf celle de servir de temps à autre. Il lui a été attribué une belle chambre à un des étages inférieurs mais il a demandé à pouvoir occuper le grenier adjacent à ma chambre. Nous avons donc organisé nos deux chambres de façon à ce qu'une pièce entre les deux nous serve de salon et de salle d'armes.

Nous y passions notre temps à y parler et occasionnellement nous nous faisions la lecture de nos passages préférés, pendant que celui qui ne lisait pas gardait la page de sa propre lecture en y mettant un doigt. Nous discutions de tout, des scandales à la cour comme de religion, et réglions de nombreux problèmes du monde pendant que ce dernier continuait à se battre. Bien que Brandon, malgré son jeune âge, ait déjà eu une vie bien remplie du fait qu'il avait guerroyé sur le continent au sortir de l'enfance et ait été un homme du monde, son cœur était en fait tout neuf, sortant à peine d'un pré en fleurs. Il paraissait presque manquer de confiance en lui, mais je me suis rapidement aperçu que sa façon d'être était en fait la gentillesse froide de la force.

Dites-moi donc à quoi peut servir un ami si vous ne pouvez lui ouvrir votre cœur, peu importe que ce cœur connaisse la joie ou la tristesse? En ce qui concerne la joie, le besoin de se confier est d'autant plus important du fait que ce sentiment s'accompagne d'un pouvoir d'expansion, la personne sous pression se retrouvant dans le besoin de s'ouvrir à un ami.

C'est ainsi que Brandon m'a fait part de ses espoirs et de ses aspirations, dont la principale était son désir d'apprendre et d'économiser suffisamment d'argent pour rembourser les dettes que son père avait contractées sur ses propriétés, dont il s'était départi au profit de son jeune frère et de ses sœurs. Lui, maintenant l'aîné, aurait pu s'approprier le tout car son père était mort sans avoir fait de testament. Il avait toutefois déclaré que leurs biens n'étaient pas suffisamment importants pour être partagés et c'est pourquoi il les leur avait donnés et espérait lever les dettes. Puis il avait entendu parler de la Nouvelle-Espagne, à l'autre bout du monde, de la gloire, de la richesse, des conquêtes et de l'or. Il avait lu les récits de voyage du grand Christophe Colomb, de Giovanni Caboto et de tous les autres navigateurs, et l'avenir paraissait être aussi joyeux que les joues rouges d'une paysanne de Cornouailles. La chance lui ouvrait les bras, mais il arrive parfois que ces bras offrent bien des pièges.

CHAPITRE III

Pendant ce temps-là, Marie, la sœur du roi, atteignait le summum de sa maturité féminine. Sa peau de pêche laissait transparaître une évanescente teinte purpurine comme celle que l'on peut voir parfois à l'intérieur des feuilles des roses blanches. Ses cheveux étaient châtain clair, presque blonds et duveteux, doux et aussi fins que ceux d'un écheveau de soie d'Arras. De hauteur moyenne, tournée comme Vénus en personne, ses mains et ses pieds étaient si menus qu'ils avaient, semble-t-il, été créés pour capter l'attention des infortunés mortels. En évoquant ses graciles extrémités inférieures, en fait, je constate qu'elle semblait n'exister que pour avoir tous les hommes à ses pieds. Toutefois, le principal de sa beauté résidait dans ses scintillants yeux brun foncé qui brillaient d'un éclat constamment changeant à l'ombre des cils les plus fournis, les plus recourbés et les plus noirs dont l'on puisse rêver.

Sa voix était douce mais pleine, sauf lorsqu'elle exprimait la colère, ce qui, malheureusement, n'était pas rare. Elle parlait ordinairement doucement, sur un ton enjôleur auquel on ne pouvait résister. Elle se montrait très adroite à ce jeu et connaissait fort bien son pouvoir sur ses interlocuteurs. Elle demandait rarement quelque faveur et, en bonne descendante des Tudor, préférait plutôt faire connaître ses desiderata sur un ton impératif lorsque cela était possible. Comme je l'ai précédemment raconté, elle avait réussi à dissuader son royal frère de l'unir à des personnes qui auraient grandement avantagé Sa Majesté. Lorsque l'on connaissait le caractère vaniteux, entêté et emporté d'Henri Tudor, on ne pouvait que s'émerveiller devant le pouvoir de Marie qui était une des rares personnes à pouvoir y faire échec.

Will Sommers, le fou du roi, lança un jour la rumeur que la cour pourrait être témoin, dans le grand hall du palais, d'une rencontre entre la princesse Marie et son frère. Elle devait alors se surpasser pour le cajoler de belle façon afin de le soumettre à ses vues, ce qui en soi était bien innocent. Il faut dire que cela se passait peu après qu'elle l'eut convaincu d'annuler le contrat de mariage que son père avait préparé pour l'unir à Charles Quint, l'héritier de la plus grande quantité de pays qui puissent échoir à un seul homme – l'Espagne, les Pays-Bas, l'Autriche et que sais-je encore…

Tant d'hommes l'avaient courtisée! Tant de gentilshommes avaient perdu la tête devant autant de perfection! Je dois bien humblement avouer que, dans un moment d'égarement, à une certaine époque, j'avais été personnellement victime de ce charme. Cet amour transi représentait une farce à ses yeux, j'étais le ver amoureux d'une étoile, la créature indigne se traînant à ses pieds. Ce n'est certes pas qu'elle encourageât un tel comportement ou qu'elle appréciât cette cour, car elle n'avait jamais ressenti un tel sentiment et considérait l'amour et ses tourments comme quelque chose de résolument insignifiant. L'amour de ses soupirants lui semblait si banal et si courant qu'il n'avait aucune valeur à ses yeux et il semblait que ce surplus d'adulation la faisait passer à côté des meilleures choses de la vie.

Telle était la jeune femme de sang royal dont nous sollicitions la bienveillance. Je peux maintenant vous le dire franchement, mon ami Brandon ne tarda pas à être rejeté par la belle. Toutefois, il était d'une autre trempe que les autres soupirants qu'elle avait connus, et lorsque je compris qu'une certaine accointance s'établissait graduellement entre eux, je ressentis, pour le peu que j'en savais, que notre bien-aimée princesse se retrouverait face à un dilemme. C'est alors que j'ai souhaité que Dieu lui vienne en aide, car avec une telle nature, débordante d'énergie comme si elle la puisait directement dans les rayons du soleil, il ne suffisait que d'un éclair pour faire éclater tout cela au grand jour. En tel cas, quelqu'un subirait les contrecoups du désastre – probablement Brandon.

Contrairement à ce que nous espérions, Marie ne rentra pas avec nous de Westminster durant la matinée qui suivit les joutes. Elle ne revint que quatre ou cinq jours plus tard, tandis que Brandon s'était confortablement installé à la cour durant son absence. Ses services comme les miens n'accaparant guère de notre temps, nous avions le privilège de bénéficier de beaucoup d'heures libres que nous utilisions pour nous promener, chevaucher, nous reposer dans la salle commune, lire et discuter. Bien entendu, comme chez tous les jeunes gens, notre sujet de conversation favori portait sur la branche la plus fascinante de l'histoire naturelle, c'est-à-dire les femmes... Nous en parlions abondamment et nous n'étions pas les derniers. Pour sa part, Brandon avait vécu plusieurs aventures lors de son séjour sur le continent et s'en vantait comme pas un. Pendant que j'en suis aux confidences, je dois dire que je ne laissais pas ma place et étais capable de relater mes exploits en leur donnant une portée aussi importante que celle d'un bon vieil arc anglais. J'en rougis encore aujourd'hui. Tout en devisant, j'étais abasourdi et émerveillé par les rares capacités d'éloquence de Brandon. Il avait l'air de ne rien dire tout en écoutant poliment les commentaires interminables sur les mêmes sujets que ceux qu'il abordait – en d'autres termes, les miens.

Je me souviens lui avoir dit comment j'avais rencontré la princesse Marie alors qu'elle n'avait que douze ans et comment je m'étais ridiculisé à ses yeux. Je crains avoir tenté de donner l'impression que seul son rang élevé m'empêchait de laisser libre cours à ma passion et j'oubliais le fait qu'elle se soit moquée de moi avec humour et qu'elle m'ait écarté tel qu'on le fait avec un caniche importun qui vient de nous sauter sur les genoux. Je dois toutefois admettre qu'elle s'est toujours montrée bienveillante et aimable à mon égard et qu'elle m'a accordé davantage d'intimité que je ne le méritais. Cette faveur était partiellement attribuable au fait que je l'aidais le long de l'épineux chemin qui mène vers le savoir, un chemin qu'elle parcourait au galop, car elle affichait une soif inextinguible de connaissances, peut-être par pure curiosité.

Je suis persuadé qu'au fond d'elle-même elle me considérait sincèrement comme un bon ami, mais alors qu'elle était bien disposée à mon égard, mon cœur brûlait d'une flamme qui altérait tout et je voyais l'amitié de la princesse sous un éclairage déformé. Elle se montrait bien plus gentille envers moi qu'envers la plupart des hommes, mais je ne comprenais pas qu'elle se comportait de cette façon pour la bonne raison qu'elle me considérait comme parfaitement inoffensif. Et vu que j'étais un fou, un impossible espoir m'envahissait – ce qui pouvait arriver à tout prétentieux. Malheureusement, je persistais dans mon idiotie et poussai l'outrecuidance jusqu'à me déclarer! Je connaissais la distance infinie qui me séparait d'elle mais, comme tout prétendant évoluant dans l'entourage de ce charmant aimant naturel, je perdis la tête et, en résumé, me ridiculisa encore plus, ce qui en dit long sur cet épisode de mon existence.

Je pressentais vaguement mais ne réalisais pas intelligemment combien elle pouvait se trouver hors de portée jusqu'à ce que je laisse libre cours à ma passion. Tandis que j'y pensais, je la voyais sourire et m'attendais à des railleries de sa part. C'est alors qu'elle me lança un regard offensé, suivi d'un autre, plus conciliant.

— Je vous en supplie, Edwin. Je vous estime beaucoup trop pour vous perdre ou vous tourmenter. Ne vous transformez pas en l'un de ces pauvres fous qui ressentent ou prétendent ressentir pour moi quelque attirance. Vous ne pouvez savoir dans quel mépris une femme peut tenir un homme qui la harcèle de ses assiduités alors qu'elle ne l'aime point. Nul homme ne peut quémander l'amour d'une femme; il doit l'inspirer. Ne joignez pas leurs rangs et restons bons amis. Je vous dirai la vérité telle qu'elle est: rien ne serait différent si nous étions du même rang. Même si je ne ressens pas à votre égard ce que vous pensez ressentir pour moi, cela ne m'empêche pas de demeurer votre amie et je vous promets qu'il en sera toujours ainsi, à condition toutefois que vous ne me parliez plus jamais de cela…

Je promis solennellement et j'ai toujours tenu parole, car cette femme si bienveillante, si pleine de qualités comme de défauts, ce parangon de vertu imparfaite a, depuis ce jour, constamment respecté sa promesse. On aurait cru que mon amour – ou du moins ce qui ressemblait à ce sentiment – avait déserté mon cœur sur-le-champ, comme congelé par son regard glacial lorsqu'elle avait souri à la suite de mon premier aveu, tout comme la maladie quitte un corps affaibli par un grand choc. Cet amour fut remplacé par la flamme apaisante de l'affection d'une amie, une flamme qui réchauffe sans vous brûler – un feu de joie incomparable que rien ne peut éteindre malgré les souffrances et les tourments auxquels il vous soumet.

— Si vous devez aimer quelqu'un, poursuivit la princesse, il y a Lady Jeanne Bolingbroke, une personne belle et bonne qui vous admire et qui, je pense, pourrait apprendre à…

Mais la dame en question sortit de derrière les draperies où, semble-t-il, elle se dissimulait tout en ne perdant pas un mot de la conversation, et elle mit sa main sur la bouche de sa maîtresse pour la faire taire.

— Ne croyez pas un mot de ce que dit Son Altesse, Sir Edwin, s'écria Lady Jeanne. Si vous prêtez foi à ses propos, je ne vous aimerai jamais...

L'accent qu'elle mettait sur l'emploi du futur excluait toute promesse involontaire dans le cas où je n'aurais pas prêté foi aux propos de la princesse, et je pouvais immédiatement concrétiser ce total manque de foi dans une seule syllabe prononcée à son sujet. Je souhaitais confusément ne pas croire à ce refus, ne pas espérer un tel bonheur.

Vous voyez, j'avais commencé à courtiser Jeanne dès que je m'étais remis debout après m'être agenouillé aux pieds de Marie. Je n'avais donc guère importuné cette dernière. Je n'avais en somme souffert que d'une épidémie générale et n'étais pas atteint par une de ces maladies chroniques qui tuent.

C'est alors que j'appris que le meilleur remède pour la piqûre que représente un amour inassouvi est encore d'aimer ailleurs. Jeanne, toute menue, rougissante et jolie, représentait donc l'antidote tout désigné, si bien que je commençai à m'appliquer ce charmant calmant. C'était pour moi une de ces heureuses perspectives qui se présentent parfois à un homme et pour laquelle il remercie la Providence jusque dans sa vie éternelle.

Toutefois, la conquête de Jeanne n'allait pas se révéler aussi facile que ma vanité me portait à le croire. Je partais avec un handicap, car Jeanne m'avait entendu déclarer ma flamme à Marie, et il fallait que je corrige cet aveu avant de pouvoir faire quoi que ce soit d'autre. Si vous croyez qu'il s'agit-là d'une entreprise facile, essayez de faire la même chose avec une jeune fille plein d'allant, naturellement rieuse et faussement timide. Je commençais à me chercher un autre antidote lorsque j'entendis de sa part un «Oui» qui apaisa mon âme. En toute sincérité, je ne pense pas que dans tout le vaste monde j'aurais pu trouver un remède à mon amour pour Jeanne. Comme vous pouvez le constater, je vous avoue ouvertement avoir mérité cette affection et ne cache rien de nos relations sous prétexte de vous tenir en haleine. J'ai commencé par raconter l'histoire de deux autres personnes, mais avant d'aborder le vif du sujet je trouve que mon histoire personnelle s'immisce constamment dans la leur. Chaque homme étant à ses propres yeux un personnage majeur, je vais toutefois essayer de ne pas jouer les importuns.

Au cours de mes discussions avec Brandon, je lui avais, je le rappelle, raconté mon histoire avec Marie, non sans quelques légères variations ou du moins en la modifiant de manière à ne pas perdre la face comme si cela avait été le cas eussé-je dit la stricte vérité. Je lui parlais aussi de Jeanne et, j'en rougis et le déplore, exprimais de ce côté une confiance que je ne ressentais guère.

Il s'était peut-être écoulé un an depuis l'incident avec Marie et il m'avait fallu tout ce temps pour convaincre Jeanne que je ne croyais pas un mot de ce que j'avais dit à sa maîtresse et que j'étais d'une sincérité totale à son égard. Cependant, ses charmantes oreilles, semblables à de ravissantes coquilles, n'avaient pas capté mon aveu en vain. Cela me troublait grandement et le mieux que j'étais en droit d'espérer était qu'elle me mette à l'épreuve.

Le soir où Marie était revenue à Greenwich, Brandon me demanda:

— Qui, diantre, est cette merveilleuse Marie dont j'entends proclamer si haut les qualités? On raconte qu'elle rentre aujourd'hui et la cour semble être devenue folle à cause d'elle.

J'entends partout: «Marie par-ci, Marie par-là» du matin au soir. D'aucuns soutiennent que Buckingham est sens dessus dessous à cause de l'amour qu'il lui porte. Il a une épouse chez lui et, sauf erreur, est assez vieux pour être son père. N'ai-je pas raison? Un homme qui se ridiculise à ce point pour une femme doit être bougrement faible et ces gens de cour se révéler de bien lamentables créatures...

— Attendez de la voir, lui répondis-je, et vous ne tarderez pas à devenir l'un de ces fous. Je vous flatte en vous donnant moins d'une heure pour que vous tombiez amoureux d'elle. Pour un homme ordinaire, il faut moins d'une minute. Vous voyez: je vous complimente pour la force de votre esprit.

— Sottises! répliqua Brandon. Pensez-vous donc que j'aie laissé mon gros bon sens dans le Suffolk? Voyons, monsieur! Elle est la sœur du souverain. Princes et empereurs la convoitent. Mieux vaudrait pour moi tomber amoureux de quelque astre du firmament. De plus, mon cœur ne se promène pas sur ma manche... Vous devez penser que je déraisonne, que je suis un fou semblable à ces... à ces nobles anglais qui traînent à la cour. Si vous tenez à ménager notre amitié, ne m'associez pas à eux, voulez-vous?

Nous partîmes à rire de cette conversation un peu trop prématurée, car un noble même idiot n'en était pas moins, par privilège divin, un noble pour la plupart des gens du royaume, un être présumé bienveillant et respectable.

L'autre lien de sympathie qui nous unissait, Brandon et moi, résidait dans une communauté d'opinions en ce qui concerne certaines théories sur l'égalité des hommes et sur la tolérance de la pensée religieuse. Nous estimions que tout cela viendrait en son temps, malgré l'influence des castes de courtisans et de ministres du culte, mais prudemment nous gardions pour nous nos élucubrations et n'en parlions que dans un cadre strictement privé.

En effet, quelle est l'utilité de discuter de l'égalité des hommes avec quelqu'un qui est persuadé qu'un autre lui est supérieur ou encore des différentes manières de sauver son âme lorsqu'on n'est même pas certain d'en avoir une? Lorsque je parle en public, pour moi le roi est le meilleur homme de la chrétienté, et celui qui est hiérarchiquement le plus proche du souverain est la personne dont les qualités se rapprochent le plus des siennes. Si le roi est catholique, je vais à la messe. Dieu soit loué, j'ai suffisamment de cervelle pour ne pas chercher à me heurter la tête contre un mur de pierre.

Ainsi, lorsque Marie revint, la cour entière se réjouit et j'avais hâte que Brandon fasse sa connaissance et qu'ils se lient d'amitié. Je ne devais pas avoir de difficulté à arranger cette rencontre car, vous le savez, je faisais partie des intimes de la princesse et étais l'amoureux, sinon en titre, du moins pressenti, de sa première dame de compagnie, Lady Jeanne Bolingbroke. Il est vrai que Brandon n'était pas noble et même pas chevalier alors que je l'étais sous ces deux rapports, mais il était d'une famille dont les origines remontaient à celles de l'Angleterre et parent avec quelques-unes des personnes du meilleur sang du pays. La rencontre eut lieu plus tôt que je l'avais prévue et se révéla presque un échec. Elle se déroula en matinée le deuxième jour après l'arrivée de Marie à Greenwich. Brandon et moi déambulions dans le parc lorsque nous avons rencontré Jeanne. J'en profitai alors pour que mes deux amis les plus chers fassent connaissance.

— Enchanté, monsieur Brandon, lui dit Lady Jeanne en lui tendant sa main potelée qui m'était si chère. J'ai entendu parler de vous par Sir Edwin et craignais ne pas avoir le plaisir de vous connaître. J'espère maintenant pouvoir vous voir souvent et vous présenter à ma maîtresse.

Les yeux aussi pétillants que des gouttes de rosée, elle esquissa un sourire malicieux qui semblait dire : « Tiens, tiens, un autre joli garçon qui ne tardera pas à se ridiculiser… »

Brandon donna son assentiment et, après avoir échangé quelques mots, Lady Jeanne nous apprit que sa maîtresse attendait de l'autre côté du parc. Elle prit congé puis s'en alla en courant et en riant, non sans avoir préalablement fait la révérence, puis disparut derrière la haie au détour de l'allée.

En peu de temps, nous étions arrivés à un pavillon d'été près d'un appontement de marbre, où nous avons retrouvé la reine et certaines de ses dames de compagnie en train d'attendre le reste de la suite royale pour une promenade sur le fleuve, prévue depuis la journée précédente. La reine connaissait déjà Brandon et plusieurs de ses dames d'honneur également, même si elles ne lui avaient pas été présentées officiellement. Peu nombreux étaient les amis du roi, vivant dans l'intimité du monarque, qui avaient reçu ce brevet de reconnaissance officielle qui va de pair avec une présentation en bonne et due forme.

En nous apercevant, la reine m'envoya appeler le roi. Après mon départ, elle demanda si quelqu'un avait vu la princesse Marie. Brandon informa la souveraine que Lady Jeanne lui avait fait savoir que la princesse se trouvait de l'autre côté du parc. Sa Majesté demanda alors à Brandon de retrouver la princesse pour lui dire que la reine la faisait mander.

Brandon ne tarda pas à rejoindre une volée de jeunes filles assises sur des bancs sous un vénérable chêne, en train de tresser des guirlandes de fleurs printanières. N'ayant jamais vu la princesse, il ne pouvait théoriquement pas la reconnaître. Mais à peine avait-il posé ses yeux sur elle qu'elle se démarqua entre toutes à ses yeux. Cependant, par esprit de contradiction sans doute, il feignit l'ignorance. Il avait tant entendu parler de l'ascendant que Marie exerçait sur les hommes et de la manière servile avec laquelle ils réagissaient qu'il se cabrait naturellement à l'idée de les imiter. Il éprouvait même à leur égard un certain dégoût. Mais il se trompait lourdement, parce qu'on ne pouvait pas dire de Marie qu'elle jouait les coquettes. Elle ne faisait rien pour séduire les hommes sinon par ses manières affables, sa beauté et une personnalité qui les attirait irrésistiblement.

Si Dieu avait décidé de lui accorder toutes ces qualités, la responsabilité en incombait donc au Créateur et non à la créature. Le charme qu'elle dégageait n'était pas un acte de volonté. Elle était trop jeune pour s'amuser à tendre des pièges afin de capturer un mari, en dépit du fait que certaines péronnelles s'entraînent très tôt à ce petit jeu. L'amour d'un homme était pour elle chose de trop peu de prix pour s'en inquiéter et je suis persuadé que dans son cœur elle aurait préféré s'en passer – du moins jusqu'à ce que le Prince charmant se présente. Ce dernier est toujours en route. Qu'il se présente le premier ou le dernier, toute femme finit par le découvrir, parfois trop tard, hélas! Et lorsqu'il est là, tôt ou tard, elle le couronne, même s'il n'est qu'un baudet aux longues oreilles. Couronne bénie! Aveuglement trois fois béni! On souhaiterait moins de couronnements du genre...

Brandon se montra donc subtilement agressif et décida de faire fi de la perfection princière qu'il décida mentalement de déclarer surfaite. Il décida donc de la traiter de la même manière que la reine, qui était noiraude et parcheminée au point d'en être un éteignoir à concupiscence. Il l'aborda avec tout le respect dû à son rang, gardant pour lui ses opinions négatives.

Arrivé près du groupe, Brandon enleva son chapeau et, s'inclinant légèrement, ses boucles blondes lui retombèrent sur le visage. Il demanda si la princesse Marie avait l'honneur de se trouver parmi cette assemblée de gentes dames. Cette dernière, que d'aucuns trouveront enfant gâtée, sans même le regarder lui répondit:

— La princesse Marie est-elle une personne de si piètre importance à la cour qu'elle puisse demeurer inconnue à un imposant capitaine de la garde?

Il portait son pourpoint de garde et elle avait reconnu son grade par son uniforme, mais ne l'avait pas dévisagé. La réponse fut instantanée.

— Je ne me permettrais pas de commenter l'importance de la princesse Marie à la cour, ne connaissant rien à ce sujet et cet endroit ne se prêtant guère à un tel propos. Je pense qu'elle n'est pas là, car je ne doute pas qu'elle aurait alors répondu avec empressement au message de la reine dont je suis porteur. Je dois donc poursuivre ma recherche...

Il se retourna pour s'en aller lorsque toutes les dames présentes, incluant Jeanne, s'attendirent au pire. Elles avaient été témoins de la scène et anticipaient une crise de colère de la part de Marie dont le regard trahissait la fureur.

Marie se mit debout, les joues empourprées de colère, et lui dit:

— Insolent! Je suis la princesse Marie. Si vous avez un message, délivrez-le et qu'on en finisse!

Ce genre de traitement était celui que Brandon avait coutume de faire payer froidement à ses interlocuteurs, intérêt et capital. Tournant les talons et se présentant presque de dos à Marie, il s'adressa à Lady Jeanne.

— Madame, voudriez-vous, s'il vous plaît, dire à Son Altesse que Sa Majesté la Reine l'attend près de l'appontement de marbre...

— Nul besoin de répéter, Jeanne, j'ai très bien entendu, dit Marie en se tournant vers Brandon. Si votre insolence vous permet de recevoir un message d'une personne aussi insignifiante que la sœur du roi, je vous prie de dire à la reine que je vais la rejoindre sur-le-champ...

Il ne fit pas face à Marie, mais s'inclina à nouveau vers Jeanne.

— Puis-je vous demander, Madame, de dire à Son Altesse que si je me suis rendu coupable de quelque incivilité à son égard, je le regrette vivement. Que j'ai failli à reconnaître la princesse Marie au premier regard est malheureusement imputable au fait que je n'avais jamais eu préalablement la possibilité de pouvoir admirer sa royale splendeur. Je ne puis croire que la faute m'incombe et j'espère que Son Altesse, en y pensant bien, réalisera que le destin ne m'a pas été propice à cet égard.

Puis, après avoir fait une ample révérence, il s'en alla dans l'allée.

— Quel insolent faquin! lâcha quelqu'un.

— Il mériterait le pilori! dit une autre.

— Certainement rien de la sorte, rétorqua courageusement la frêle Lady Jeanne. Je pense que Lady Marie a fait erreur. Il ne pouvait pas la connaître par simple intuition...

— Jeanne a raison! reprit Marie, maintenant rassérénée.

Il faut dire que si son caractère était des plus prompts, elle se ressaisissait rapidement à condition qu'on lui en laisse le temps, car ce défaut provenait davantage de son éducation que de sa nature.

— Jeanne a raison et j'ai eu ce que je méritais. Je n'avais pas réfléchi avant de parler et mes paroles ont dépassé ma pensée.

Il a agi comme un homme et en avait le comportement en se défendant. Je suis certaine que même le pape de Rome ne saurait l'ébranler en toute impunité. Pour une fois j'ai vu un homme débordant de virilité. J'ai remarqué son nom sur une liste à Windsor voilà une semaine, mais le roi a dit que ce nom était un secret et que je ne devais pas le retenir. Il semble vous connaître Jeanne. Qui est-il ? Dites-moi tout. La reine attendra…

Effectivement, la reine dut attendre à cause de la curiosité d'une jeune fille.

J'avais raconté à Jeanne tout ce que je savais sur Brandon ; elle était donc très préparée à diffuser cette information. Elle raconta à la princesse qui il était, lui parla de son duel avec Judson, de ses aventures de guerre, des dons généreux qu'il avait faits à son frère et à ses sœurs.

— Sir Edwin m'a mentionné que Brandon est l'homme le plus lettré de la cour et a le cœur le plus brave et le plus sincère de la chrétienté, ajouta-t-elle.

Après l'exposé de Jeanne sur Brandon, le groupe commença à se rassembler pour se rendre à l'appontement de marbre. Quelques instants plus tard, elles virent Brandon se diriger vers elles dans l'allée. Lorsqu'il les aperçut, il tourna brusquement les talons et prit une autre direction. Lady Marie l'avait cependant vu et ordonna à Jeanne de courir le prévenir. La dame de compagnie ne tarda pas à le rejoindre pour lui dire :

— Monsieur Brandon, la princesse désire vous voir… dit-elle d'un air malicieux, mais cette fois-ci vous souffrirez, car je vous assure qu'elle n'a pas l'habitude d'être traitée de cette façon. Il est merveilleux toutefois de voir comment vous avez réagi à ses remarques. Généralement, les hommes grimacent, sourient d'un air niais et la remercient lorsqu'elle les châtie… »

Brandon n'était pas d'humeur à revenir sur l'incident.

— Je ne suis pas aux ordres de Son Altesse, répondit-il, et ne tiens pas à revenir la voir pour me faire admonester alors que je n'ai commis aucune faute...

— Oh! Mais il faut que vous veniez. Peut-être que cette fois-ci elle ne vous grondera pas, dit Jeanne en lui posant la main sur le bras et en l'entraînant.

Prisonnier d'une si charmante ravisseuse, il s'exécuta. Tout homme en aurait fait autant aux mains d'une personne si sincère, si fraîche et si aimable. Une fois arrivés près de la princesse et de ses dames de parage, Jeanne prit la parole.

— Lady Marie, permettez-moi de vous présenter monsieur Brandon qui, s'il vous a offensée de quelque façon que ce soit, implore bien humblement votre pardon...

C'était là une chose que Brandon n'avait aucune intention de faire, mais il laissa Jeanne continuer et il en fut récompensé.

— Ce n'est pas monsieur Brandon qui devrait demander pardon, répondit la princesse. C'est moi qui suis fautive. Je rougis à l'idée de ce que j'ai fait et vous dis: «Pardonnez-moi, monsieur, et repartons sur de nouvelles bases...»

Joignant le geste à la parole, elle s'approcha de Brandon et lui tendit une main qu'il baisa galamment, un genou à terre.

— Votre Altesse, vous pouvez fort aisément offenser lorsque vous avez le don de faire amende honorable de si aimable et de si belle façon. «Péché avoué est pour ainsi dire pardonné...» lui dit-il en la regardant droit dans les yeux.

C'en était trop pour elle. Elle baissa les yeux et rougit, puis dit dans un sourire qui mit en valeur ses charmantes fossettes:

— Je vous remercie. Quel beau compliment. Cela vaut mieux que quelque commentaire extravagant sur le teint, les yeux ou les cheveux d'une personne. Nous allions retrouver la reine, monsieur. Accepteriez-vous de nous accompagner?

Alors qu'ils déambulaient ensemble, les autres jeunes femmes suivaient en riant et en babillant.

C'était le grand calme après la tempête.

— Ainsi, je crois comprendre que vous ne prisez guère ces compliments mythologiques... poursuivit Marie.

— Aussi loin que je me souvienne, je ne peux dire en avoir jamais reçu, répliqua Brandon en gardant un visage impassible qui laissait cependant deviner un sourire.

— Tel n'est donc pas le cas... Fort bien... Auriez-vous aimé que l'on vous dise qu'à côté de vous Apollon était bossu et difforme et qu'Endymion se serait voilé le visage en voyant le vôtre? Et j'en passe...

— Je ne saurais l'affirmer, mais je pense que j'apprécierais de tels compliments, du moins venant de certaines personnes... répondit-il en gardant l'air le plus naïf possible.

Une certaine familiarité s'était installée entre eux après cette brève entrée en matière, ce qui fit lever les yeux à la princesse plutôt surprise, mais cela ne dura guère, car l'air innocent de son compagnon la désarma.

— Je ne suis pas sotte, répondit-elle en riant, en rejetant ses cheveux en arrière et en le regardant en coin, mais je vais vous faire un bien meilleur compliment. Je vous remercie pour vos remontrances. Il m'arrive de faire beaucoup de choses que je regrette toujours par la suite. Oh! Vous n'avez aucune idée de ce qu'il faut pour être une bonne princesse... ajouta-t-elle en secouant la tête tandis que son front se ridait légèrement et qu'elle exhalait un soupir en marchant. On n'y échappe pas...

— Je sais qu'il doit être difficile d'être aimable lorsque tout le monde vous flatte, même pour vos défauts, poursuivit Brandon d'une manière qui, je le confesse, semblait un peu moralisatrice. Il nous est presque impossible de les remarquer, même lorsque les autres nous les signalent, car ils sont laids et peu agréables à reconnaître. Toutefois, privés de vigiles externes, nous devons apprendre à cultiver constamment l'introspection et à faire notre examen de conscience. Si nous sommes suffisamment braves pour faire face à nos défauts, aussi hideux puissent-ils être, nous serons certains d'en corriger la plupart. C'est en nous efforçant de tendre vers le bien que nous réussirons, du moins partiellement, à l'atteindre.

— Oh! répliqua la princesse, mais nous sommes en droit de nous demander où est le bien et où est le mal. Souvent nous ne l'apprenons qu'après coup, et alors il est trop tard. Je souhaite sincèrement être bonne. C'est mon souhait le plus cher. Je suis si ignorante et désarmée que j'ai fortement tendance à faire tout de travers et, parfois, à ne rien faire de bien. Les prêtres nous racontent tant de choses et nous en disent si peu. Ils nous parlent de saint Pierre, de saint Paul et de tous les saints, des prophètes et de tout le tremblement, mais ne savent pas quoi nous dire aux moments cruciaux de notre existence, notamment comment reconnaître le bien lorsque nous le voyons, comment le pratiquer et éviter le mal. Ils nous poussent à croire tant de choses et insistent sur le fait que la foi est la somme des vertus et que l'absence de foi est la somme des péchés, que tout se résume à cette foi. Nous pouvons croire chaque mot de leur troublant credo et finir par tout gâcher à cause de notre ignorance aveugle qui ne nous permet pas de distinguer le bien du mal.

— Pour savoir ce qui est bien et ce qui est mal, répondit Brandon, je pense pouvoir vous indiquer un moyen qui, quoique non vérifiable sur un plan universel, se révèle excellent dans la vie quotidienne. Voici : tout ce qui rend autrui malheureux est mauvais et tout ce qui rend le monde meilleur est bon. Je ne saurais enseigner la manière d'appliquer constamment ce principe. On doit l'apprendre par la pratique. Même si nous échouons, la vertu ne se manifeste pas moins dans chaque futile effort que nous faisons pour atteindre le bien.

Tout en déambulant, Marie pencha la tête pensivement.

— Ce que vous venez de dire est la seule manière de définir la règle qui vous permet de savoir ce qui est bien. Vous êtes le seul à me l'avoir définie en des termes aussi peu ambigus. En fait, que pensez-vous de mon côté flatteur ? Mais tout cela n'aura que peu d'utilité, car chez moi le mal est trop bien implanté. Il se manifeste constamment avant que je ne puisse appliquer quelque règle que ce soit ou même prendre conscience de ce qui arrive…

Elle hocha une fois de plus la tête, l'air ennuyé mais ensorcelant.

— Pardonnez-moi, Altesse, mais il n'y a rien de mal en vous. Ce sont les autres qui le prétendent et ce n'est que superficiel. Il n'existe aucun mal dans votre cœur. Ce mal que vous vous imaginez venir de vous n'est qu'une apparence ; votre cœur est parfait et je vous ai très mal jugée.

Il la traitait un peu comme une enfant.

— Je crains, monsieur Brandon, que vous ne soyez le plus adroit des louangeurs, répondit Marie en hochant du chef et en le regardant de côté. Les gens m'ont couverte de toutes sortes de flatteries que j'ai classées par genres, mais personne n'est allé jusqu'à me qualifier de « bonne ». Peut-être pensent-ils que cela ne me fait pas plaisir, mais c'est ce que je préfère, car je ne prise guère les autres compliments. Que je sois belle ou non ne relève aucunement de mes propres mérites. Seul Dieu en est responsable, mais le fait d'être bonne relève de moi et peut-être conviendrait-il de m'attribuer quelque mérite à ce titre. Je me demande toutefois s'il y a du bon en moi et si vous m'avez évaluée avec justesse, ajouta-t-elle d'un air dubitatif. Ou alors essayez-vous de me brocarder?

Brandon fit sagement semblant de ne pas avoir entendu la dernière phrase.

— Je suis certain d'avoir raison. Vous possédez de formidables capacités de faire le bien mais aussi, malheureusement, des possibilités égales pour manifester votre côté sombre. Cela dépendra éventuellement de l'homme que vous épouserez. Il peut faire de vous une femme parfaite ou tout le contraire.

Une fois de plus, Marie afficha la surprise, mais le regard sérieux de Brandon la désarma.

— Je crains que vous ne soyez dans le vrai en ce qui concerne le contraire. Le pire est que je risque de ne jamais choisir un homme qui me convienne, mais que je sois forcée tôt ou tard d'épouser une créature qui devra assumer cruellement les frais de cette situation…

— Que Dieu nous en garde! répliqua Brandon avec déférence.

La conversation prenant un tour plutôt grave, Marie décida d'alléger l'atmosphère en lui donnant un ton plus enjoué. Elle lâcha dans un demi-soupir:

— J'espère simplement que vous avez raison en ce qui concerne mes possibilités de faire le bien, mais vous n'en savez trop rien. Attendez de mieux me connaître…

— J'espère simplement ne pas avoir à attendre trop longtemps.

Les yeux de Marie exprimèrent une nouvelle fois la surprise, puis la réponse vint:

— Vous n'attendrez point. Mais voici la reine et je suppose que nous devons avoir sa bénédiction…

Brandon comprit l'allusion: le prêche était terminé et on lui donnait congé. Aussi leva-t-il plaisamment les mains à la manière de l'ancien évêque de Canterbury et prononça la première phrase de la bénédiction en latin. Puis tous deux se mirent à rire, à se faire la révérence puis Brandon s'en alla de son côté.

CHAPITRE IV

Je me pris à rire de bon cœur lorsque Jeanne me raconta la joute oratoire entre Brandon et la princesse Marie, cette dernière ayant l'habitude de dire de méchantes choses aux gens et de se faire remercier pour ses paroles peu avenantes.

Elle était tombée sur la mauvaise personne et elle l'apprit à ses dépens. Brandon ne s'emportait guère, mais il était le dernier homme à souffrir un affront et le plus rapide à réagir froidement, et de manière dangereuse, à toute offense.

Il se respectait et s'attendait à ce que les autres se comportent de façon identique ou du moins fassent semblant. Dénué de vanité, ce désir extravagant pour les qualités qui vous attirent le respect et qui sont souvent le résultat d'un démérite conscient, il se connaissait et savait pertinemment qu'il avait droit à ses opinions. C'était un homme dans toute l'acception du mot: fort, intelligent, brave jusqu'à en être téméraire, avec un mépris total des conséquences qui auraient pu le mettre en péril si ce défaut n'avait été contrebalancé par une certaine prudence.

Aussi ne fus-je point surpris lorsqu'on me parla de cette rencontre, car je connaissais suffisamment Brandon pour être certain que le caractère autoritaire de Marie trouverait sa contrepartie chez mon flegmatique ami. Ce fut toutefois une victoire à la Pyrrhus, car ce que la beauté et l'intelligence de Marie n'avaient pas été en mesure d'accomplir, son admission honnête du côté sombre de sa personne le réalisa rapidement et attira Brandon dans le cercle où s'exerçait l'attraction fatale de la princesse. Aussi, lorsque Jeanne me raconta l'incident, je sus que le destin de mon ami était scellé et que, tôt ou tard, son intellect calculateur tomberait victime des traits qui avaient terrassé les autres de manière si efficace.

Certes, cela se déroulerait plus tard, car Brandon, comme il le disait lui-même, n'était pas de ceux qui portent leur cœur en sautoir. Et puis, il était la prudence personnifiée, ce qui, face à l'inaccessibilité de Marie, lui viendrait certainement en aide. Mais nul cœur d'homme n'était suffisamment fort pour résister longtemps au sourire de Marie Tudor.

Il existait une différence entre Brandon et la plupart des gentilshommes enamourés : cela prendrait du temps avant qu'il ne se fasse prendre dans les rets de l'amour, mais lorsque ce dernier s'enracinerait dans sa fougueuse nature, il ne serait pas bon de le prendre à la légère.

La nuit suivant la rencontre, Marie, qui dormait avec Jeanne, lui demanda timidement :

— Raconte-moi ce que tu sais de Brandon ; il m'intéresse. Je pense que si je connaissais plus de gens de sa trempe, je serais une meilleure fille, et ce, nonobstant le fait qu'il s'agisse de l'un des hommes les plus hardis que je connaisse, il dit tout ce qu'il veut vous dire et, en toute modestie, est aussi détaché avec moi que si j'étais la fille d'un simple citoyen. Cette modestie est toute extérieure, mais elle est très belle, et les belles choses doivent être extériorisées pour être de quelque utilité. Je me demande si Judson pensait que son adversaire était modeste…

Jeanne parla de Brandon à Marie, qui se montra d'excellente humeur, et ce, jusqu'à ce que le sommeil terrassât les deux jeunes filles.

Lorsque Jeanne me raconta cela, je fus effrayé, car le plus sûr chemin pour conquérir le cœur d'une femme est de la convaincre que vous êtes celui qui la rendra meilleure et de susciter au fond d'elle-même des sentiments purs et élevés. Je pensais qu'il serait suffisamment désastreux que Brandon tombât amoureux de la princesse, ce qui risquait fort bien d'arriver. En tel cas, cela signifiait la tête de mon ami sur le billot et le cœur de Marie déchiré pour le reste de son existence. La forte nature de la jeune héritière, potentiellement passionnée à l'extrême, était de celles qui font de l'amour une véritable conflagration, et si elle devait apprendre à aimer Brandon, elle n'hésiterait pas à remuer ciel et terre pour parvenir à ses fins.

Celle dont tous les désirs ont été comblés depuis la plus tendre enfance, à qui chaque lubie semblait une nécessité, ne reculerait devant rien pour que les aspirations de son cœur puissent être satisfaites ou perdues. La prudence dont Brandon faisait preuve pouvait atténuer les périls en le freinant dans ses transports mais Marie, qui n'avait jamais entendu parler de prudence, ne s'arrêterait pas pour si peu, car que peuvent les hésitations d'un homme devant la détermination d'une femme? Au cas où tous deux seraient amoureux, il est certain qu'ils pourraient essayer de se rejoindre mais cette entreprise serait de toute façon vouée à la catastrophe et risquerait de n'engendrer que ruine et désolation.

Quelques jours plus tard, je rencontrais la princesse dans le salon de la reine. Elle me fit signe et, posant les coudes sur le dessus d'une crédence, le menton dans les mains, m'annonça:

— Voilà un jour ou deux, j'ai rencontré votre ami, le capitaine Brandon. Vous a-t-il touché un mot de notre rencontre?

— Non, lui répondis-je. Jeanne m'en a parlé mais lui ne m'a rien dit.

45

Il était exact que Brandon ne m'avait pas mentionné cette rencontre et je ne l'avais pas non plus évoquée. Je voulais voir combien de temps il garderait le silence sur une aventure qui aurait incité la plupart des courtisans à se vanter abondamment. S'accrocher verbalement avec l'imbattable Marie et en ressortir victorieux était suffisant, je pense, pour délier n'importe quelle langue davantage portée sur la vantardise que celle de Brandon.

— Ainsi, poursuivit Marie plutôt piquée au vif, il n'a pas jugé bon de mentionner le fait de m'avoir été présenté? Nous avons eu un échange d'idées assez animé et, en toute modestie, je dois avouer que je ne suis arrivée que deuxième dans cette joute et que j'ai dû admettre ma défaite. Maintenant, que pensez-vous de votre ami? Ainsi il ne s'est pas vanté de m'avoir battue à ce jeu? Après tout, il se cache davantage de vertu dans son silence que je ne le pensais au premier abord...

Elle rejeta la tête en arrière et se mit à applaudir tout en égrenant le plus charmant des rires dont l'on puisse rêver. Elle ne semblait pas démoralisée par sa défaite, mais s'en gaussait joyeusement, comme s'il s'agissait d'une excellente blague. En fait, elle semblait en être ravie. Aussi jeune fut-elle, elle était déjà blasée d'être considérée comme une éternelle gagnante.

— Ce que je pense de mon nouvel ami? repris-je.

Elle m'avait donné l'occasion de développer sur un thème sur lequel je pouvais abondamment broder. Je lui parlais de l'érudition de Brandon, et ce, malgré le fait qu'il ait passé depuis son adolescence le plus clair de son temps à la guerre, sur le continent. Je répétais à la princesse les faits d'armes et de bravoure de mon ami, tels que me les avait racontés son oncle, le maître de cavalerie, ainsi que d'autres personnes, puis j'ajoutais ce que Lady Jeanne connaissait déjà. Je m'attendais à être bref mais, à ma grande surprise, découvris une auditrice très attentive, même en ce qui représentait des redites. Nous en éprouvâmes d'ailleurs un plaisir partagé.

— Votre ami a en vous un excellent avocat, Sir Edwin, dit la princesse.

— Assurément. Je ne saurais dire que du bien à son endroit.

Je savais que Marie, avec son esprit lucide et supérieur, avait un grand ascendant sur le roi. Je pensais donc pouvoir favoriser le sort de Brandon en glissant un mot de recommandation au bon moment en sa faveur.

— J'espère que le roi jugera bon de le récompenser et, si l'occasion se présentait, j'ose croire que vous ne manqueriez pas de lui en toucher un mot...

— Que pourrions-nous bien lui donner, au nom du ciel? s'exclama Marie d'un air impatient, car elle s'occupait aussi de politique, malgré son jeune âge. Le roi a déjà donné tout ce qu'il pouvait donner. Maintenant que la guerre est finie, les hommes rentrent dans leurs foyers et il y en a des centaines qui attendent des faveurs. Le trésor de mon père a été dilapidé, sans parler de l'argent perçu d'Empson, de Dudley et d'autres commissaires. Il n'y a rien à donner sinon les titres et la succession du regretté duc de Suffolk. Peut-être que le roi les octroiera à votre protégé si vous le lui décrivez sous un jour aussi favorable que vous me l'avez décrit. Demandez-le-lui! conclut-elle en riant.

— Ce ne serait pas de trop pour ses mérites... rétorquai-je sur un ton aussi enjoué.

— Nous arrangerons donc cela, dit-elle sur un ton badin. Nous ne parlerons plus du capitaine Brandon, mais de Charles Brandon, duc de Suffolk. Comment cela sonne-t-il, monsieur Caskoden?

— Comme une douce musique à mes oreilles, répondis-je.

— Je commence à croire que, si vous le pouviez, vous seriez prêt à revendiquer la couronne royale pour votre ami, homme insensé! Mais, si possible, il nous faudrait un homme aussi intéressant que lui à la cour. Je vais m'assurer de le faire présenter sur-le-champ à la reine. Je me demande s'il danse... Mais j'en doute fort. Il devait sans doute être trop occupé à frapper de taille et d'estoc... dit-elle en riant sur le ton de la plaisanterie.

Lorsque la joie se communiqua à ses fossettes, qu'elle rejeta en arrière sa chevelure en exposant son si joli cou, blanc et uni, qu'elle ferma à moitié ses grands yeux bruns cachés derrière ses longs cils, qu'elle entrouvrit légèrement ses lèvres pour découvrir des dents de perle et qu'enfin elle applaudit légèrement après avoir fait entendre son rire argentin, elle présentait une telle image de fraîcheur et de grâce qu'il ne fallait pas être grand mage pour comprendre pourquoi les hommes étaient fous à sa seule apparition et comment ils attrapaient la maladie d'amour de manière contagieuse. Cela m'était arrivé, et comme vous le savez déjà, j'en réchappai. Tout ce qui m'empêchait de rechuter quotidiennement était la présence de Jeanne, mon antidote, dont l'image demeurait gravée dans mon cœur et me prémunissait contre cette douce maladie.

— Je me demande si votre prodige joue aux cartes, du moins comme y jouent les dames, demanda Marie. Vous me dites qu'il a vécu longtemps en France, où ce jeu a été inventé, mais je suis certaine qu'il dédaignerait perdre son temps à des activités aussi frivoles alors qu'il pourrait guerroyer seul et opposer son glaive à des armées entières...

— Je ne sais rien de ses talents pour la danse ou les cartes, mais je suis prêt à parier qu'il pratique ces deux passe-temps, répliquai-je en réponse à ses sarcasmes, que je ne prisais guère, et pour lui faire valoir qui était vraiment Brandon.

— Je suis prête à parier dix couronnes, répondit rapidement Marie, car elle était naturellement parieuse.

— Pari tenu! répondis-je.

— Nous allons le mettre à l'épreuve quant à ces deux activités demain soir, dans mon salon, poursuivit-elle. Vous me l'amènerez, mais n'en parlez à personne. Jeanne sera présente avec son luth, ce qui ne devrait pas vous effrayer, et nous allons mettre son pas de danse à l'épreuve. J'aurai également des cartes et nous verrons ce qu'il vaut aux atouts. Nous ne serons que quatre. Personne d'autre. Vous et Jeanne, le nouveau duc de Suffolk et moi-même. Oh! Que j'ai hâte! dit-elle en dansant de joie à l'idée de cette réception.

L'événement était suffisamment insolite pour lui conférer du piquant, car si Marie recevait souvent quelques jeunes personnes dans son salon, il était rare que ces sauteries se bornassent à deux couples et, pour compliquer les choses, le roi et la reine étaient particulièrement pointilleux pour les questions de réunions en comités restreints.

Le pari de dix couronnes donnait également du zeste à la chose mais, en toute intégrité, elle ne s'en souciait guère. La princesse aimait parier pour l'amour du pari, peu importe qu'elle gagne ou qu'elle perde.

Lorsque je réintégrais mes appartements ce soir-là, je réveillai Brandon pour lui annoncer l'insigne honneur qui l'attendait.

— Eh bien! Je m'en occuperai…

Il faisait toujours une pause avant de s'engager, à moins d'être en colère. En tel cas, tous les saints du paradis y passaient, car il avait appris à jurer en Flandres.

— Vous auriez dû voir comment elle m'a fait mander l'autre matin. Je n'ai jamais été aussi surpris de ma vie. Pour une fois, j'ai été pris à l'improviste et ne savais pas trop comment parer les coups. J'ai marmonné quelque vague riposte, puis j'ai battu en retraite. C'était si injuste et inapproprié que cela m'a contrarié. Elle était toutefois si gracieuse en faisant amende honorable que je fus presque heureux qu'elle en prenne l'initiative. J'aime une femme qui puisse se montrer aussi sauvage que le diable lorsqu'elle le désire, car elle possède aussi le potentiel pour toute action diamétralement opposée…

— Elle m'a raconté votre rencontre, repris-je, et m'a avoué avoir perdu cette joute oratoire – une défaite qu'elle considérait comme une bonne blague.

— L'homme qui apprend à connaître les pensées et les sentiments d'une femme possède là de bien précieuses informations, répondit-il en se retournant pour s'endormir.

Il était de toute évidence fort satisfait qu'une femme puisse penser de cette façon. Par contre, je n'étais pas si sûr qu'il aurait trouvé flatteur de servir de prétexte à une gageure ou qu'il soit mis à l'épreuve pour satisfaire le bon caprice de la princesse.

Même en ne posant pas à Brandon la question de confiance consistant à savoir s'il jouait aux cartes et s'il dansait, je trouvais quelque intérêt personnel à cette rencontre. En ce qui concernait le divertissement que Marie comptait bien s'offrir aux dépens de Brandon, je le minimisais, car si elle s'était hasardée à pousser trop loin la plaisanterie, elle aurait trouvé en son interlocuteur une personne peu encline à se laisser manipuler.

Le soir suivant, à l'heure convenue, nous dirigeâmes nos pas vers la résidence princière par des chemins détournés et nous nous présentâmes incognito au salon de Marie.

Lady Jeanne ouvrit la porte et nous rencontrâmes les deux demoiselles sur le seuil. J'avais mentionné à Brandon la conversation plutôt badine à propos du titre et de la succession du regretté duc de Suffolk et cela l'avait fort diverti. S'il était prompt à riposter à une insulte intentionnelle, il ne s'offusquait guère d'une bonne plaisanterie et ne souffrait pas de cette susceptibilité exacerbée si dérangeante pour soi comme pour ses amis.

En fait, Jeanne et Marie me taquinaient toujours à cause de ma courte taille et de mon apparence un peu trop enveloppée. Elles en riaient de bon cœur mais leur rire était si communicatif que j'en riais moi-même et que le tout se terminait dans l'hilarité générale. J'assumais donc ma rondeur avec humour.

Dans cet esprit, j'annonçai en entrant:

— Mesdames, Sa Grâce le duc de Suffolk!

Elles firent toutes deux une large révérence, une main sur le cœur en le saluant cérémonieusement.

— Bonsoir, Votre Grâce…

Dans la mesure du possible, la révérence de Brandon fut aussi ample et gracieuse que celle des jeunes filles et, lorsqu'il pénétra dans la pièce, il fit une halte et creusa ses joues pour imiter son regretté prédécesseur. Les hôtesses se mirent à rire doucement, ce qui mit tout le monde à l'aise.

Quelle merveille de se remémorer ce passé heureux où un simple rire spontané représente pour vous une forme de paradis!

— Prenez place, dit la princesse. C'est sans cérémonie. Nous ne sommes que nous quatre et personne n'est au courant de cette réunion. En avez-vous parlé à qui que ce soit, Sir Edwin?

— Loin de moi cette pensée! m'exclamai-je.

Elle tourna son visage vers Brandon.

— Je sais que vous n'en avez pas parlé. J'ai entendu dire combien vous vous montriez discret sur d'autres questions. Et puisque personne n'a eu vent de cette rencontre, nous pouvons passer une belle soirée. À la suite de mes remarques de l'autre matin, je gage, monsieur Brandon, que vous ne vous attendiez pas à cela... Avez-vous été surpris lorsque Sir Edwin vous a transmis mon message?

— À la suite de cette première expérience, je suis en mesure d'affirmer que j'étais préparé à ne point me surprendre de quelque initiative que Votre Altesse puisse trouver bon de prendre, répondit-il avec un sourire.

— Vraiment? répliqua Marie en fronçant les sourcils et en haussant le ton sur la deuxième syllabe du mot.

C'était maintenant à son tour d'être surprise.

— Nous trouverons bien le moyen de vous surprendre un de ces jours... reprit Marie qui s'apprêtait à le prendre sans délai au dépourvu. Mais cessons d'évoquer le passé... Je n'en vois pas l'utilité. Monsieur Brandon, avant la fin de cette soirée, j'aimerais que vous nous fassiez un autre sermon...

Elle éclata d'un rire communicatif, qui en provoqua trois autres, aussi sincères et joyeux que si elle avait prononcé le plus spirituel des mots d'esprit.

La princesse en avait parlé à Jeanne et cette dernière m'en avait touché un mot. Jeanne m'avait dit avoir baptisé sa première rencontre avec Brandon le «Sermon du parc».

— Jeanne en a besoin autant que moi, déclara la princesse.

— Je ne peux le croire, répondit Brandon en regardant Jeanne d'un air si admiratif que je le trouvais un peu trop enjôleur à mon goût.

Je suis en effet un petit jaloux en diable.

— Oh! Ainsi vous pensez qu'elle n'en a pas besoin? répondit Marie en fronçant les sourcils. En vérité, monsieur Brandon, il y a un défaut que l'on ne saurait vous imputer: celui d'être un flatteur…

En guise de réponse, Brandon se mit à rire, et tout le monde avec lui, même s'il n'y avait pas matière à une crise d'hilarité. Certains diront peut-être que nous étions fous, d'autres qu'il s'agissait là du summum de la sagesse. Par saint Georges, j'aurais volontiers donné mon Ordre de la Jarretière pour entendre d'autres rires du genre, pour une autre heure de cette jeunesse spontanée réchauffant si aimablement l'âme, pour ce battement de cœur créateur de joie et de bonheur.

Après quelques minutes de plaisante conversation à laquelle tous participèrent, Marie demanda:

— Que faisons-nous? Est-ce que l'un d'entre vous aurait quelque suggestion?

Jeanne demeurait assise, l'air si réservée que vous n'auriez point soupçonné chez elle la moindre trace de malice, mais ces filles trop sages sont presque toujours dangereuses. Aussi déclara-t-elle le plus innocemment du monde:

— Que diriez-vous si nous dansions? En tel cas, je pourrais jouer, dit-elle en prenant le luth qui se trouvait près d'elle.

— Ce serait effectivement charmant. Monsieur Brandon, voulez-vous danser avec moi? demanda la princesse avec un rire coquin.

Cette invitation semblant plus importante à nous trois qu'à Brandon, Jeanne et moi nous mîmes à rire à l'unisson.

Lorsque Marie tapa dans ses mains – un geste des plus ravissants qui charma Brandon –, il se trouva dérouté et ne réalisa pas qu'il faisait les frais de nos rires. N'ayant pas répondu à l'invitation de Marie, car nos rires l'avaient probablement distrait, la princesse, qui tenait à remporter ou à perdre son pari dans les délais les plus brefs, lui redemanda s'il voulait danser.

— Oh! Veuillez m'excuser. Bien sûr! Merci…

En un instant, il s'était déjà levé, prêt à danser. Cette fois-ci, quoique toujours joyeux, le rire de la princesse changea de ton, car elle savait déjà avoir perdu ce point.

Ils se retrouvèrent sur le parquet, Brandon tenant la main de Marie, attendant une pause pour rattraper le rythme de la musique. Je n'oublierai jamais le spectacle que présentait ce couple de danseurs: Marie, ses yeux pétillants, et Brandon, le teint rose, les yeux de la couleur d'un ciel printanier, ses abondantes boucles blondes couronnant les six pieds de ce parfait gentleman, fort et vigoureux comme un jeune lion. Marie, la jeune fille gracieuse au profil d'une statue grecque, une vraie Vénus accompagnée d'un Apollon nanti des qualités d'Hercule. Les deux étaient merveilleusement assortis.

Lorsque la musique reprit, ils commencèrent à se mouvoir dans un rythme parfait – un vrai poème en mouvement! Si Marie s'était demandé si Brandon savait danser, elle avait maintenant la réponse après moins de dix pas. Rien n'était plus charmant que de les voir évoluer. Le moindre mouvement de la princesse était comme la grâce personnifiée. Lorsqu'elle reculait, la tête légèrement penchée, on pouvait entrevoir par l'échancrure de sa manche son bras levé, ondulant comme le cou blanc d'un cygne. C'était un spectacle pour lequel on aurait parcouru bien des lieues. Et lorsqu'elle regardait Brandon de ses yeux bruns rieurs, ses lèvres sensuelles trahissant un sourire, n'importe quel homme aurait sacrifié tout ce qu'il avait. Mais mieux valait que je mette un terme à ces rêveries…

— A-t-on jamais vu un plus beau couple ? demandai-je à Jeanne, près de laquelle j'étais assis.

— Jamais, répondit-elle tout en continuant à jouer.

Je dois admettre que son acquiescement provoqua chez moi de la jalousie, car je craignais que son admiration n'eût été davantage provoquée par la beauté de Brandon plutôt que par tout autre facteur. C'était logique. Eut-il été moins beau, je ne me serais point inquiété. Conscient des sentiments que j'éprouvais pour Marie, je jugeais de manière erronée ceux de Jeanne à l'aune de mes propres critères. Je présumais qu'elle pensait à Brandon de la même façon que je pensais à Marie. N'y avait-il rien de plus joli sur terre et dans les cieux que cette créature royale en train de danser, tenant sa jupe en le pouce et l'index, juste assez pour que l'on aperçoive son pied menu et sa fine cheville ? Il y avait de quoi souhaiter être né vulgaire mouton plutôt qu'un être doué de raison, obligé de vivre sans Marie Tudor… Ce qui est le plus bizarre, c'est que j'étais vraiment amoureux de Jeanne et qu'en fait je n'aimais personne d'autre. Mon intense admiration pour Marie faisait donc partie de cette inconstance caractéristique des hommes.

Une femme – Dieu la bénisse ! – ne pense à personne d'autre lorsqu'elle aime un homme. Un seul lui suffit. Mais un homme peut aimer une femme avec la violence torride d'un sirocco et en même temps laisser souffler les alizés de son cœur en direction d'une douzaine d'autres créatures. Telle est la différence entre l'homme et la femme, entre le bien et le mal. Une femme très moyenne a suffisamment de bonté en elle pour en fournir à une armée de mâles.

Marie et Brandon poursuivirent leur danse longtemps après que Jeanne eut montré des signes de fatigue. Il était évident que la princesse s'amusait ferme. Ils poursuivaient leur conversation à bâtons rompus, riaient, se faisaient des sourires et des révérences, s'inclinaient avec grâce en suivant parfaitement la mesure.

L'exercice est plus complexe qu'on ne le croit. Essayez donc de poursuivre une conversation en dansant la gaillarde! Il y a risque de s'emmêler, mais Brandon dansait avec autant de facilité qu'il se déplaçait et, même s'il ne s'agissait-là que d'un don de société, cela le rehaussa encore dans l'estime des deux jeunes filles.

— Jouez-vous au jeu de triomphe? demanda Marie tout en dansant.

— Bien sûr! répondit Brandon à ma plus grande satisfaction.

La princesse me jeta un regard oblique par-dessus son épaule pour voir si j'avais bien entendu. Constatant que c'était le cas, le sort du pari était chose réglée.

— De plus, reprit Brandon, je joue également au jeu qui lui a succédé, le bridge. À mon avis, il est plus intéressant que son prédécesseur.

— Vraiment? s'exclama Marie. Cela compensera largement pour la perte de mes dix couronnes. Asseyons-nous. J'ai hâte de l'apprendre, car personne ici ne semble le connaître. Pourtant, on dit qu'en France on ne joue qu'à ce nouveau jeu qu'ils appellent, je crois, «les atouts». Je suppose que c'est là que vous l'avez appris? Peut-être connaissez-vous aussi leurs danses. J'ai entendu dire qu'elles étaient charmantes.

— Je les connais également, reprit Brandon.

— Mais vous êtes un vrai trésor! Enseignez-les-moi sur-le-champ! Dites donc, monsieur le maître à danser, je vois que votre ami vous fait concurrence dans votre propre domaine…

— Je suis heureux de l'entendre, répliquai-je.

Jeanne croisa ses jambes et commença à jouer *La promise du matelot*. Une fois qu'elle eut trouvé le rythme selon les suggestions de Brandon, celui-ci se campa délibérément devant Marie, prit la main droite de la princesse dans sa main gauche et lui prit la taille de son bras droit. La jeune fille en fut toute éberluée et effectua un mouvement de retrait. Cela l'agaça un peu et il ne se gêna pas pour le montrer.

— Je pensais que vous désiriez que je vous montre cette nouvelle danse… lui dit-il.

— Je le veux, mais je ne savais pas qu'on la dansait ainsi… répondit-elle avec un petit rire ému, le regardant avec un air mi-timide, mi-contrit, puis en baissant les yeux devant les siens.

— Eh bien! reprit Brandon dans un haussement d'épaules à la française et se déplaçant comme s'il allait mettre un terme à tout cela.

— Mais est-ce vraiment la manière dont ils – je veux dire vous – dansez cela? C'est-à-dire avec votre bras autour de ma… le bras autour de la taille des dames?

— Croyez bien que je ne me serais pas hasardé à me laisser aller à une telle familiarité si telle n'était la coutume, répondit Brandon avec un air malicieux dans l'œil.

— Oh! Je crois que votre modestie vous causera du tort, rétorqua Marie en esquissant l'ombre d'un sourire. Je commence à croire que vous êtes capable de faire tout ce qui vous passe par la tête et suspecte fortement qu'en dépit de vos manières réservées vous êtes un homme passablement effronté…

— Vous me jugez bien mal, je vous l'assure. Je suis la modestie même et déplore que vous me considériez comme un personnage effronté, parvint à répondre Brandon dans un sourire.

— Maintenant, je commence à croire que vous vous gaussez de ma pruderie… dit-elle en reprenant la parole.

Marie aurait préféré être taxée de folle plutôt que de prude et je crois qu'elle n'avait pas tort. La pruderie n'est pas plus un signe de vertu qu'une perruque est une chevelure : on s'en sert généralement pour dissimuler une forme de calvitie.

Pendant quelques instants, la princesse sembla indécise. Elle hésitait et semblait visiblement ennuyée.

— Vous protestez parce que je vous trouve effronté et pourtant vous voilà en train de me rire au nez ! Je crois plus que jamais ce que je soupçonnais : j'en suis même persuadée. Oh ! Que vous me mettez en rage ! Ne vous y avisez pas ! Je ne prise guère les personnes qui ont le don de m'énerver et qui ensuite se moquent de moi…

Le sourire de Brandon se transforma en un rire irrépressible. Les yeux de Marie lançaient maintenant des flammèches. Elle trépigna et s'exclama :

— Monsieur, vous dépassez maintenant les limites ! Je ne tolérerai pas votre effronterie une minute de plus !

Je crus un moment qu'elle allait le congédier, mais ce ne fut pas le cas. Le temps était venu de voir qui était le maître. Ce fut un affrontement royal sur la piste de danse improvisée, mais j'étais certain que Brandon s'en sortirait sans anicroches.

— Pourquoi devriez-vous garder pour vous, dans votre manche, tous les rires à mes dépens? lui demanda-t-il sur un ton enjoué. Vous attendiez-vous à me faire venir ici comme objet de pari en supposant que j'étais suffisamment rustre et dénué de dons de société pour ensuite vous lamenter parce que c'est à mon tour d'en sourire? Je pense que je devrais être la personne offensée mais vous voyez qu'il n'en est rien...

— Caskoden, lui en avez-vous parlé? me demanda Marie en se référant évidemment au pari.

— Il ne m'en a rien dit, reprit Brandon en prenant la parole pour moi. Il aurait fallu que je sois fou pour ne point le remarquer lorsque vous avez mentionné avoir perdu dix couronnes... Alors oublions vite et recommençons....

— Fort bien, dit-elle, rassérénée, sur un ton d'excuse, mais en ce qui concerne votre effronterie, j'insiste tout de même, mais vous pardonne pour cette fois-ci. Après tout, il ne s'agit pas là d'une accusation bien grave. Le fait de faire preuve de hardiesse ou d'effronterie envers une femme n'est jamais très insultant pour les hommes et je pense même qu'ils aiment cela, quitte à ce qu'ils s'en offusquent... N'est-ce pas, Jeanne?

Jeanne, évidemment, avoua sa méconnaissance en la matière, ce qui nous donna une autre occasion de rire tandis que Marie, ce paquet de contradictions et d'humeurs changeantes, vint se planter devant Brandon, les joues empourprées pour recevoir une nouvelle leçon de danse controversée.

Un peu effrayée de ce bras autour de sa taille, c'était pour la princesse le premier contact avec un homme. Timide et réservée, quoique consentante, elle était bien décidée à apprendre cette danse. Bonne élève, elle se déplaçait avec grâce en y prenant ostensiblement plaisir et s'adaptait graduellement à cette nouvelle situation.

Ce genre de danse était plus animé que la gaillarde et Marie ne parlait guère, car elle était à bout de souffle. Brandon, par contre, poursuivait sa conversation à laquelle son élève ne répondait que par des signes de tête, des sourires et des monosyllabes – un vocabulaire parfaitement approprié en l'occurrence.

À un moment donné, il lui dit quelque chose à voix basse qui la fit rougir et la porta à le regarder dans les yeux. Le temps qu'elle lui réponde, ils s'étaient approchés de moi et j'entendis la princesse dire à son cavalier:

— Dussiez-vous faire preuve d'imprudence, je crains qu'il ne me faille vous pardonner encore. Faites-moi donc la démonstration de cette modestie dont vous vous vantez tant... lui dit-elle avec un sourire et un regard si désarmants qu'ils exemptaient toute réelle menace.

Les danseurs s'arrêtèrent tandis que Marie, les yeux brillants et les pommettes rosies, s'effondrait sur une chaise en s'exclamant:

— Cette nouvelle danse est charmante, Jeanne. On a l'impression de s'envoler et votre partenaire vous aide à le faire. Mais que diraient le roi et la reine? Cette dernière trouverait certainement cela horrible, même si c'est adorable.

Semblant encore troublée par cette expérience d'une manière que je n'avais jamais vue, elle ajouta:

— C'est merveilleux, surtout lorsqu'on choisit bien son partenaire...

Cela empira le quiproquo et donna à Brandon la possibilité de s'exprimer.

— Si je puis oser espérer...

— Oh! oui, vous pouvez oser. Je vous le dis franchement : ce fut délicieux de danser avec vous. Maintenant, êtes-vous satisfait, mon très modeste ami? Jeanne, je vois déjà que vous êtes dans l'expectative... Qui dit ce qu'il va faire maintenant... déclara Marie dont l'impatience était visible.

Elle agitait son éventail et parlait assez sèchement, car l'attitude de Brandon était davantage celle d'un égal que celle d'un subordonné. La dignité royale, qui représentait le côté artificiel de Marie, se rebellait contre ses penchants naturels. Elle avait tellement l'habitude d'être l'objet d'une adulation perpétuelle et d'être placée au-dessus du commun des mortels qu'il lui semblait normal de maintenir cette distance abyssale. Elle n'avait jamais été appelée à se rapprocher de ses sujets et la situation était donc nouvelle pour elle. Malgré le fait qu'elle trouvait plaisant cet accroc à l'étiquette, les courtisans soumis qui l'entouraient entretenaient cette état de choses et la rappelaient constamment à l'ordre afin qu'elle recadre, du moins partiellement, une dignité qu'elle avait un peu relâchée en navigant dans le monde moins empesé mais plus complexe de la simplicité.

Au fond de son cœur, la princesse préférait, du moins lorsque l'occasion s'en présentait, être moins cérémonieuse et elle demandait souvent à son entourage de faire fi de l'étiquette, comme cela avait été le cas plus tôt dans la soirée. Toutefois les manières de Brandon, quoique parfaitement respectueuses et d'une politesse raffinée, ne ressemblaient à rien de ce qu'elle avait connu jusqu'alors. Elle appréciait cette décontraction mais, de temps à autre, le sens de son importance et de sa dignité prenait le dessus sur son plaisir. Son rang ramenait la jeune femme à ses justes proportions, car il ne faut pas oublier, après tout, qu'elle était la première princesse de sang royal. En outre, sans être catégorique, elle craignait que Brandon ne s'amuse à ses dépens et qu'elle se retrouve à faire les frais d'une manifestation de prétention masculine.

Plus lady que princesse, elle aurait souhaité demeurer une simple jeune fille et laisser les événements suivre leur cours, car elle aimait cela. Mais il y avait son côté princesse qui lui rappelait qui elle était, et elle était tiraillée entre les deux extrêmes.

Répondant à la remarque que Marie avait lâchée par-dessus l'épaule de Jeanne, Brandon annonça :

— Votre Altesse nous a demandé de faire fit de l'étiquette pour la durée de cette soirée. Dans mon désir de vous être agréable, je vous ai peut-être malencontreusement offensée. En tel cas, soyez assurée que cela ne se reproduira plus…

Il avait prononcé ces mots si sérieusement, sans équivoque, et l'on ne pouvait pas se méprendre sur leur sens : peu lui importait de plaire ou non à une personne aussi capricieuse.

Marie ne répondit point et il semblait que Brandon était en difficulté.

Nous passâmes quelques minutes à converser. Marie avait repris son air digne. Quelqu'un suggéra de jouer aux cartes et, alors que le jeu progressait, la princesse se détendit et redevint aussi affable et aimable qu'au commencement de la soirée. Brandon, par contre, semblait pétrifié, quoique poli, très digne et plein de déférence envers les dames. L'atmosphère décontractée du début, qu'il avait initiée grâce à son caractère bon enfant et primesautier, était devenue plus guindée.

Après quelque temps, sa bonne humeur ne réussissant pas à dérider notre amuseur figé, la princesse, qui au fond d'elle-même préférait largement le plaisir à l'étiquette, annonça :

— C'est fatigant. Ce jeu est beaucoup moins distrayant que votre nouvelle danse. Monsieur Brandon, dites quelque chose qui me fasse rire…

— Si vous voulez rire, je crains qu'il ne vous faille faire appel au bouffon de cour Will Sommers, lui répondit-il. Ne sachant plaire à la princesse sur tous les plans, je me bornerai à celui qui semble le plus lui être agréable.

Les yeux de Marie lancèrent des éclairs et elle répondit sur un ton ironique :

— On dirait vraiment que vous tenez à vouloir me faire plaisir sur tous les plans…

Ses lèvres s'écartèrent comme si elle allait, de toute évidence, dire quelque chose de déplaisant, mais elle se retint et, après quelques hésitations, ajouta :

— Mais peut-être que je le mérite et vous demande de me pardonner. Lorsque nous sommes entre nous, j'aimerais que vous trois me traitiez comme une femme – ou plutôt une jeune fille – sans égard à mon rang. Quel est donc l'avantage d'appartenir à la royauté si ce rang doit vous cantonner au summum, loin des plaisirs de la vie, comme ces stylites déments méditant en haut de leur colonne. La reine me sermonne constamment sur la stricte observation de ce qu'elle appelle ma «dignité royale» et elle a peut-être raison mais, en ce qui me concerne, je trouve cela terriblement ennuyeux. Oh! Vous ne saurez jamais combien il est difficile d'être une princesse et non un fou du roi… conclut-elle en soupirant.

Se tournant vers Brandon, elle poursuivit :

— Monsieur, vous m'avez donné une autre bonne leçon et, à partir de ce moment, je vous considère comme un ami tant que vous vous montrerez digne de l'être… Bon, ce n'est pas ce que je veux dire car je sais que vous serez toujours digne de mon estime. Maintenant que nous avons mis la situation au point, essayons d'éviter toute ambigüité. En tout cas, c'est un fait acquis en ce qui me concerne...

Elle lui donna sa main en riant. Brandon se leva, s'inclina, la lui baisa de fervente manière, un peu trop longtemps à mon avis.

Le baisemain était alors en Angleterre une coutume assez peu courante, pratiquée surtout par le roi en guise d'hommage public à la reine. Cela dérouta un peu Marie, même si elle permit à Brandon de retenir sa main plus longtemps qu'il ne fallait vraiment. Je pus constater son trouble en voyant ses pommettes rosir. Lorsqu'une femme se place sur la défensive un peu trop prématurément et sans cause réelle, il lui est difficile de se contrôler lorsqu'un réel besoin de le faire se fait sentir.

Après avoir joué un moment aux cartes, j'exprimai à Jeanne mon regret de ne pouvoir la faire danser faute de musique.

— Qu'à cela ne tienne, si ces dames le permettent, répliqua Brandon.

Il prit le luth de Jeanne, en joua et chanta de très jolies chansons d'amour et d'autres, plus comiques, dans un style rarement pratiqué en Angleterre, si loin des origines des troubadours et de celles du luth. Ce garçon était des plus surprenants, un merveilleux compagnon plein de talents et de grâce.

Après que nous eûmes suffisamment dansé (c'est Jeanne qui décida d'arrêter car, pour ma part, j'aurais continué beaucoup plus longtemps), Marie nous demanda une fois de plus de nous asseoir. Cela fait, Brandon offrit à Jeanne de lui apprendre la nouvelle danse en lui expliquant qu'il pourrait toujours siffler quelque air pour marquer la mesure. Une certaine jalousie m'envahit, car je ne tenais pas à ce que Brandon danse de cette façon avec Jeanne. À mon plus grand soulagement, elle lui répondit :

— Non merci, pas ce soir.

Puis, me lançant un regard en biais, elle ajouta :

— Peut-être que Sir Edwin me l'enseignera lorsqu'il l'aura apprise. C'est en plein dans ses cordes, vous savez…

Eh ! Eh ! Peu importe s'il fallait que cela prenne du temps, la leçon de danse était pratiquement terminée, mais ces paroles de la part de Jeanne représentaient de sa part le premier pas en ma faveur.

Nous avons eu droit à des chansons interprétées par Marie et Jeanne. Puis ce fut à mon tour, et Marie demanda à ce que Brandon chante à nouveau. Nous avons formé un quartet, deux duos et avons chanté en solo. Toutes les chansons étaient douces, fraîches, exprimant l'âme de la jeunesse. Nous avons ensuite discuté, Marie et Jeanne ajoutant une touche de timidité et de finesse à la conversation, et, chemin faisant, Brandon en est venu à parler de ses voyages et de ses aventures. C'était un causeur agréable et disert s'exprimant d'une voix grave et claire. Il avait le don de regarder d'abord l'un de ses auditeurs, puis le suivant dans les yeux avec un effet magnétique qui conférait à son récit un intérêt accru. Malgré le fait qu'il ait eu à l'époque moins de vingt-cinq ans, il était étonnamment érudit pour avoir étudié à Barcelone, à Salamanque et à Paris. Et si son éducation n'avait pas suivi les canaux habituels, sa mémoire se composait d'un capharnaüm extraordinaire duquel il parvenait à extraire pratiquement toute l'information qu'il souhaitait. Il parlait allemand, français et espagnol et semblait connaître les littératures de sources germanique et latine correspondant à ces langues.

Il nous raconta comment il avait quitté ses parents à seize ans pour servir d'écuyer à son oncle. Il s'était battu en France, puis en Hollande. Après avoir été capturé par les Espagnols, il s'était enrôlé dans leur armée. Peu importait la bannière sous laquelle il se battait tant qu'il y avait moyen de guerroyer honorablement et, de temps à autre, de rançonner. Il nous raconta ses séjours à Barcelone et à Salamanque où il avait poursuivi ses études. Puis il avait vécu à Grenade parmi les Maures, s'était battu contre les pirates barbaresques, qui l'avaient capturé. Après avoir été maintenu en esclavage et s'être évadé après bien des péripéties, il vivait maintenant une vie paisible, un peu trop endormante à son goût, confiné dans un palais.

— Il est vrai qu'on dit que nous éprouvons en ce moment des difficultés avec l'Écosse, expliqua-t-il, mais je préférerais personnellement me battre contre une horde de loups affamés plutôt que contre des Écossais. Ils se battent comme des diables, c'est-à-dire bien, mais une fois que vous les avez battus, vous n'obtenez rien d'eux, pas même une peau de loup en bon état!

C'est alors que, mal avisée, Marie lui demanda:

— Oh! Monsieur Brandon, racontez-nous le duel qui vous a rendu célèbre!

Avec discrétion, Jeanne fronça les sourcils en regardant la princesse et en plaçant son index sur ses lèvres.

— Madame, je crains de ne pouvoir le faire, lui répondit-il en se levant.

Il se rendit à la fenêtre, tourna le dos à l'assistance et regarda dans le noir. Marie comprit qu'elle avait abordé là un sujet délicat et ses yeux devinrent humides. Malgré tous ses défauts, elle avait un cœur sensible et généreux et réagissait rapidement dans les situations pénibles. Après un lourd silence, elle s'approcha de la fenêtre où se trouvait Brandon.

— Monsieur, veuillez m'excuser, dit-elle en lui touchant le bras gentiment. J'aurais dû savoir… Croyez-moi, je n'avais aucunement l'intention de vous blesser…

— Ah! Madame, vous avez parlé sans réfléchir et je n'ai pas à vous pardonner. Toutefois, c'est votre cœur qui parle à cet instant et je vous en remercie. Je voulais juste oublier un moment la terrible journée de ce combat…

Ils se rejoignirent et la princesse, qui savait avoir du tact lorsqu'elle le voulait, ne tarda pas à corriger la situation en la ramenant à la normale.

Pour égayer Brandon, je me mis à raconter mes meilleures histoires mais, au milieu de mon récit, je remarquai que Marie affichait un certain malaise. Elle rougissait, hésitait et, dans un comportement qui pour elle était aussi nouveau que l'aurore du premier jour du monde, elle demanda abruptement à Brandon de danser encore avec elle. Elle s'était levée et se tenait à côté de sa chaise, prête à se laisser conduire.

— Avec plaisir, répondit Brandon en lui prenant la main. Qu'allons-nous danser? La gaillarde ou la nouvelle danse?

Marie, debout, était l'expectative personnifiée, la modestie consentante. Elle leva sa main libre et la posa sur l'épaule de son cavalier, essaya de le regarder dans les yeux mais n'y parvint pas et annonça d'une voix émue:

— La nouvelle danse.

Cette fois-ci, la danse fut plus sobre, et lorsque Marie y mit un terme, ses yeux pensifs avaient pris de l'assurance, car elle avait ressenti le picotement de l'étrange nouvelle force que le contact de Brandon lui transmettait. Elle avait affaire à un homme, à un vrai, et non à un petit courtisan maniéré. Elle avait trouvé le filon de métal noble dans la vile matière avec toute l'attraction qu'un être d'exception peut représenter pour une femme. Cela était doublement doux à sa jeune âme virginale, car ce qu'elle éprouvait lui révélait pour la première fois le bonheur à double tranchant qui peut faire de notre séjour terrestre un paradis ou un enfer : ce que l'on appelle communément l'amour.

Je ne veux pas dire que Marie était vraiment amoureuse mais elle avait ressenti le contact de cette force volontairement subtile, inconsciente, qu'apprécient les femmes à la recherche d'un éventuel compagnon de vie. Pour la première fois, elle avait ressenti dans son cœur les pulsations d'un amour possible.

Minuit avait déjà sonné. Marie versa deux coupes de vin et prit une gorgée de chacune d'elles avant d'en tendre une à Brandon et l'autre à moi. Elle me versa ensuite les dix couronnes, nous remercia sobrement et nous donna congé.

Brandon ne parla de cette soirée qu'au moment du coucher.

— Doux Jésus, elle est parfaite. Mais nous avons fait erreur, Caskoden. Je peux encore remercier Dieu de ne pas être amoureux d'elle. Si tel était le cas, je me jetterais sur mon épée !

J'allais lui faire remarquer que la princesse n'avait jamais traité un homme de cette façon, mais j'estimais qu'il valait mieux que je me taise. Les ennuis viendraient bien assez tôt.

En vérité, mieux vaut que je vous le dise, lorsque Marie m'avait prié de lui amener Brandon, elle tenait à s'amuser un peu à ses dépens. Elle ne cherchait qu'à rire pour ne trouver en fin de compte que raison de soupirer.

CHAPITRE V

Un jour ou deux après ces événements, Brandon fut convoqué à une audience pour être présenté au roi et à la reine. En qualité de favori de Leurs Majestés, il avait dorénavant droit à toutes les distractions du palais et bénéficierait de bien des invitations. En ce qui concerne ses relations avec Marie, qui était en vérité le personnage le plus important pour lui sur le plan social, je ne saurais me prononcer. Elle représentait un tel amalgame de pulsions contradictoires, de sautes d'humeur et de caprices – conséquences de son rang, de son sang et de l'adulation dont elle avait toujours fait l'objet – que j'aurais bien été incapable de prévoir une journée d'avance l'attitude qu'elle adopterait envers telle ou telle personne. J'étais toutefois d'avis qu'avec cette jeune fille au tempérament aussi imprévisible que des sables mouvants, la position de Brandon était cependant plus stable qu'avec Leurs Majestés.

En fait, il ne pouvait qu'avoir foi dans le cœur de la princesse. Mais deviner convenablement ce qu'une jeune personne de ce genre était capable de faire relevait de la plus haute spéculation.

La quasi-totalité des courtisans étaient invités à la plupart des réceptions données par le roi et la reine, mais Marie organisait de petites fêtes et des bals non officiels, avec un nombre d'invités plus restreints. Henri VIII était consentant et encourageait ce genre d'activités qui lui évitait d'avoir à rassembler lors de telles festivités la grande majorité de la cour. Les événements de grande envergure étaient généralement ennuyeux, et s'ils étaient de moindre importance, ils suscitaient de la jalousie chez les exclus. Voilà pourquoi Marie était libre de s'occuper des festivités de nature plus intime car elle s'inquiétait peu de savoir qui était offensé ou non. Aussi, ses invitations étaient très recherchées.

Quelques jours après que Brandon eut été présenté à Marie, cette dernière me fit parvenir un message m'annonçant qu'elle donnerait une petite fête dans l'un des petits salons et elle me demandait d'y officier à titre de maître à danser.

Ce message était accompagné d'une note personnelle de la princesse invitant officiellement Brandon.

Une invitation rédigée de la main même de Marie représentait vraiment un honneur pour ce coquin de Brandon qui semblait trouver cela des plus naturels. Lorsque je lui tendis la note à son retour de la chasse, il se contenta de la lire d'un œil distrait puis la mit en pièces et en jeta les morceaux. Je suis persuadé que le duc de Buckingham aurait donné dix mille couronnes pour recevoir un tel message et qu'il l'aurait exhibé fièrement à la moitié de la cour avant la tombée du jour. Mais pour ce grand capitaine de la garde, il ne s'agissait que d'un vulgaire papier. Malgré tout, il semblait heureux de cette invitation et, malgré son attitude stoïque et réservée, il ne pouvait dissimuler le plaisir évident qu'il y prenait.

Brandon accepta immédiatement l'invitation et écrivit personnellement un mot à la princesse. Le sans-gêne de cette démarche me prit par surprise et Marie n'en fut pas moins prise au dépourvu. À ce stade-ci, sa «dignité royale» risquait d'en souffrir et d'être affectée dans ses relations avec mon ami.

Malgré l'atteinte qu'il causait à son sens de la dignité, Marie ne détruisit pas le mot de Brandon mais, après l'avoir lu, elle se retrancha dans sa chambre, le relut et le posa sur son écritoire. Puis elle le reprit, le relut et, après quelques hésitations, le remit dans sa poche. Il y resta quelques instants, puis elle le retira, le relut une fois de plus, délaça son corset et le déposa sur son sein. Elle était si absorbée par ses pensées qu'elle n'avait pas vu Jeanne assise tranquillement près de la fenêtre. Lorsqu'elle s'en aperçut, Marie se fâcha tant qu'elle récupéra le mot dans le corset, le jeta à terre et le piétina rageusement.

— Comment osez-vous m'épier, petite fouineuse? hurla-t-elle. Vous rôdez autour de moi aussi silencieuse que la tombe et il faut que je vous retrouve dans tous les coins, peu importe l'endroit où je me rends. Auriez-vous l'impudence de m'espionner?

— Je ne vous espionne point, Lady Marie, répondit tranquillement Jeanne.

— Ne me répondez pas! Je sais que vous me surveillez. Dorénavant, je veux que vous soyez moins silencieuse. Avez-vous compris? Toussez, chantez, trébuchez mais manifestez votre présence que je vous entende…

Jeanne se leva, ramassa le mot et le tendit à sa maîtresse qui s'en saisit brusquement d'une main tandis que de l'autre, elle assénait une gifle magistrale à sa dame de compagnie qui quitta la pièce alors que Marie, hors d'elle et honteuse, claqua la porte et la ferma à clef. Ce mot étant la raison de la dispute, Marie le lança une fois de plus sur le plancher puis alla s'asseoir sur le banc près de la fenêtre où elle fit la moue. Les cinq minutes suivantes, elle tourna la tête et regarda le mot par terre. Puis elle le ramassa, le relut à trois reprises. Elle sourit alors et l'enfouit à nouveau sur son sein.

Jeanne eut du mal à se remettre de l'incident, car sa maîtresse ne lui adressa pas la parole jusqu'au moment de la toilette. Une fois de plus, le message atterrit sur le sol lorsque Jeanne habilla la princesse pour le bal. Les deux jeunes filles éclatèrent de rire. Jeanne embrassa l'épaule nue de Marie et cette dernière déposa un baiser sur le haut du crâne de Jeanne. Elles étaient redevenues amies.

Ainsi Brandon accepta l'invitation de la princesse et se rendit à son bal. Malheureusement, il se fit un ennemi du plus puissant personnage de la noblesse. Je m'explique.

Ces fêtes organisées par Marie se déroulaient une ou deux fois par semaine durant tout l'hiver et le printemps, et elles comprenaient généralement les mêmes personnes – un cénacle agréable dont la plupart des membres n'appréciaient guère les nouveaux venus. Aussi curieux que cela puisse paraître, des personnes non invitées tentaient de pénétrer en ces lieux par toutes sortes de moyens. Pour prévenir cela, deux hallebardiers se tenaient à la porte. Je dirais que la modestie n'est guère courante ou utile à la cour.

Lorsque Brandon se présenta à la porte, on lui refusa l'entrée. Il repoussa vigoureusement les armes et entra. C'est alors que le duc de Buckingham, un personnage orgueilleux, bouffi de son importance, fut l'un des protagonistes de cette scène. Buckingham était l'un de ces malheureux individus qui ne manquent jamais de faire une gaffe lorsqu'ils en ont l'occasion. Soucieux de faire du zèle pour être agréable à la princesse, il s'interposa pour refuser l'accès à Brandon.

— Monsieur, il faut que vous quittiez ces lieux, annonça-t-il d'un air pompeux. Vous n'êtes point sur un terrain de joute. Vous avez commis une erreur et êtes venu en un endroit qui n'est pas fait pour vous...

— Ce cher Lord Buckingham doit être satisfait d'avoir réussi à se ridiculiser un peu plus que de coutume en cette soirée, rétorqua Brandon en souriant et en traversant la salle pour aller saluer Marie qui le regardait.

Elle avait tout vu et entendu, mais au lieu de venir au secours de Brandon, elle riait sous cape. C'est alors que Buckingham, furieux, se plaça devant Brandon et tira résolument son épée.

— Tudieu! Mon jeune ami. Faites un autre pas et je vous embroche céans! dit le duc.

Je fus témoin de cette scène, mais elle se déroula si rapidement que je ne pus vraiment réaliser ce qui se passait. En un éclair, l'épée de Brandon avait jailli de son fourreau et celle de Buckingham s'envolait vers le plafond. Puis l'arme de Brandon fut si prestement rengainée qu'on pouvait se demander si elle avait jamais quitté sa place. Enfin, s'adressant ironiquement à Buckingham, il lui annonça:

— Je vois que Milord a laissé tomber son épée...

Joignant le geste à la parole, il se baissa et en brisa la pointe avec son talon.

— Permettez-moi de l'épointer, Milord, car comme vous ne semblez pas très habitué à cette arme, vous risquez de vous blesser...

Cette remarque provoqua l'hilarité dans l'assistance, y compris celle du roi et de Marie. Lorsque Brandon tendit à Buckingham sa lame dorénavant raccourcie, Marie intervint et demanda au duc:

— Milord, est-ce ainsi que vous vous permettez de recevoir mes invités? Puis-je savoir qui vous a désigné pour faire le cerbère à ma porte? À moins que vous ne preniez quelques leçons de bienséance, je serai dans la pénible obligation d'omettre votre nom sur ma prochaine liste d'invitation...

Cette rebuffade était cinglante mais ce n'était pas la première qu'il essuyait. On comprendra mieux le caractère de ce présomptueux personnage en sachant qu'il s'était fait tancer plus vivement encore mais qu'il ne s'accrochait pas moins obstinément à la traîne de la robe princière. Se tournant vers Brandon, la princesse lui dit :

— Monsieur Brandon, je suis heureuse de vous voir mais déplore infiniment que notre ami Buckingham semble si enclin à vouloir faire couler votre sang…

Elle le présenta ensuite au roi et à la reine et, après s'être inclinés devant les souverains, Marie et lui continuèrent à déambuler dans la pièce. Faisant allusion à l'accrochage qui s'était déroulé précédemment, Marie lui dit en riant :

— Je serais bien intervenue dans cette affaire, mais je savais pertinemment que vous étiez capable de prendre soin de vous et que vous lui régleriez son compte d'une manière ou d'une autre. C'était mieux qu'une momerie et cela m'a grandement divertie, car je n'aime pas cet homme…

Le roi n'avait pas coutume d'ouvrir ces soirées dansantes de nature privée, ou du moins n'en était-il pas l'initiateur. Quant à la reine, beaucoup plus âgée qu'Henri, elle abhorrait ce genre de soirées, si bien que la princesse ouvrait ses propres bals en dansant pendant quelques minutes, occupant toute la piste avec son cavalier de l'heure. Ouvrir le bal avec elle constituait un insigne honneur. Il était intéressant de voir comment les cavaliers potentiels se mettaient en valeur dans l'espoir d'être choisis. Après avoir quitté Marie, Brandon s'était retiré dans un coin de la pièce derrière un groupe de personnes et s'entretenait avec Wolsey, qui s'était toujours montré amical envers lui, et avec le sieur Cavendish, un homme de petite taille d'aimable nature, érudit et grand ami de la princesse.

Il était temps d'ouvrir le bal et, de ma place dans la tribune des musiciens, je pus voir Marie circuler parmi les invités, cherchant visiblement un partenaire pendant que les candidats s'évertuaient à faire les intéressants pour qu'elle les remarque.

La princesse n'en choisit aucun, mais je constatai qu'elle avisait Brandon qui se tenait dans le coin, le dos tourné.

Mon petit doigt me dit qu'elle allait le choisir et je le déplorais, car cette invitation allait être pour Brandon l'occasion de se mettre à dos tous les nobles de la cour, très jaloux des privilèges dont pouvaient bénéficier les «favoris de basse extraction», ainsi qu'ils appelaient les amis non titrés de la famille royale. Comme on pouvait s'y attendre, Marie se fraya un chemin vers le coin où se trouvait Brandon et l'invita à danser.

Le tout se fit d'élégante manière. Dès qu'elle lui fit face, l'attitude de la jeune fille changea radicalement. Au lieu d'afficher la confiance arrogante qui la caractérisait, elle se montrait presque timide, rougissante, à court de souffle, comme la fille d'un simple citoyen devant son futur prétendant. Les courtisans s'écartèrent alors qu'elle avançait en tenant Brandon par la main. Sur ses lèvres, on pouvait discerner un sourire qui semblait dire : «Regardez le beau trophée dont mon arc a eu raison.»

Je fus alors surpris et inquiet de voir Marie et Brandon, mais lorsque je me tournai vers les musiciens pour leur commander le morceau d'ouverture, quelle ne fut pas ma stupeur lorsque le chef d'orchestre me dit :

— Monsieur, nous avons reçu nos ordres de la princesse pour la première danse…

Ma surprise redoubla et je ressentis presque un sentiment de terreur lorsque l'orchestre se mit à jouer *La promise du matelot* de mon amie Jeanne. Je vis le regard surpris et inquisiteur que Brandon lança à Marie qui se tenait à ses côtés d'un air réservé, tandis que les premières mesures se firent entendre. Marie eut un petit rire nerveux, hocha la tête et prononça un «oui» affirmatif en se rapprochant de son partenaire. L'instant suivant, elle virevoltait, telle une sylphide, dans les bras de Brandon. Un murmure de surprise et d'étonnement parcourut la salle et, avant que les danseurs aient eu le temps d'en faire le tour, on entendit des applaudissements nourris auxquels le roi lui-même fit écho. C'était un très joli spectacle, bien que personnellement j'estime qu'une femme est beaucoup plus belle lorsqu'elle danse la gaillarde de préférence à toute autre danse.

Après quelque temps, la première dame de compagnie de la reine, la duchesse douairière de Kent, se présenta à la tribune des musiciens et déclara que Sa Majesté ordonnait que la musique cesse. Les musiciens obéirent sur-le-champ, mais Marie se tourna vers moi rapidement.

— Monsieur, nos musiciens sont-ils si fatigués pour qu'ils cessent ainsi de jouer avant que nous n'ayons terminé?

La reine répondit à ma place sur un ton criard, avec un fort accent hispanique.

— C'est moi qui ai ordonné d'arrêter la musique. Je ne tolérerai pas plus longtemps ce genre d'exhibition indécente...

Les yeux de Marie lancèrent des flammes et elle s'exclama:

— Si Votre Majesté n'aime pas la manière dont l'on danse à mes réceptions, elle peut prendre congé à son gré. De toute façon, votre visage en est un de rabat-joie! persifla la princesse.

La reine se tourna vers Henri, qui riait de bon cœur, et lui demanda, ulcérée:

— Votre Majesté acceptera-t-elle de me voir ainsi insultée en sa présence?

— Vous vous êtes empêtrée dans cette affaire et il n'en tient qu'à vous de vous en dépêtrer. Je vous ai souvent dit de la laisser tranquille, car elle a des griffes plutôt acérées...

Il faut dire que le roi était vraiment las de la face de carême de Catherine, et ce, même avant son mariage, car ce n'était après tout que la dot en bon or espagnol de cette dame à la triste figure qui lui avait permis d'épouser à deux reprises des membres de la famille Tudor.

— Ne puis-je décider de la musique et des danses qui me plaisent à l'occasion des bals que j'organise? demanda la princesse.

— Vous le pouvez, certes, ma chère sœur, vous le pouvez, répondit le roi. Allez-y, Maître. Si ma sœur aime ce genre de danse, Grand Dieu, qu'elle fasse comme bon lui semble. Cela ne lui causera aucun tort. Nous apprendrons ces nouveaux pas nous-mêmes et inviterons les dames à se joindre à nous.

Lorsque Marie eut terminé la première danse, bien des courtisans voulurent apprendre ces nouveaux pas. Le roi demanda à Brandon de les lui montrer et Henri les maîtrisa bientôt avec la grâce d'un gros ours brun. Ces dames firent preuve de timidité au début et avaient tendance à se tenir à une longueur de bras de leur partenaire, mais Marie avait lancé la mode et la cour ne tarda pas à la suivre. J'avais emmené un joueur de vielle dans mon bureau pour lui apprendre les pas que Brandon m'avait enseignés. Je manquais cependant de pratique pour les exécuter à la perfection. Quant à la princesse, on aurait pu croire qu'elle avait toujours pratiqué cette danse, tant elle était habile dès le début, tant son corps souple et ses membres élancés évoquaient la grâce des mouvements d'un cygne évoluant sur l'onde.

Je m'imaginais alors que j'avais là une bonne occasion d'apprendre la nouvelle danse à Jeanne. Je désirais qu'elle soit la première mais, peut-être par crainte ou parce que d'autres dames se présentaient, je leur donnais la priorité. Une fois mes leçons de danse terminées, je décidai de m'approcher de l'élue de mon cœur. Je ne puis dire que Jeanne faisait preuve de pruderie, mais elle était sans contredit la fille la plus aguichante que je connaisse. Jamais je n'avais pu lui tenir la main, ne serait-ce qu'un instant, et pourtant je suis sûr qu'elle m'appréciait beaucoup et même qu'elle m'aimait. Elle agissait comme si elle craignait que je lui vole sa menotte ou quelque chose de ce genre. Lorsque je m'approchai pour lui offrir de lui apprendre la nouvelle danse, elle me dit:

— Merci, Edwin, mais il y a d'autres dames qui ont hâte d'apprendre cette danse et il vaudrait mieux que vous leur accordiez la priorité...

— Mais c'est à vous que je tiens à montrer ces pas. Lorsque je voudrai enseigner à ces dames, j'irai simplement les trouver.

— Mais vous les avez déjà approchées tout à l'heure... répondit Jeanne en jouant les offensées.

Je me retrouvais avec le tour le plus déplaisant qu'une demoiselle puisse vous jouer: vous refuser ce qu'elle sait que vous désirez le plus ardemment du monde sous le fallacieux prétexte qu'au cours des devoirs de ma charge je l'avais négligée. Je lui en fis donc la remarque. Elle vit qu'elle avait été trop loin et que je commençais à me fâcher sérieusement. Elle invoqua donc une autre excuse sans bon sens et se fit flatteuse:

— Je suis incapable de pratiquer ce genre de danse devant une assemblée aussi nombreuse. Je n'aurais aucune objection si nous n'avions pas de témoins, c'est-à-dire si nous étions seule à seul, Edwin, Ô Edwin! me dit-elle d'un air enjôleur.

C'en était trop! Cette petite allumeuse pensait, avec de belles paroles et ses «Edwin» doucereux, m'entortiller facilement et me raconter des histoires. Voyant clair dans son jeu, je la quittai sans discuter. Quelques minutes plus tard, elle se rendit dans une pièce adjacente où je la savais seule. La porte étant entrouverte, on pouvait entendre la musique. Je la suivis.

— Milady, personne ne peut nous voir ici. Si vous le désirez, je peux vous apprendre cette danse maintenant.

Se voyant acculée au mur, elle répliqua en hochant sa coquine petite tête :

— Que diriez-vous si je vous disais que je n'en ai pas l'intention ?

C'était plus que ma patience ne pouvait en supporter. Aussi lui répondis-je :

— Mademoiselle, si vous voulez que je vous apprenne la danse, il faudra alors que vous me le demandiez expressément…

— Il y a d'autres personnes qui exécutent cette danse bien mieux que vous… répliqua-t-elle en se retournant sans me regarder.

— Si vous permettez à quiconque de vous enseigner cette danse, lui répondis-je, ce sera la dernière fois que vous entendrez parler de moi…

Elle avait vraiment réussi à me mettre en colère et je ne lui adressai pas la parole de la semaine. Lorsque je repris contact avec elle… mais je vous en parlerai plus loin. Il y avait une chose à comprendre concernant Jeanne et cette histoire de nouveaux pas : tant qu'elle n'en connaîtrait pas les rudiments, elle ne les danserait pas avec un autre homme, et aussi exacerbés qu'aient pu être mes sentiments, je ne pouvais me faire à cette idée. Je décidai donc que si elle permettait à un autre homme de lui apprendre cette danse, c'en était fini entre nous. La seule idée de perdre Jeanne me perçait le cœur. Je pensais à sa silhouette émouvante et gracile, à ses calmes yeux gris, si purs et à la fois si coquins, à son joli visage ovale d'une pâleur picturale, et je me demandais si je serais capable de survivre sans elle. Je me ressaisis et me dis finalement que, si elle décidait de suivre des leçons de danse avec quelqu'un d'autre, je jetterais tous mes espoirs aux orties, à la vie à la mort. Par saint Georges! Je crois que j'en mourrais.

La soirée se passa à apprendre cette nouvelle danse qui faisait tant fureur, et je vis Marie en train de donner de l'information aux dames à ce propos. Au moment de nous disperser, je l'entendis dire à Brandon:

— Vous avez vraiment fait plaisir au roi en lui apportant un nouvel amusement. Il m'a demandé où j'avais appris cela et je lui ai répondu que vous aviez montré cette danse à Caskoden qui me l'avait enseignée à son tour. J'ai d'ailleurs recommandé à ce dernier de raconter la même chose.

— Oh! mais ce n'est pas vrai. Ne pensez-vous pas que vous auriez dû lui dire la vérité ou du moins éluder la question si besoin s'en faisait sentir? répondit Brandon qui, à ce moment précis, semblait paraître un plus strict adepte de la vérité que de coutume.

Lorsqu'un homme plaît à une femme et qu'elle se sent attirée vers lui, il s'arrange pour se faire voir sous son meilleur jour afin qu'elle l'estime davantage et, dans cet esprit, elle s'impose souvent des compromis pas toujours honorables. Marie rougit un peu et ajouta:

— Je n'y pouvais rien. Vous ne savez pas. Si j'avais parlé à Henri de la sauterie de l'autre soir dans mes appartements et du bon temps que nous y avons passé, il en aurait été fortement contrarié et vous auriez peut-être fait les frais de sa royale colère...

— N'auriez-vous pas pu trouver un compromis et maquiller légèrement la vérité en lui donnant l'impression que d'autres personnes se trouvaient également à votre fête ce soir-là?

Ce fut une erreur de la part de Brandon, car cela donna à Marie l'occasion de répliquer.

— Le meilleur moyen de contourner la vérité, comme vous dites, est encore de mentir. Mon mensonge n'était pas pire que le vôtre et je ne m'attarderai pas à ce propos. Il y a quelque chose d'autre que j'aimerais vous dire : c'est que vous avez beaucoup plu au roi avec cette nouvelle danse. Il vous suffit maintenant de lui apprendre le bridge et votre fortune est faite. Il a fait appel à des banquiers juifs et lombards pour qu'ils lui enseignent de nouveaux jeux de cartes, mais le vôtre les surpasse tous.

Elle ajouta rapidement et non sans une certaine impertinence :

— Je me suis abstenue de danser avec quelque autre gentilhomme que vous ce soir, mais je suppose que vous ne l'avez pas remarqué...

Avant qu'il ait pu la remercier, elle avait déjà disparu.

CHAPITRE VI

La princesse connaissait bien son royal frère. Un homme pouvait recevoir de la part du roi une récompense plus rapide en inventant un amusement pour le monarque ou en lui proposant un accoutrement voyant plutôt qu'en remportant une bataille. Plus tard, la voie royale pour bénéficier des faveurs d'Henri était de l'aider à se débarrasser de son encombrante épouse et de déployer des efforts pour en trouver une autre. Il s'agissait là d'un cheminement périlleux, comme l'apprit à ses dépens le cardinal Thomas Wolsey lorsqu'Henri VIII voulut annuler son mariage avec Catherine d'Aragon pour épouser l'infortunée Anne Boleyn.

Brandon suivit le conseil de Marie et s'arrangea pour faire savoir au roi, amateur de passe-temps, qu'il connaissait les jeux de cartes en vogue dans le royaume de France. Henri aimait jouer avec Louis de Longueville, un duc français et honorable prisonnier de la cour d'Angleterre, gardé en otage du roi Louis XII. Mais de Longueville était un obsédé qui ne cessait de déshabiller de ses petits yeux noirs nos jolies dames. Celles-ci le détestaient suffisamment pour qu'il ne soit pas pour le roi un partenaire sérieux aux cartes. Brandon fut donc libéré de ses devoirs habituels et placé à la table à cartes royale. Ce fut d'abord une bénédiction pour Brandon, car en qualité de meilleur joueur le roi le choisissait toujours comme partenaire et, comme en toute occasion, le souverain remportait la partie.

Le joueur qui aurait gagné un peu trop souvent aurait encouru le risque de se retrouver accusé de crime de lèse-majesté. Je crois que sous Henri VIII plus d'un homme a connu une chute brutale pour ne pas avoir laissé gagner le roi plus souvent au cours d'événements aussi prosaïques que des parties de cartes ou des joutes. Dans de telles conditions, tout le monde tenait beaucoup à être partenaire du roi. Il est vrai que ce dernier oubliait souvent de réclamer ses gains au jeu, mais son partenaire possédait au moins un avantage : celui de ne rien perdre. Assis en face du roi, Brandon suscitait l'envie, et un temps vint où Henri ayant appris le jeu, Brandon dut faire face à quelqu'un d'autre, et le siège devenait trop coûteux pour un homme dénué de trésorerie. Il ne fallut que quelques jours pour mettre Brandon hors de combat. Il se serait retrouvé dans une situation difficile si Wolsey n'était pas venu à son secours. Après cela, il jouait et remboursait le roi de ses propres deniers.

Le fameux jeu de bridge occupa l'esprit d'Henri jour et nuit pendant toute une quinzaine. Il s'en gava jusqu'à satiété, comme il le faisait avec tout le reste, car il n'avait jamais été porté sur la modération. Brandon fut donc invisible durant cette fringale royale et Marie déclara qu'elle aurait dû se taire à propos de ces histoires de cartes. Elle aurait pu, en fait, pratiquer ce nouveau passe-temps aussi bien que son frère, mais le roi devait être satisfait en priorité. Ils en avaient tous deux assez, Henri pour une raison et Marie pour une autre.

Un beau matin, le roi eut l'idée de reconstruire une chapelle à Windsor. Il convoqua donc un certain nombre de personnes incluant Marie, Jeanne, Brandon et moi-même, et nous nous rendîmes à Londres, où nous logeâmes à Bridewell House. Le lendemain, par une matinée radieuse de juin, nous partîmes pour Windsor, une charmante chevauchée de sept lieues sur une route agréable.

Marie et Jeanne voyageaient côte à côte, avec un ou deux compagnons occasionnels selon la configuration du chemin. Étant fâché contre Jeanne, comme vous le savez, je ne m'approchais guère de ces dames tandis que Brandon, l'air de rien, laissait les choses suivre leur cours et chevauchait en compagnie de Cavendish et de ma personne.

Nous étions peut-être à quarante verges derrière les jeunes femmes lorsque Marie regarda dans notre direction, comme si elle s'attendait à ce que la pluie arrive de l'est. J'espérais que Jeanne, craignant également l'averse, fasse mine de se retourner, mais elle regardait fixement devant elle comme si son cou était en proie au torticolis. Nous avions parcouru environ trois lieues lorsque la princesse s'arrêta et se retourna sur sa selle. Je compris qu'elle parlait, mais n'entendis pas ce qu'elle voulait.

Après quelque temps, quelqu'un lâcha :

— On demande monsieur Brandon…

Je suivis donc ce dernier. Lorsqu'il arriva près des jeunes filles, Marie lui dit :

— Je crains fort que ma sangle de selle ne soit desserrée…

Brandon descendit de sa monture pour resserrer la sangle et les autres voyageurs se mirent à se regrouper autour du cheval de la princesse. Brandon essaya de resserrer la sangle mais en vain.

— Milady, elle est aussi serrée que le cheval est capable de la supporter, affirma-t-il.

— J'ai dit que c'était dessanglé, insista la princesse, visiblement irritée. Je le sens dans la selle. Essayez les autres sangles…

Puis, se tournant vers les autres membres du groupe, elle ajouta :

— Ai-je besoin de tout cet auditoire, aussi ahuri qu'une assemblée de lourdauds, pour resserrer mes malheureuses sangles? Continuez seuls. Nous pouvons nous débrouiller sans une telle kyrielle de personnes...

Les autres reprirent leur route pendant que je tenais le cheval et que Brandon continuait à examiner la sellerie. Marie s'appuya alors sur l'encolure de sa monture et demanda à Brandon :

— Votre conversation avec Cavendish était-elle si hautement philosophique pour que vos pensées vous accaparent à ce point?

— Pas du tout, reprit Brandon en souriant.

— Vous sembliez pourtant si absorbé... C'est le moins qu'on puisse dire.

— Non, répliqua Brandon, mais je vous assure que votre sangle est bien serrée.

— C'est possible que je me sois fait des idées, admit Marie qui semblait avoir complètement oublié cette histoire de sangles.

Je regardais Jeanne, dont les yeux souriaient, et remis à Brandon les rênes de son cheval. Le sourire de Jeanne se mua en rire et elle me demanda :

— Edwin, je crains que mes sangles se soient également desserrées...

— Comme celles de la princesse? demandai-je sans pouvoir garder mon sérieux.

— Précisément, répondit Jeanne avec un vigoureux hochement de tête et en riant aux éclats.

— En tel cas, restez en arrière avec moi, répondis-je.

Marie nous regarda mi-souriante, mi-renfrognée et dit:

— Je suis persuadée que maintenant vous vous estimez très spirituels...

— Oui, répondit Jeanne d'un air malicieux tandis que la princesse et Brandon chevauchaient devant nous. J'espère qu'elle est satisfaite maintenant, me dit-elle à voix basse.

— Ainsi vous voulez bien que je chevauche avec vous? répliquais-je.

— Oui, acquiesça Jeanne.

— Pourquoi?

— Parce que tel est mon bon plaisir, me dit-elle en guise de réponse.

— Alors pourquoi n'avez-vous pas voulu danser avec moi l'autre soir?

— Parce que je ne le voulais pas...

Je pensais que cette réponse était brève et sans objet mais qu'elle était satisfaisante pour une jeune fille.

Je demeurai silencieux et, après un moment, Jeanne prit la parole.

— La danse est une chose et voyager en votre compagnie en est une autre. Je ne tenais pas à danser avec vous mais je veux bien vous suivre à cheval. Vous êtes le seul gentilhomme à qui j'aurais demandé de resserrer les sangles de ma monture. Quant à cette nouvelle danse, je ne suis guère pressée de l'apprendre parce que je ne veux pas danser avec un autre homme que vous... et encore!

Je fus heureux de cette réaction, car ces mots venant de ma timide et évasive Jeanne signifiaient beaucoup de choses sur le plan personnel. Cela voulait dire qu'elle tenait à moi, qu'un jour elle serait mienne et qu'elle prendrait tout le temps qu'il faudrait pour être conquise. Si tout cela était réconfortant quoique non vraiment satisfaisant, je me laissai aller aux confidences.

— Jeanne, mon cœur est rempli d'amour pour vous... lui confiai-je.

— Et l'univers va-t-il s'effondrer? lâcha-t-elle avec un petit rire provocateur.

Ma phrase, qui se voulait un témoignage de mon affection, devint une pierre d'achoppement, car elle faisait partie du petit laïus que j'avais préparé pour Marie lorsque je lui avais déclaré mon amour – déclaration que Jeanne avait clairement entendue, comme vous le savez déjà. J'avais en effet dit à la princesse: «Si mon amour pour vous devait pâlir ou se faner, pour moi l'univers s'effondrerait et les cieux se fermeraient...» Il s'agissait là d'une phrase fort lyrique qui, je dois l'admettre, ne correspondait pas vraiment à la réalité. Seulement voilà, Jeanne l'avait entendue et gravée dans sa mémoire, si prompte à retenir ce qui devrait tomber dans l'oubli. Il est étonnant de constater combien d'informations inutiles une personne peut enregistrer et retenir avec une détermination tenace qui serait mieux employée au service d'une meilleure cause. Je pensais alors que Jeanne n'oublierait jamais cette malheureuse phrase que j'avais débitée à Marie de si grandiloquente manière. Je me demande ce que Jeanne aurait pensé si elle avait su que j'avais raconté essentiellement la même chose à une douzaine d'autres belles. En tel cas, je n'aurais jamais été en mesure de la conquérir. Elle n'en sait rien à ce jour et ne le saura jamais en ce qui me concerne. Même si ma Jeanne a subi aujourd'hui le poids des années et que les roses de son teint ont perdu de leur éclat, ses yeux gris sont toujours aussi pétillants de malice. Elle peut être aussi certaine de mon affection que lors de cette matinée magique où nous effectuions cette chevauchée singulière en direction de Windsor. Cette certitude s'est renforcée au fil des ans et on peut le constater par la lumière de son doux visage et la chaleur de son âme pure. Quelle bénédiction pour un homme d'aimer son épouse et de penser qu'elle est le plus bel être du monde. Celui qui peut passer par la plus douce saison de sa vie, lorsqu'il faisait une cour assidue à sa belle, puis par les années difficiles, pour enfin s'éteindre dans la tranquillité de son premier amour, est triplement heureux.

C'est ainsi que Jeanne coupa court à mes épanchements, comme elle en avait l'habitude.

— Il y a quelque chose qui me dérange grandement... avoua-t-elle.

— Dites, lui demandai-je, inquiet.

— C'est à propos de ma maîtresse, commença-t-elle en faisant un signe de tête en direction du couple qui nous précédait. Je ne l'ai jamais vue aussi intéressée par qui que ce soit comme elle l'est par votre ami, monsieur Brandon. Je ne dirais pas qu'elle est vraiment amoureuse de lui mais je crains que cela ne vienne et j'appréhende ce moment. Elle n'a jamais été obligée de renoncer à ce qu'elle désirait et ses désirs ont toujours été des ordres. Elle a coutume de suivre ses impulsions, se trouve incapable de les contrôler et n'a aucune intention de faire le moindre effort pour y parvenir. Je pense qu'il ne lui est jamais venu à l'idée qu'une telle éventualité puisse d'ailleurs se produire. Elle estime qu'elle peut tout avoir par simple droit divin. Elle n'a guère eu besoin de déployer des efforts en ce sens, mais votre ami Brandon lui en fournit l'occasion. Je souhaiterais qu'il se trouvât à l'autre bout du monde. Je pense qu'elle est consciente du fait qu'elle devrait s'en éloigner avant qu'il ne soit trop tard, et ce, pour son bien comme pour celui de Brandon, mais elle ne peut renoncer au plaisir d'être en sa compagnie, et je ne sais ce qui ressortira de tout cela. L'incident de la sangle desserrée est symptomatique. N'avez-vous jamais rien vu de plus transparent ni de plus explicite? Tout le monde pouvait s'apercevoir du stratagème et, pire encore, elle ne se souciait guère des réactions de son entourage. Mais regardez-les donc! Nulle demoiselle n'est si heureuse de chevaucher en compagnie d'un homme. En serait-il ainsi si elle n'était pas amoureuse de lui? Elle était comme éteinte avant qu'il ne se joigne à elle. Il n'avait pas l'air pressé de s'approcher d'elle alors elle a recouru à l'excuse peu convaincante de sa sangle pour l'attirer. Je suis même surprise qu'elle ait décidé d'inventer quelque prétexte et qu'elle ne l'ait pas simplement fait mander sans explications. Je ne sais vraiment pas quoi faire et cela me trouble beaucoup. Êtes-vous au courant des sentiments de Brandon?

— Non, répondis-je. Mais je pense qu'il est sincère. Il m'a dit qu'il n'était pas suffisamment fou pour tomber amoureux de la sœur du roi et je crois vraiment qu'il saura contenir les élans de son cœur et garder la tête froide, même à ce niveau vertigineux. C'est un homme qui sait conserver son calme…

— Il est certainement très différent des autres hommes, répondit Jeanne. Je suis certaine qu'il ne lui a jamais dit de mots d'amour sinon de jolies choses dont elle m'a fait part. Jusqu'à un certain point, il lui a également fait la morale et lui a signalé certains de ses défauts. Je ne connais personne d'autre qui se permettrait cette liberté mais, venant de lui, elle dit qu'il lui inspire de nobles pensées et le désir de s'améliorer. Je suis toutefois persuadée qu'il ne lui a jamais conté fleurette.

— Cela vaudrait peut-être mieux. Lui parler d'amour la guérirait peut-être, répliquai-je.

— Oh! non… Non… Au premier abord, peut-être, mais pas maintenant. La seule chose que je craigne est que s'il demeure silencieux elle ne prenne les choses en main et ne se déclare ouvertement. Je n'aime pas dire que les perspectives ne sont guère prometteuses, mais elle est princesse et les choses sont évidemment différentes de ce qu'elles seraient si elle était une jeune femme ordinaire. Elle devra peut-être parler, car on n'obtiendra que le silence de la part de celui qui estime que son rang est trop éloigné du sien. Parmi les plus petits désirs qui la motivent, elle ne renoncera jamais à une chose aussi grande que l'amour qu'elle porte à un homme faute d'un mot ou deux…

C'est du moins ce que Jeanne me raconta à propos de la scène du billet jeté rageusement sur le plancher, de confidences nocturnes chuchotées et de cent autres petites pailles indiquant la direction d'un vent maléfique dont les effets seraient funestes pour l'une ou l'autre de ces personnes. Et qui aurait pu prévoir une telle éventualité? Il était facile de jouer les Cassandre en disant que Brandon apprendrait à aimer Marie, susciterait chez elle une passade pour en sortir déconfit, comme tous les hommes ayant joué à ce jeu. Mais si Marie devait aimer Brandon et si ce dernier devait demeurer fidèle à son amour, bien malin serait le prophète qui aurait pu prévoir les événements.

Ce que Lady Jeanne m'avait confié me troublait énormément, car cela confirmait mes appréhensions les plus secrètes. Certes, elle en savait beaucoup plus que moi, mais j'avais suffisamment été témoin de la situation pour que celle-ci me porte à réfléchir.

Je crois que Brandon ne remarquait rien de la partialité croissante qui animait Marie. Il ne pouvait que la trouver merveilleusement attirante et intéressante. Peut-être la seule idée qu'elle pût l'aimer suffisait à allumer une flamme dans sa poitrine. Toutefois, lors de notre chevauchée vers Windsor, je pense que Charles Brandon n'était pas amoureux de Marie

Tudor, seulement inconsciemment, peut-être. Gai comme un pinson, il chantait et sifflait, qu'il soit ou non en compagnie de Marie. Cet état d'esprit ne s'accommode guère d'un cœur follement amoureux ou entretenant un impossible amour fatal, comme celui qu'il aurait ressenti pour une princesse appartenant à la plus importante royauté du monde.

Cependant, les ennuis des autres ne pouvaient obscurcir le soleil qui brillait dans mon cœur et cette promenade se révéla le plus agréable souvenir de ma vie jusqu'à ce jour. Même Jeanne avait laissé de côté le sinistre aspect que nos prémonitions avaient pu engendrer. Elle devisait et riait comme la créature enjouée qu'elle était. Son cœur était si plein de fleurs, de soleil et de chants d'oiseaux et le mien à l'avenant qu'un refrain spontané résonne encore à mes oreilles après toutes ces années.

La princesse et Brandon nous précédaient, et la voix de Marie nous parvenait dans les paroles d'une chanson. Son rire, riche et profond, porté par le vent du sud, semblait forcer les oiseaux à faire une pause dans leur ramage. Il semblait que les fleurs des champs avaient revêtu leurs couleurs les plus somptueuses, les arbres, leur plus verte ramure, et que le soleil dardait ses rayons les plus doux pour réjouir le cœur de la jeune fille et écouter son rire. Ce dernier se serait aussi bien fait entendre si les fleurs avaient été mortes et le soleil obscurci, car toute la nature verdoyante et l'astre du jour chevauchaient de concert avec la princesse. Pauvre Marie! Ses jours de bonheur étaient comptés.

C'est ainsi que nous parvînmes à Windsor. Arrivés à destination, il fallait voir comment les grands du royaume, les Buckingham, Howard, Seymour et une douzaine d'autres, regardaient d'un œil oblique Charles Brandon aider la plus célèbre princesse de la chrétienté à mettre pied à terre. Cela se passa avec grâce et fluidité, car elle ne représentait que le poids d'une enfant pour ses bras vigoureux. Les nobles enviaient Brandon pour avoir réussi à s'attirer les bonnes grâces de l'inapprochable Marie mais l'exécraient tout aussi sournoisement. Ils gardaient toutefois leurs réflexions pour eux pour deux bonnes raisons. Premièrement, ils ne savaient pas à quel degré les faveurs que le roi dispensait à Brandon pouvaient s'étendre puisque le capitaine semblait être dans les bonnes grâces de la princesse et, deuxièmement, ils ne tenaient pas à se mesurer à celui qui avait réglé si prestement le sort d'Adam Judson...

Nous sommes demeurés quatre ou cinq jours à Windsor pendant lesquels le roi fit plusieurs gentilshommes chevaliers. Brandon aurait certainement bénéficié de cette faveur, comme beaucoup s'y attendaient, si Buckingham n'avait relaté sournoisement au roi l'épisode de la sangle desserrée afin d'empoisonner subtilement l'esprit du monarque quand au parti pris que Marie entretenait pour ce roturier servant. C'est alors qu'Henri VIII commença à regarder Brandon d'un œil torve. Sa sœur constituait son principal enjeu diplomatique et, avant quoi que ce soit, ses amours et son mariage n'avaient qu'un objectif: servir les intérêts du trône.

Pendant ce séjour à Windsor, Lady Marie et Brandon se virent souvent sous prétexte de réunions diverses et, bien que l'homme fut enchanté par l'intérêt que la princesse lui portait, ces rendez-vous lui coûtaient la faveur royale. Ne pouvant déterminer avec certitude les raisons de cette défaveur, il en fut troublé. J'aurais certes pu l'éclairer en deux mots, mais je craignais de lui laisser entendre que la princesse pouvait apprendre à l'aimer. Quant au roi, il ne se souciait guère du fait que Brandon – ou tout autre homme – puisse tomber amoureux fou de sa sœur. Toutefois, lorsqu'il constata qu'elle affichait une préférence manifeste pour le capitaine, il s'intéressa particulièrement à cette affaire et se réserva le droit, à plus ou moins courte échéance, d'agir brutalement contre celui qui avait su si bien s'attirer les faveurs de la princesse. Aussi, lorsque nous revînmes à Greenwich, je ne fus guère étonné de constater que Brandon y avait été dépêché d'avance.

CHAPITRE VII

Après notre retour à Greenwich, on vit souvent la princesse et Brandon ensemble. Il fut invité à plusieurs occasions dans ses salons pour jouer aux cartes et nous avons passé deux soirées où seulement nous quatre étions présents. C'était avant les événements désastreux qui ont tout changé et dont je vous ferai part un peu plus loin. Au cours de ces deux soirées intimes, *La promise du matelot* fut une danse des plus populaires.

Les deux jeunes gens, qui auraient dû normalement se tenir à respectueuse distance, se rencontraient constamment dans le palais et chaque regard qu'ils échangeaient ajoutait de l'huile sur le feu. Parfois, c'était la princesse, avec sa pénible dignité, et parfois c'était Marie, l'ingénue. Abstraction faite des humeurs aristocratiques de cette dernière, toute personne à la vue à peu près normale pouvait constater que la jeune fille cédait la place à la maturité et que la forte nature de Brandon la dominait, avec cette crainte diffuse que chaque femme ressent lorsqu'elle aime un homme volontaire qui lui en impose.

Un jour, la rumeur se répandit à la cour que Louis XII, le vieux roi de France, dont l'épouse Anne de Bretagne venait de trépasser, souhaitait épouser Marie Tudor. Cette nouvelle rendit Brandon conscient qu'il jouait avec le feu, et aussi que Marie lui était devenue très chère. Il réalisa le danger et lutta pour se tenir à l'écart des œillades et du chant de sirène de la princesse. Notre Ulysse moderne y employa tous ses efforts, mais n'avait pas de vaisseau pour l'emporter au loin et pas de cire pour se boucher les oreilles. La légende dit d'ailleurs que personne ne devrait entrer dans le territoire des sirènes sans cire. Quant au vaisseau, mieux vaut, comme le raconte l'*Odyssée*, se faire attacher au mât et cingler loin de ces îles et de ces eaux pleines de sortilèges.

La situation se présentait sous un mauvais jour. L'amour était né dans le cœur de la princesse et, pour la première fois, avec une douceur farouche. Cet amour n'avait certes pas atteint son zénith ou quoi que ce soit de semblable. En vérité, on eut pu croire qu'il allait mourir dans l'œuf, car la demoiselle était aussi capricieuse qu'un jour de mai. Cela n'en était pas moins de l'amour, aussi clair qu'un lever de soleil. Elle recherchait la présence de Brandon en toute occasion, et si elle ne le faisait pas ouvertement, à son insu et sans sa participation, elle ne se souciait pas moins de ce qu'il pouvait en penser ou de ce que les témoins bien intentionnés pouvaient en déduire. L'amour qu'elle portait dans son cœur la rendait plus timide dans ses efforts pour s'approcher de Brandon, mais l'habitude de s'approprier ce qui lui plaisait rendait ses tentatives de dissimulation vraiment navrantes.

Quant à Brandon, la flèche de Cupidon l'avait atteint, tout comme Marie. Il y avait toutefois une différence. Avec notre princesse – c'est du moins ce que je pensais à l'époque –, le soleil de l'amour pourrait s'élever au zénith, brûler avec toute l'ardeur que l'on connaissait à son grand-père, puis disparaître à l'est pour faire place à quelque autre soleil demain. Mais avec la forte nature de Brandon, ce soleil brillerait jusqu'à son apogée et y demeurerait pour le reste de son existence. Brandon n'en était pas encore arrivé là, car sa raison avait jugulé son cœur et il avait entrepris ce qu'il pouvait pour garder ses sentiments à l'état naissant. Il connaissait pertinemment les risques qu'une telle passion lui faisait courir et souhaitait que le Seigneur écoute autant que faire se peut ses prières et ne le laisse pas succomber à la tentation. Dès qu'il comprit cette vérité, il se mit à éviter Marie par tous les moyens.

Comme je l'ai déjà mentionné, nous avons passé plusieurs soirées avec Marie après notre retour de Windsor et ses préférences étaient remarquables dans chacun de ses mouvements. Certaines femmes sont si expressives que chaque geste, chaque regard, chaque mouvement de tête, chaque posture parle pour elle avec éloquence. C'était le cas de Marie. Ses yeux brillaient lorsqu'ils se posaient sur Brandon et toute sa personne exprimait explicitement ce qu'elle ne se donnait pas la peine de dissimuler. Lorsque d'autres personnes étaient présentes, elle se retenait quelque peu, ce qui n'était pas le cas avec Jeanne et moi. Pendant ce temps, Brandon faisait preuve de réserve et ne semblait pas être conscient de l'attirance énorme qu'il exerçait sur elle. Il est peu compréhensible qu'il ne s'en soit pas aperçu mais je crois que tel était le cas. Bien qu'il semblât à l'aise en présence de la princesse – peut-être un peu trop au goût de Marie –, un fait que, curieusement, elle lui avait signalé au cours de ses petites crises de colère dont elle se repentait rapidement, cela le faisait rire mais on ne signala jamais le moindre mot ou le moindre geste de familiarité déplacée. Le côté princesse de Marie se serait probablement rebellé car, par entêtement aussi royal que féminin, elle désirait conserver la main haute sur les événements. En bref, comme toute autre femme elle préférait aimer qu'être aimée… du moins jusqu'à ce qu'elle dépose les armes. Alors, ce serait évidemment différent…

À la suite de nos deux dernières rencontres, même si mon ami et moi recevions fréquemment d'autres invitations, nous nous gardions de les accepter. Brandon s'était arrangé pour occuper – du moins ostensiblement – ses soirées pour motif de service et fit honnêtement ce que son jugement lui dictait, c'est-à-dire se tenir loin d'un feu qui ne lui procurerait aucune chaleur bienfaisante mais ne ferait que le consumer. Je constatais ce fait sans ambiguïté, mais jamais un mot ne fut prononcé entre nous.

Plus je connaissais cet homme et plus je le respectais; sa manière de contenir sa passion ne pouvant qu'accroître l'estime que je lui portais. Dans le cas de Brandon, ses efforts faisaient doublement preuve de sagesse, car advenant le cas où, en raison de sa nature fougueuse, l'amour devait atteindre un summum, son intrépidité se manifesterait à son tour pour tenter de franchir la distance énorme qui séparait les deux êtres, ce qui précipiterait sa perte. Ces ennuis ne provoquaient pas chez lui de sombres pensées, car il conservait son esprit primesautier et incisif malgré le chagrin qu'il pouvait ressentir. Quoiqu'il essayât sans trop en avoir l'air d'éviter de voir Marie le plus possible, il ne pouvait exclure de telles rencontres, surtout lorsque la princesse multipliait les occasions. Après un moment, Marie soupçonna qu'il essayait de se soustraire à sa présence. Aussi devint-elle froide et distante par dépit, ce qui n'eut d'ailleurs aucun effet sur Brandon qui faisait semblant de ne point en être affecté. La jeune fille, ne pouvant supporter cela et manquant de détermination pour résister aux élans de son cœur, manifestait son agressivité.

N'ayant pas vu Brandon pendant près de deux semaines, Marie s'inquiéta, lorsqu'une belle journée elle et Jeanne le rencontrèrent dans un sentier forestier près de la rivière. Brandon flânait en lisant lorsqu'elles le rattrapèrent. Jeanne me raconta plus tard que Marie se conduisit envers lui d'une manière des plus bizarres. Tout d'abord, elle se montra distante et prononça des paroles blessantes, mais lorsque Brandon eut l'air agacé et fit mine de prendre congé, elle changea d'attitude en un clin d'œil et se montra avenante. Elle se mit à rire et ses joues se creusèrent de fossettes comme elle seule savait le faire, puis son regard s'illumina et elle n'eut que des mots aimables.

Elle eut recours à toutes sortes de stratagèmes pour l'avoir à elle un moment : la recherche d'une fleur sauvage ou d'un trèfle à quatre feuilles, l'exploration de quelque coin de la forêt vers lequel elle s'ingéniait à l'attirer. Jeanne, qui ne se doutait de rien, était sur les talons de sa maîtresse. La nature de Marie, peu portée sur les allusions (elle acquiesçait généralement à celles-ci de manière emphatique), perdit patience après avoir vainement tenté de se débarrasser de sa dame de compagnie. Aussi lui dit-elle :

— Au nom du ciel, Jeanne, cessez de nous suivre ainsi ! Vous ne vous éloignerez jamais suffisamment pour vous trouver hors de portée de ma main et vous savez fort bien combien elle a parfois envie de vous échauffer les oreilles…

Jeanne ne le savait que trop bien et, malheureusement pour Marie, je dois avouer que sa charmante menotte était assez portée à distribuer des claques. En personne avertie, Jeanne obtempéra, amusée par le tempérament fantasque de sa maîtresse.

Marie ne perdit aucun temps et attaqua d'emblée.

— Maintenant, monsieur, je veux que vous me disiez la vérité. Pourquoi refusez-vous mes invitations et me fuyez-vous avec tant de persistance ? J'ai d'abord pensé que j'allais simplement vous laisser passer votre chemin, puis je me suis ravisée. Ne le niez point, et je sais que vous ne me contredirez pas. Malgré tous vos petits défauts, je sais que vous ne pratiquez pas le mensonge – même pieux – , surtout avec une femme ! Alors que j'avais l'intention de vous gronder, je pense qu'il s'agit là d'un beau compliment, n'est-ce pas ? Soyez franc : la sœur du roi n'est-elle pas une personne de qualité suffisante pour vous ?

Peut-être vous faudrait-il la reine ou la Sainte Vierge ? le nargua-t-elle en le fixant d'un air blagueur.

— Mon service... tenta Brandon.

— Balivernes... Dites-moi la vérité...

— Je vous la dirai si vous m'en donnez la possibilité, répliqua Brandon qui n'avait nullement l'intention de faire quoi que ce soit de la sorte. Mes devoirs accaparent maintenant toutes mes soirées...

— Ce n'est pas un prétexte, interrompit Marie qui connaissait suffisamment les devoirs d'un capitaine de la garde pour savoir qu'ils n'étaient pas aussi accaparants que cela. Mieux vaut que vous disiez la vérité, c'est-à-dire que vous ne prisez guère notre compagnie... reprit-elle en lui lançant un petit regard assassin sans l'ombre d'un sourire.

— Au nom du Créateur, Lady Marie, ce n'est pas du tout le cas ! répondit Brandon qui se trouvait sur des charbons ardents. Je vous prie de ne pas vous imaginer une telle chose alors qu'elle est si éloignée de la vérité...

— Alors dites-la-moi, cette vérité...

— C'est impossible... Je ne le peux et vous prie de ne pas me la demander. Cessez de me fréquenter ou demandez-moi de vous laisser. Je refuse de vous en dire davantage...

Malgré lui, il avait prononcé cette dernière phrase sur un ton obstiné, maussade et totalement dénué d'humour. Il avait été dangereusement près de révéler ce qui aurait pu enflammer leurs cœurs mais aurait aussi pu les conduire à leur destruction – certainement la sienne – et il en avait été épouvanté. La manière dont il avait parlé n'était que l'expression de la douleur qu'il ressentait intérieurement.

Marie le prit au mot et avec une surprise non dissimulée s'exclama :

— Vous laisser ? Ai-je bien entendu ? Je n'aurais jamais imaginé que la fille et sœur d'un roi vivrait suffisamment longtemps pour se faire renvoyer par un… Par n'importe qui…

— Mais, Votre Altesse… commença Brandon.

Mais elle avait déjà fui.

Il ne la suivit pas, sachant combien toute explication pouvait être dangereuse. Il pensa qu'au fond mieux valait pour eux deux qu'elle ait pris la mouche, peu importe combien elle pouvait se sentir blessée et combien l'idée de cette séparation pouvait être déchirante pour elle.

Nul besoin de dire que l'amour-propre de Marie (sans compter sa vanité princière) furent blessés à l'extrême.

L'infortuné Brandon s'assit sur une pierre en regardant la chère silhouette s'évanouir. À cet instant précis, il eut préféré être mort. C'était la première fois qu'il ressentait combien il aimait cette jeune fille et, en ce qui le concernait, réalisa combien la situation allait de mal en pis. À ce stade-ci, elle ne tarderait pas à virer au pire…

Maintenant qu'il l'avait offensée sans l'avoir voulu, elle lui était plus chère que jamais, et tandis qu'il réfléchissait, le visage dans les mains, il comprit que de la manière dont les choses se déroulaient, un temps viendrait bientôt où, faisant fi de toute prudence, il tenterait l'impossible pour la conquérir par ses seuls moyens. Prudence et bon jugement lui disaient encore ce qu'il savait pertinemment, mais il savait aussi qu'il n'écouterait plus les voix de sa raison et qu'un désastre risquait de survenir. Soupçonnant que Marie éprouvait possiblement de doux sentiments envers Brandon, le roi le ferait probablement décapiter.

Et si, d'aventure, Brandon conservait son chef sur ses épaules, Marie ne pourrait pas ou ne voudrait pas l'épouser, même s'il l'aimait de tout son cœur. La distance sociale qui les séparait était trop importante et la princesse connaissait trop bien les contraintes de son rang. Il n'existait qu'une solution: la Nouvelle-Espagne. C'est alors qu'il décida de prendre le prochain navire en partance pour cette destination.

Marie n'avait jamais pensé aux raisons véritables du comportement de Brandon. Bien que très consciente de sa grâce et de son pouvoir – ce n'était point une question de vanité, mais de naissance –, l'amour l'avait rendue aveugle lorsqu'il s'agissait de Brandon et ce sentiment occultait les véritables motifs de son soupirant. Cela empêchait la princesse d'afficher la lucidité dont elle faisait preuve vis-à-vis la conduite des autres hommes envers lesquels elle ne montrait qu'indifférence.

Cette fois-ci, Marie était vraiment en colère, sérieusement fâchée, et Jeanne fit plus d'une fois les frais des démangeaisons de la paume de sa maîtresse… Je ne fus pas en reste pour subir les sautes d'humeur de cette dernière, et si Brandon avait eu l'imprudence de se montrer, il aurait également écopé. À cette époque, un porc-épic enragé aurait été un être aimable comparé à Marie, car elle ne pouvait trouver la paix. Même le roi l'évitait et la reine ne lui adressait pas la parole. On n'aurait jamais imaginé qu'un corps gracile comme celui de Marie pouvait contenir tant de ressentiment. Elle ne toucha mot à Jeanne de la cause de sa vexation, mais se contenta de dire qu'elle «haïssait véritablement Brandon» – ce qui expliquait tout.

Après une quinzaine, la chaleureuse disposition de son cœur eut raison de sa mauvaise humeur. Son cœur la poussait à se ressaisir et le désir de voir Brandon prit le dessus sur ce qu'elle considérait comme une insulte.

Las de la surveillance qu'il devait constamment exercer sur lui-même afin de ne pas succomber à la tentation – une faiblesse qui peut guetter les êtres les plus résolus —, il décida d'abandonner sa situation sur-le-champ et de se diriger vers la Nouvelle-Espagne. Il s'était renseigné et avait appris qu'un navire appareillerait de Bristol dans une vingtaine de jours et qu'un autre ferait de même dans les six semaines à venir. C'est ainsi qu'il choisit la deuxième date et qu'il décida de prendre ses dispositions dans les plus brefs délais.

Il m'entretint de ses projets et me parla de la situation dans laquelle il se trouvait.

— Vous connaissez les raisons de mon départ, même si je ne vous en ai jamais parlé. Je ne suis pas comme le patriarche Joseph, de l'Ancien Testament, et suis peu enclin à fuir une jolie femme mais, en ce qui me concerne, c'est la mort elle-même que je fuis. Et lorsque je pense au paradis que cela pourrait être... Vous avez raison, Caskoden. Nul homme ne peut résister au charme du sourire d'une jeune fille. Je ne peux dire ce que je ressens pour elle. On dirait parfois que je ne saurais vivre une heure de plus sans la voir. Et pourtant, Dieu merci, j'ai de bonnes raisons de savoir que chaque rencontre ne fait qu'empirer une sorte de maladie incurable. Qu'adviendra-t-il d'elle lorsqu'elle sera l'épouse du roi de France? N'est-il pas raisonnable pour moi de choisir une vie d'aventures en Nouvelle-Espagne? N'est-ce pas la seule possibilité qui me reste?

J'acquiesçai tandis que nous nous serrions les mains. J'en profitai pour lui faire savoir qu'il serait la personne qui me manquerait le plus, hormis Lady Jeanne, sous toute réserve mentale cependant.

Je racontai à Jeanne ce que Brandon était décidé à faire, sachant pertinemment qu'elle en toucherait un mot à Marie – ce qu'elle s'empressa de faire sans délai.

Pauvre Marie! Ce fut le temps des soupirs, et le ressentiment qu'elle témoignait encore envers Brandon s'évanouit à l'idée qu'elle risquait de ne plus le voir.

Précédemment, elle ne savait pas si elle l'aimait vraiment. Elle savait toutefois que c'était là le compagnon le plus adorable qu'elle ait jamais rencontré. Sa présence provoquait en elle un enthousiasme enivrant qui la mettait en extase. Pourtant, elle ne savait pas qu'il s'agissait vraiment d'amour. C'est au moment de le perdre qu'elle réalisait la gravité de sa maladie et la nécessité d'avoir une explication face à face.

Le soir où Marie eut vent de la chose, elle se retira très tôt dans sa chambre et ferma la porte. Personne ne la dérangea jusqu'à ce que Jeanne vînt la voir pour lui passer ses vêtements de nuit. Elle trouva sa maîtresse allongée dans son lit, la tête couverte, apparemment endormie. Jeanne se prépara tranquillement à prendre place sur sa propre couchette. Les deux jeunes filles avaient l'habitude de dormir ensemble, mais depuis que Marie avait pris la mouche, Jeanne dormait seule.

Après un court silence, Jeanne entendit un premier sanglot, puis d'autres en provenance de l'autre lit.

— Pleurez-vous, Marie? demanda-t-elle.

— Oui...

— Qu'y a-t-il, Marie?

— Rien... répondit-elle.

— Voulez-vous que je vienne vous rejoindre?

— Oui, je le veux.

Jeanne alla retrouver Marie et lui passa gentiment les bras autour du cou.

— Et quand part-il? chuchota Marie dont la question expliquait les raisons de son chagrin.

— Je ne sais pas, répondit Jeanne, mais il vous verra avant son départ.

— Pensez-vous qu'il mettra son projet à exécution?

— Je sais qu'il le fera…

C'est sur ces mots en guise de consolation que Marie s'endormit doucement en pleurant.

Les jours suivants, Marie se tint relativement tranquille. Son humeur exécrable avait disparu, mais Jeanne pouvait constater qu'elle s'attendait à voir quelqu'un surgir d'un moment à l'autre, même si sa maîtresse faisait des efforts pitoyables pour dissimuler sa vigilance.

Les deux jeunes gens finirent par se rencontrer dans les circonstances suivantes.

Près de la chambre du roi se trouvait une petite pièce luxueusement meublée, nantie d'une sérieuse bibliothèque où Brandon aimait souvent se réfugier l'après-midi pour y lire et ne pas être dérangé.

Vers la fin d'une certaine journée, Brandon s'était rendu dans cette retraite tranquille et, après avoir choisi un livre, s'était installé dans une petite niche à moitié dissimulée par des draperies d'Arras. On y trouvait un siège rembourré près du mur et une petite fenêtre en losange pour l'éclairage.

Il n'y avait guère longtemps qu'il était là lorsque Marie arriva à son tour. Je ne pourrais dire si elle savait d'avance si Brandon était ou non en cet endroit, mais ils se retrouvaient, ce qui était le plus important. Dès qu'elle le vit, elle entra dans la niche avant qu'il ne soit en mesure de réaliser sa présence.

Il se dressa promptement, fit une ample courbette et recula avec déférence pour la laisser prendre possession des lieux, advenant le cas où elle aurait voulu se reposer.

— Monsieur Brandon, inutile de vous en aller. Je ne vous ferai point de mal. De plus, si cet endroit n'est pas suffisamment spacieux pour nous deux, c'est moi qui m'en irai, car je ne veux pas vous déranger…

Elle parlait d'une voix frémissante et portait sur lui un regard troublé, puis commença à reculer pour sortir de la niche.

— Lady Marie, comment pouvez-vous parler ainsi? Vous savez – vous devez savoir – que… Oh! Je vous en supplie…

Elle l'interrompit en lui prenant le bras et en l'attirant vers le siège rembourré. Elle aurait pu déplacer le Colosse de Rhodes grâce au seul regard qu'elle lança à Brandon, tant il était à la fois impératif, suppliant et prometteur.

— Voilà. Je ne sais pas mais je veux savoir. Je veux que vous vous asseyiez ici et que vous me racontiez tout. Je vais me réconcilier avec vous malgré la manière dont vous m'avez traitée la dernière fois. Que vous le vouliez ou non, je tiens à être votre amie. Que dites-vous de cela, monsieur?

Elle parlait avec un petit rire mal assuré montrant que son cœur n'était pas si confiant ni si audacieux qu'elle voulait bien le laisser entendre. Généralement si prompt à la répartie, le pauvre Brandon restait coi et immobile.

Où en étaient ces sages décisions prises au prix de tant d'efforts? Étaient-ce là les réponses à toutes ses prières? «Ne pas succomber à la tentation…» Il avait fait sa part et tout ce qu'il pouvait; le Ciel ne l'avait pas exaucé puisque la tentation lui revenait alors qu'il s'y attendait le moins, que le chemin était si étroit, qu'il n'y avait aucun moyen de s'échapper, qu'il devait faire face à la situation.

Marie retrouva rapidement ses esprits, car les femmes sont bien plus habiles que les hommes dans cet art, et elle poursuivit :

— Je n'ai pas l'intention de dire un seul mot du traitement que vous m'avez infligé l'autre jour dans la forêt, et ce, même s'il était vilain et que vous ayez continué de me traiter de manière abominable depuis lors. N'est-ce point aimable de ma part ?

Elle se mit à rire doucement tandis qu'elle regardait en coin le pauvre bougre à travers ses longs cils en tentant, je le suppose, de le charmer. Elle commençait à être consciente du pouvoir qu'elle détenait sur lui et jamais son emprise sur Brandon n'avait été aussi grande qu'à ce moment précis. Sa beauté était à son summum. La princesse était en retrait et la femme dominante avait pris le dessus, avec son visage empourpré par l'émotion et ses yeux rendus doublement lumineux par cet amour qui lui faisait battre le cœur si fort. Sa robe était certainement la plus belle qu'elle ait pu porter pour mettre ses charmes en valeur. Sachant probablement que Brandon était en cet endroit, elle avait dû revêtir ses plus beaux atours. Elle portait une robe à longues manches flottantes, ajourées aux épaules, laissant deviner d'émouvantes parties de ses bras nus à chacun des mouvements de ses mains, dont elle était aussi peu avare qu'une Française. Son ample décolleté laissait entrevoir, en avant comme en arrière, une gorge et un cou sculpturaux suggérant la beauté et la force personnifiées, comme découpés dans quelque bloc d'albâtre. Cela permettait de voir la naissance de sa poitrine, blanche et généreuse comme un amoncellement de neige. Ses cheveux, relevés en un début de torsade, reflétaient sa nature rebelle refusant toute contrainte. Ils s'échappaient en toutes sortes de petites boucles encadrant son visage et s'étendaient sur sa nuque comme des filaments lumineux.

Dans l'esprit avec lequel elle l'approchait, je me demande si Brandon parvint à se maîtriser, ne serait-ce qu'un instant. Il avait l'impression que son seul espoir était de garder le silence. Aussi fit-il preuve de mutisme en s'asseyant près d'elle. Il me raconta longtemps après l'événement qu'au cours du discours de Marie les pensées les plus folles lui passèrent par la tête. Ainsi il se demandait comment trouver le salut par la fuite. Il pensa à la fenêtre, à travers laquelle il aurait pu se jeter, puis à feindre une quelconque maladie ainsi qu'une centaine de possibilités aussi abracadabrantes, mais ces pensées décousues n'aboutissaient à rien. Il demeurait immobile pendant que le temps suivait son cours, indépendamment de sa volonté.

Après un bref silence, Marie poursuivit en badinant :

— De grâce, répondez-moi, monsieur ! Je suis lasse de votre comportement. Vous devriez avoir la courtoisie de me traiter au moins de la même façon dont vous traiteriez une jeune fille de la bourgeoisie…

— Oh ! Si vous n'étiez que la fille d'un simple citoyen…

— Oui, je connais tout ça. Je ne le suis pas et n'y peux rien. Vous devez donc me répondre.

— Il n'existe pas de réponse, Milady. Je vous en supplie… Mais vous ne voyez pas…

— Oui, oui, mais répondez à ma question. Ne suis-je pas plus gentille que vous ne le méritez ?

— Ou, certainement, mille fois trop ! Vous avez été si gentille, si aimable, si obligeante envers moi que je ne peux que vous remercier encore et encore, répliqua Brandon presque timidement sans pouvoir la regarder dans les yeux.

Marie repéra rapidement le jeu de Brandon. Rares sont les femmes à qui il aurait passé inaperçu, d'autant plus que Marie était fine mouche. Cela lui redonna confiance et lui permit de reprendre le ton léger de ses anciens entretiens.

— Nous voilà devenu bien modeste! Mais où est donc cette hardiesse dont nous faisions si abondamment usage? Gentille? L'ai-je toujours vraiment été? Que dire de la première fois où je vous ai rencontré? Étais-je alors affable? Quant à mon obligeance... Je préférerais que nous nous gardions d'utiliser ce mot...

— Non, répondit Brandon en reprenant ses esprits. Non, on ne saurait dire que vous fûtes très gentille la première fois lorsque vous m'avez pris à partie. Ce fut si inattendu que j'en ai presque trébuché...

Tous deux se mirent à rire en se rappelant cette singulière rencontre.

— Non, je ne pourrais dire que, lors de ce premier entretien, votre nature aimable se soit manifestée de manière très prononcée, mais elle n'en existait pas moins, comme d'habitude. Puis vous vous êtes montrée gentille envers moi, gentille comme seule vous savez l'être...

Brandon jugea qu'il glissait là dans une périlleuse sentimentalité et se dit que si la conversation se poursuivait sur ce ton, il lui faudrait prendre la fuite.

— Si cela vous satisfait, vous n'êtes guère difficile, dit Marie en riant, car je puis me montrer beaucoup plus aimable que cela si je fais un effort...

— Il vous suffit d'essayer... répondit Brandon.

— Pourquoi? C'est précisément ce que je suis en train de faire, répondit Marie en faisant une adorable moue. Ne pouvez-vous reconnaître la vraie gentillesse lorsque vous la constatez? J'essaie à ce moment précis de faire de mon mieux... Ne le voyez-vous pas?

— Oui, je pense la reconnaître mais... soyez méchante, voulez-vous?

— Certainement pas! Je ne serai point méchante juste pour vous faire plaisir. J'ai décidé de ne pas l'être, mais de ne pas être gentille non plus. Mon cœur est trop plein de bonté aujourd'hui... dit-elle en plaçant sa main sur sa poitrine et en riant de sa propre plaisanterie.

— Je crains qu'il faille vous montrer méchante; vous voilà prévenue... répondit Brandon d'une voix rauque.

Il avait l'impression qu'elle l'observait en permanence tandis que sa force et ses bonnes résolutions suintaient comme le vin d'un mauvais tonneau. Après une courte pause, sans tenir compte de l'avertissement de Brandon, Marie reprit:

— Cependant, en ce qui nous concerne, les rôles sont inversés. Tout d'abord, je me suis montrée agressive envers vous et vous m'avez témoigné de l'amabilité. Maintenant, c'est moi qui suis aimable et vous qui ne l'êtes point...

— Je peux vous renvoyer à vos propres mots, répondit Brandon. Vous ne remarquez pas lorsque je fais preuve de gentillesse à votre égard. Je devrais peut-être me montrer plus gentil envers moi-même en vous quittant et en me rendant à l'autre bout du monde.

— Oh! Justement, il y a une chose que je voudrais vous demander. Jeanne m'a mentionné que vous comptiez vous rendre en Nouvelle-Espagne?

Elle brûlait d'en savoir davantage, mais avait posé cette question en partie pour détourner une conversation qui prenait un tour périlleux. En tant que jeune fille, elle aimait Brandon et ne le savait que trop bien, mais elle savait également être une princesse pouvant prétendre au trône de l'un des plus puissants royaumes du monde. En effet, à cette époque, Henri n'ayant pas encore d'enfants, elle se trouvait être l'héritière de la royauté advenant la disparition de ce dernier, car le peuple refuserait de prendre pour monarque ce petit diable de roi d'Écosse. Peu importe combien les sentiments qu'éprouvait Marie envers Brandon eussent pu être vifs, la possibilité de convoler avec lui en justes noces n'avait jamais effleuré son esprit. Elle savait également combien en formulant une pensée on peut la concrétiser et lui donner de la force. Elle était consciente du fait que même si elle ne pouvait nier le plaisir que sa présence, sa vue, le son de sa voix, un contact fortuit lui communiquait, et tenant pour acquis que Brandon l'aimait – comme elle en était certaine – un aveu mutuel de leurs tendres sentiments devait être évité à tout prix. L'écart social entre eux était trop considérable et on ne pouvait espérer le combler. Cet intervalle constituait un monde délicieux, plein de rêves et de joies extatiques, mais il demeurait infranchissable et elle ne le savait que trop bien.

Brandon répondit à sa question.

— Je ne sais pas encore quand je partirai mais je crois qu'il faut que je parte. J'ai retenu ma place sur un navire qui appareillera dans deux ou trois semaines de Bristol et je crois bien qu'alors j'embarquerai.

— Non ? Êtes-vous sérieux ?

La nouvelle de son départ fut pour elle comme un coup au cœur et celui-ci se mit à battre plus fort. Mais elle éprouva également une sensation de soulagement, un peu comme celle que ressentirait un cambrioleur récalcitrant en trouvant une porte trop bien fermée pour qu'il se hasarde à la forcer. Ce départ éliminait une tentation à laquelle elle ne pourrait pas résister et à laquelle elle n'avait pas le courage de renoncer.

— Je pense qu'il n'y a aucun doute, répondit Brandon. Je demeurerai en Angleterre jusqu'à ce que je puisse économiser suffisamment sur le traitement que me verse la maison royale afin de régler les dettes de la succession de mon père. Ainsi je pourrai m'en aller en sachant que mon frère et mes sœurs seront chez eux, à l'abri de la nécessité. Mon frère n'est pas très fort. Je sais qu'il vaut mieux que je m'en aille maintenant et j'espère que je trouverai assez d'argent... J'aurais pu régler ces dettes avec ce que Judson m'a fait perdre au jeu jusqu'à ce que je m'aperçoive de sa tricherie...

C'était la première fois qu'il faisait allusion à ce duel et cette seule pensée ajoutait une touche d'effroi aux sentiments que Marie pouvait éprouver à son égard.

Elle lui lança un regard lumineux et lui demanda :

— À combien s'élève cette dette ? Laissez-moi vous fournir cet argent. J'en ai plus qu'il m'en faut. Laissez-moi régler tout ça. Dites-moi quelle est cette somme et je vous la donnerai. Vous pouvez venir la chercher dans mes appartements ou je vous la ferai porter. Maintenant, donnez-moi des détails afin que je puisse agir en conséquence, lui dit-elle avec enthousiasme.

— Voilà. Vous êtes gentille une fois de plus, aussi aimable que vous savez l'être. Soyez certaine que je vous remercie vivement de votre offre, bien que je ne vous remercierai qu'une seule fois.

Il lui lança un regard qu'elle ne put supporter un seul instant. La conversation devenait une nouvelle fois périlleuse. Il se ressaisit et lui donna une fois de plus un ton badin.

— Ah! Ainsi vous voulez régler mes dettes afin que je n'aie pas d'excuse pour m'en aller... Peut-être n'êtes-vous pas aussi gentille que vous le prétendez, après tout...

— Non! Non! Vous le savez bien. Laissez-moi acquitter cette dette. Quelle somme représente-t-elle? Quels sont les créanciers? Dites-le-moi, c'est un ordre...

— Oh! non, Lady Marie, je ne saurais...

— S'il vous plaît. Je vous en supplie puisque je ne puis vous l'ordonner. Je sais que vous accepterez. Me laisserez-vous vous supplier à deux reprises pour quoi que ce soit?

Tandis qu'elle parlait, elle se rapprocha de lui et posa sa main doucement sur le bras de son ami. Suivant son impulsion, Brandon lui prit la main et l'amena religieusement à ses lèvres pour y déposer un baiser prolongé, sans équivoque. Le tout se déroula si rapidement et si passionnément que Marie en fut effrayée et que la princesse prit un instant le dessus.

— Monsieur Brandon! s'exclama-t-elle en retirant sa main.

Il lâcha prise, reprit son siège, tourna la tête vers la fenêtre et fit mine de regarder la rivière. Ils restèrent ainsi en silence, la main de Brandon gisant de manière apathique sur le coussin qui les séparait. Marie avait remarqué le mouvement éloquent qu'il avait amorcé pour se détourner d'elle ainsi que la manière dont il avait agi. Puis, la princesse s'étant effacée, la femme déterminée reprit la place une fois de plus. Elle le regarda un bref instant, lui fit les yeux doux puis, levant la main, la remit dans la sienne en disant:

— La voici... Si vous voulez...

S'il le voulait? C'en était trop! La main ne suffisait plus. Il lui fallait toute la princesse, toute! Aussi la prit-il dans ses bras avec une violence qui terrorisa Marie.

— S'il vous plaît! Non! S'il vous plaît! Pas maintenant, oh! Charles! Sainte Mère de Dieu, pardonnez-moi…

Dans le tourbillon de sa passion, elle se retrouva sur la poitrine de Brandon, ses bras blancs enlaçant le cou de l'homme, sacrifiant un baiser à Cupidon de la même manière que la plus banale des roturières. Qu'importait que dans ses veines coulât le sang d'une cinquantaine de rois et de reines! Ses lèvres avaient rencontré celles de l'homme aimé.

Après avoir retenu Marie un instant, Brandon s'agenouilla en posa sa tête sur les genoux de la princesse.

— Que le Ciel me vienne en aide! cria-t-il.

Après avoir caressé les boucles de Brandon, elle se pencha vers lui et lui chuchota doucement:

— Que le Ciel *nous* vienne en aide! Car je vous aime…

— Non! Non! Ne faites pas ça! Je vous en conjure! lui répondit-il d'un air farouche en faisant mine de prendre la fuite.

Marie le suivit presque jusqu'à la porte, mais lorsqu'il se retourna, il vit qu'elle s'était arrêtée et qu'elle avait enfoui son visage dans ses mains, comme si elle était en pleurs. Il revint sur ses pas et lui dit:

— J'ai essayé d'éviter cela, et si vous m'aviez aidé, ce ne serait jamais…

Il se souvint alors combien il avait toujours méprisé Adam pour avoir blâmé Ève, même si elle avait sa part de responsabilité. Aussi poursuivit-il:

— Non, ce n'est pas ce que je veux dire. Je suis le seul à blâmer. J'aurais dû partir voilà bien longtemps déjà, mais j'en étais incapable. J'ai bien essayé… Oh! oui…

Marie baissait les yeux, tandis que des larmes roulaient abondamment sur ses joues enflammées.

— Ce n'est pas de la faute de qui que ce soit... murmura-t-elle.

— Non, non. Il n'y a pas là de faute dans le sens commun du terme, mais pour moi cet amour est suicidaire. Il est comme une blessure que je me serais infligée sciemment. Je suis différent des autres hommes. Je ne m'en remettrai jamais...

— Je ne sais que trop bien comment vous pouvez être différent des autres hommes. Moi aussi je suis différente des autres femmes. N'est-ce pas?

— Ah! Différente... Il n'existe pas une seule femme comme vous dans le monde...

Et ils se retrouvèrent une fois de plus dans les bras l'un de l'autre et demeurèrent enlacés. Les yeux baissés, silencieuse, elle jouait avec la dentelle du justaucorps de Brandon. Ce dernier, qui connaissait si bien la variété des expressions de la princesse, comprit qu'elle voulait s'exprimer. Aussi lui demanda-t-il:

— Voulez-vous me dire quelque chose?

— Non, pas moi, répondit-elle en insistant sur le pronom personnel.

— Alors y a-t-il quelque chose que vous voudriez que je dise?

— Oui... dit-elle en donnant son assentiment.

— De quoi s'agit-il? Dites-moi et je le ferai.

— Non, dit-elle en hochant la tête.

— Dites... Je ne saurais deviner...

— N'avez-vous point aimé m'entendre dire que... que je vous aimais?

— Ah! Que oui! Aimeriez-vous que je vous le dise?

— Oui, dit-elle dans un triple mouvement de tête affirmatif et en levant les yeux, un lumineux et fugace instant.

— Ce n'est certainement pas nécessaire, car vous le savez depuis longtemps déjà, mais je suis tout de même heureux de le déclarer: je vous aime...

Elle se rapprocha et posa sa tête sur la poitrine de Brandon.

— Maintenant que je l'ai dit, quelle est ma récompense? demanda-t-il.

La tête aimée se leva, rougissante, avec des baisers en guise de récompense, chacun d'eux aussi précieux pour Brandon qu'une rançon de roi.

— Voilà qui est pire que la folie, s'écria Brandon en faisant mine de la repousser. Nous ne pourrons jamais appartenir l'un à l'autre...

— Non... répondit Marie d'un air désespéré en se remettant à pleurer. Non, jamais...

Tombant à genoux, Brandon prit les deux mains de Marie dans les siennes. Puis, se redressant, il se précipita hors de la pièce.

Les mots de la princesse remettaient en évidence l'infranchissable gouffre qui les séparait car, mieux que lui encore, elle en connaissait l'ampleur. De quelque côté qu'on l'envisageât, la situation était insoluble et il ne restait que la fuite comme solution.

Il se réfugia chez lui, arpenta sauvagement le plancher et s'admonesta.

— Fou! Fou que tu es de t'être engagé dans une affaire qui ne peut que t'apporter des souffrances pour le reste de tes jours. Pourquoi suis-je venu à cette cour? Seigneur, ayez pitié de moi…

Il tomba à genoux près de son lit, le visage dans les bras, sa charpente puissante agitée de spasmes convulsifs.

Le même soir, Brandon me raconta comment il avait commis ce qu'il appelait un «suicide virtuel» et décida de se rendre à Bristol pour attendre le départ d'un bateau et trouver peut-être une forme de résurrection en Nouvelle-Espagne.

Malheureusement, il ne put se rendre immédiatement à Bristol, car il devait relever des défis dans un tournoi qui devait se tenir à Richmond et ne pouvait trouver de bonnes excuses pour se soustraire à ses obligations. En attendant, cloîtré dans sa chambre, il refusait de rencontrer à nouveau cette amoureuse qui, selon ses propres termes, «le poussait littéralement à la démence».

Il pensait qu'il était plus sage d'éviter les adieux déchirants et se disait que s'il la voyait encore il devrait tuer quelqu'un – en priorité lui-même.

Je l'entendis se retourner toute la nuit dans sa couchette. Il se leva l'air hagard, mais de plus en plus déterminé à ne plus voir Marie.

Mais la providence ou encore le destin envisageaient les choses différemment et une foule d'ennuis se préparaient pour le malheureux.

CHAPITRE VIII

Environ une semaine après la rencontre mémorable entre Marie et Brandon survint un incident qui, pour ce dernier, passa près de mettre fin à ses jours en pleine jeunesse. Cet incident mit en lumière les différences pouvant exister entre ces deux êtres, chacun à l'extrémité de l'échelle sociale, mais que le hasard avait merveilleusement rapprochés. Hélas! On ne saurait dire que la personne la plus haute placée dans la hiérarchie agit de la façon la plus admirable en cette occasion. Mais avant d'en arriver au sujet, j'aimerais préciser un ou deux faits qui eurent une influence sur les événements, dont les motifs qui les provoquèrent.

Pour commencer, Brandon s'était tenu à l'écart de la princesse depuis ce fameux après-midi près des appartements du roi. Le premier jour Marie soupira, mais pensa peu à l'absence de Brandon. Puis elle se mit à pleurer et, comme à l'accoutumée, fit preuve de susceptibilité et se montra irritable.

Ce qui lui restait de bon jugement lui recommandait d'être plus prudente et d'éviter de le croiser, mais son envie de voir Brandon s'accrut de plus en plus alors que les occasions se faisaient de plus en plus rares. Incapable de satisfaire ce souhait, elle en conçut du ressentiment. Jeanne avait raison: un désir insatisfait était une vraie torture pour Marie. Même l'écart social qui les séparait commençait à perdre de l'importance, et lorsqu'elle voulait le voir et qu'il n'obtempérait pas, leurs rôles semblaient inversés. À la fin de la troisième journée, elle le fit mander dans ses appartements mais lui, dans un effort surhumain, lui répondit par une courte note dans laquelle il lui expliquait qu'il ne pouvait se rendre à ses désirs et que, de toute façon, il ne devait pas le faire. Cela mit Marie dans tous ses états, car elle le jugeait selon ses propres critères – une méthode empirique mais fort dangereuse. Elle pensa que s'il ressentait les choses de la même façon qu'elle, il abandonnerait toute prudence et accourrait ventre à terre tout comme elle le ferait si elle en avait l'occasion. Il ne lui était jamais venu à l'esprit que si Brandon avait laissé un seul grain de tentation dans la balance, non seulement il ne se rendrait pas en Nouvelle-Espagne, mais demeurerait à Londres avec son amour impossible, luttant désespérément pour une cause perdue et finirait probablement la tête sur un billot.

Il lui fallait mobiliser toute son énergie pour maintenir sa décision de se rendre en Nouvelle-Espagne, car il avait atteint ses limites et possédait ce trésor de sagesse qui est de bien se connaître et de savoir jusqu'où il est possible d'aller. Neuf hommes sur dix ne sont malheureusement pas conscients de ce fait.

Marie, guère plus portée sur l'introspection qu'une linotte, était incapable d'apprécier les solides raisons que Brandon invoquait. C'est donc avec passion qu'elle reçut sa réponse. La rage et l'humiliation étouffèrent momentanément son affection et elle se répéta à n'en plus finir :

— Je hais ce misérable de basse extraction ! Lorsque je pense à ce que je lui ai permis…

Son visage inondé de larmes de repentir et de honte, elle commença à douter de la bonne foi de Brandon. Tant qu'elle pensait avoir donné son cœur à quelqu'un répondant à ses élans par une passion identique, elle était fière et heureuse de ses actes. Mais elle avait entendu parler de ces individus toujours prêts à extorquer les faveurs des femmes et elle croyait avoir été bernée. Sa logique lui semblait irrésistible. Si Brandon avait été animé par les mêmes motifs qu'elle, vierge jusqu'au fond du cœur et dont la main n'avait jamais été touchée par celle d'un soupirant, nul geste de prudence n'aurait dû le retenir loin d'elle. Elle conclut donc avoir donné des perles à un pourceau, soupçon renforcé par le fait qu'elle n'avait jamais été certaine des sentiments de Brandon et qu'un léger doute, incitateur de curiosité amoureuse, avait toujours subsisté à ce propos. Aussi lorsqu'elle se remémora que c'était elle qui avait été obligée de lui demander de déclarer ouvertement son affection, ses soupçons se trouvèrent confirmés : il était clair qu'elle s'était trop avancée – une idée assez peu rassurante pour une jeune fille de sa condition…

Tandis que les jours passaient et que Brandon ne se montrait toujours pas, sa colère s'atténua, comme d'habitude et, une fois de plus, elle se tortura. L'idée d'avoir subi une insulte croissait de jour en jour et indéniablement elle se persuada avoir été bassement utilisée.

Je dois également rappeler que les négociations pour le mariage de Marie d'Angleterre avec le vieux roi Louis XII de France n'étaient plus un secret pour la cour. Le duc de Longueville, détenu en otage par Henri VIII depuis quelque temps, avait ouvert ce dossier en décrivant avec force détails au roi Louis les charmes indubitables de la belle Marie Tudor. L'abeille impériale s'agitant frénétiquement dans le bonnet d'Henri, ce dernier encouragea de Longueville dans ses démarches. Le monarque anglais pensait que le temps serait favorable à une alliance avec la France en échange de sa charmante sœur et d'une dot appropriée. Bien entendu, Marie n'avait pas été consultée, et même si elle avait déjà dissuadé son frère de l'unir à d'autres hauts personnages, celui-ci avait poursuivi ce projet d'union avec la couronne de France. À la cour, on se doutait bien que malgré toutes les câlineries dont elle était l'objet Marie s'y opposerait – une appréhension qu'elle partageait d'ailleurs, nonobstant l'habituelle confiance en elle qu'elle déployait.

Elle détestait l'idée d'un tel mariage et le craignait plus que la mort. Même si elle n'en parlait à personne, sauf à Jeanne, elle ménageait ses forces pour la grande bataille qu'elle comptait livrer. En attendant, elle préparait la voie en se montrant très aimable avec son frère.

De telles nouvelles, jumelées aux différends qu'elle avait avec Brandon, la rendaient vraiment malheureuse et, pour la première fois de son existence, elle connut ce qu'était vraiment la souffrance, cette grande égalisatrice qui forge si bien le caractère humain.

Dans toute cette affaire, il existait une part alarmante d'incertitude. Elle ne pouvait vraiment s'imaginer que Brandon s'en irait en Nouvelle-Espagne et qu'il l'abandonnerait, malgré le fait qu'elle n'en voulait pas, du moins pour le moment, en qualité d'époux protecteur. Toutes sortes d'idées folles commencèrent à germer dans son esprit. La rage et le chagrin la rongeaient en contemplant les perspectives qui s'offraient à elles : la double possibilité d'une séparation et d'un mariage non voulu, sans compter les milliers de milles d'océan qui la sépareraient de Brandon. Cette incertitude était mortelle. Un avenir menaçant constitue une insoutenable torture pour qui que ce soit, et surtout pour quelqu'un de la race de Marie, car la mort elle-même est moins terrible que la peur qu'elle engendre.

***

Vers la même époque vivait dans le secteur de Billingsgate – l'un des plus défavorisés de Londres – un mage juif du nom de Grouche. C'était également un astrologue qui jouissait d'une enviable réputation de prophète et de devin.

Sa renommée reposait sur certaines prédictions remarquables qui s'étaient réalisées à la lettre, et je pense que cet homme possédait véritablement de merveilleux dons divinatoires. On racontait qu'il avait du sang juif et tzigane, ce qui ne pouvait que produire des résultats étonnants. Les citadins de la bonne ville de Londres le consultaient en grand nombre et, malgré que les prêtres et les évêques l'eussent condamné comme un suppôt de Satan et un sorcier, plusieurs gens de qualité, incluant certaines dames de la cour, continuaient à fréquenter clandestinement l'officine de cet homme qui jetait un coup d'œil inquisiteur, quoique dangereux, sur leur avenir. Je dis clandestinement, parce que l'occupation officielle de cet homme en tant que devin et diseur de bonne aventure ne représentait pas son unique commerce. Sa maison était en fait le lieu de réunions illicites et la divination n'était souvent qu'une excuse pour se rendre en ces lieux. Si Grouche n'avait pas été astrologue, il aurait été forcé de s'installer dans le quartier, plutôt mal famé, au sud du pont de Londres.

Marie désirait depuis longtemps rencontrer ce personnage, ne serait-ce que par simple curiosité, mais Henri VIII, qui faisait facilement la morale aux autres, l'avait formellement interdit à sa sœur. Deux dames, Lady Chesterfield et Lady Ormond, des personnes au demeurant respectables et vertueuses, avaient été surprises à rendre visite au devin. Elles subirent la disgrâce personnelle du roi et furent expulsées de la cour.

Pour Marie, au désir de rencontrer Grouche s'ajoutait celui de savoir comment elle se tirerait de l'imbroglio indescriptible dans lequel elle était plongée. Elle ne pouvait compter sur le temps pour que les choses s'arrangent. Elle devait connaître d'avance ce qu'il pouvait lui réserver – une intrusion périlleuse dans l'inconnu. Inutile de dire qu'il ne s'agissait pas là de l'unique prétexte de Marie. Ce n'était pas que son cœur fût aussi innocent que celui d'un nouveau-né, mais il n'en était pas moins chaste et un peu naïf. Il était également exact que la majorité des personnes qui consultaient Grouche prenaient pour prétexte ses dons divinatoires. La seule idée d'avoir à mener une vie malheureuse avec le vieux roi de France lui faisait regretter la douce existence qu'elle pourrait mener avec Brandon. Elle souhaitait alors que son amoureux fût prince ou de haute noblesse. Elle entretenait l'espoir qu'il pourrait, grâce à ses grands mérites, s'élever aux plus hautes charges pour qu'elle puisse enfin devenir son épouse. Cependant, sur le seuil de ce château en Espagne subsistait le doute que peut-être elle n'avait pas grande importance pour lui et qu'il l'avait trompée pour gagner ses faveurs. Submergée de rage à cette seule idée, elle se jura qu'elle le haïssait et qu'elle ne le reverrait plus jamais. Mais cette sombre pensée finissait par s'évanouir dans le domaine des songes. Même les gens les plus raisonnables peuvent parfois se berner eux-mêmes.

Ainsi Marie tenait à rencontrer Grouche, d'abord par simple curiosité, nous l'avons vu – un motif qui en valait bien d'autres. Ensuite, elle voulait savoir comment elle pourrait dissuader Henri de renoncer à cette idée de mariage avec le monarque de France et peut-être se faire indiquer un moyen de faire avorter ce projet. Enfin, et ce n'était pas le moindre de ses soucis, elle tenait à connaître les véritables sentiments de Brandon à son égard.

Ce dernier motif suffisait d'ailleurs à s'engager dans cette entreprise hasardeuse, bien qu'elle n'en fût guère consciente et qu'elle n'aurait jamais admis le fait que tout être humain puisse être mû par des sentiments qu'il ne maîtrise pas.

Déterminée à rencontrer Grouche en secret, elle était persuadée de pouvoir frapper à sa porte sans se faire reconnaître.

Un beau matin, je rencontrai Jeanne qui me fit savoir d'un air inquiet que Marie et elle projetaient de se rendre à Londres faire quelques emplettes. Elles comptaient loger à Bridewell House, une résidence royale récemment construite par Henri VIII, et se rendre en soirée à Billingsgate consulter Grouche. Telle était l'idée que Marie s'était mise en tête et Jeanne n'avait pu l'en dissuader.

Toute la cour se trouvait à Greenwich et Bridewell était désertée. Marie et Jeanne comptaient se déguiser en petites vendeuses d'oranges et poursuivre leur route sans encombre, ce qui n'était guère prudent de leur part.

À l'époque, comme aujourd'hui d'ailleurs, il n'était guère prudent, même pour un homme, de se promener seul à Londres le soir, surtout dans Billingsgate, un nid de personnages peu recommandables, un coupe-gorge. Mais Marie n'était pas vraiment consciente des périls qu'elle encourait et, comme d'habitude, ne prêtait pas foi aux conseils qu'on pouvait lui donner.

Elle avait d'ailleurs menacé Jeanne des pires représailles si jamais elle divulguait son petit secret, et cette dernière était terrorisée autant par ces menaces que par les perspectives de cette téméraire visite. Quoique plus jeune que Jeanne, Marie la subjuguait entièrement. Malgré les craintes qu'elle entretenait, Jeanne me demanda de me rendre à Londres et de les suivre, à l'insu de la princesse, à distance respectueuse. J'étais de service ce soir-là. En effet, le roi donnait un bal en l'honneur de diplomates français. Ces derniers étaient porteurs d'un mandat en qualité de délégués de l'ambassadeur de Longueville afin de négocier le traité de mariage de la princesse. Il m'était donc impossible de jouer les gardes du corps des demoiselles. De plus, Marie avait également choisi ce soir-là pour ne pas aller à ce bal et cette résistance mettait Henri en rage. Déplorant ne pouvoir assurer ce rôle de protection, je promis à Jeanne d'envoyer Brandon à ma place en faisant valoir ses qualités combatives, certes meilleures que les miennes. Je suggérai aussi que Brandon se fasse accompagner d'une autre fine lame mais Jeanne, qui avait une peur mortelle de Marie, ne voulut rien savoir. Il fut donc convenu que Brandon devrait rencontrer Jeanne à un endroit donné pour mettre ce plan au point.

Brandon rencontra donc la dame de compagnie et, avant l'heure convenue, il se dissimula derrière une haie près de la porte privée par où les jeunes filles se proposaient de passer en quittant Bridewell.

Marie comptait partir en fin de journée et revenir avant la tombée de la nuit.

En ce temps-là, les citoyens de la bonne ville de Londres se souciaient peu du règlement leur ordonnant de suspendre une lanterne à leur porte avec, pour résultat, que l'obscurité était totale dans les rues.

À peine Brandon s'était-il dissimulé derrière une haie de thuyas lui permettant de surveiller l'accès à la porte qu'il aperçut le duc de Buckingham. Une servante de Bridewell, au service de la princesse, s'empressa de rejoindre le courtisan.

— Certes, Votre Grâce, voilà la porte, lui dit la fille. Vous pouvez vous cacher et les regarder passer car elles doivent emprunter ce chemin. Comme je vous l'ai dit, je ne sais pas où elles se rendent. Je leur ai seulement entendu dire qu'elles passeraient par cette porte avant la tombée de la nuit. Je suis certaine qu'elles doivent rencontrer quelque galant, ce que Votre Grâce ne manquera pas de découvrir, j'en suis sûre...

Il lui répondit qu'il «s'occuperait de cette affaire...»

Brandon ne voyait pas où Buckingham avait pu se dissimuler, mais les deux jeunes filles ne tardèrent pas à faire leur apparition, attifées de jupons courts et de bonnets, puis elles empruntèrent la porte. Buckingham les suivit et Brandon lui emboîta le pas. Les jeunes filles étaient passées par une petite poterne dans le mur devant Bridewell House, puis rapidement par Fleet Ditch. Elles avaient grimpé la côte de Ludgate, passé par l'église Saint-Paul, s'étaient dirigées vers le fleuve par la montée Bennet, vers la gauche par la rue menant à la Tamise jusqu'au secteur du Marché aux poissons. Elles avaient emprunté enfin une ruelle menant à East Cheap, jusqu'à la maison de Grouche.

Marie faisait là preuve de bravoure et montrait sans aucun doute la détermination qui l'animait. Dangers réels mis à part, je crois qu'il y avait de quoi décourager les femmes les plus aguerries.

Jeanne sanglotait tout en cheminant, mais Marie ne se laissa pas abattre.

Il y avait dans ces rues de profondes fondrières remplies d'eau où l'on s'enfonçait jusqu'aux chevilles, car alors les rues n'étaient pas pavées. Curieusement, les citadins préféraient payer l'amende de six pence par verge carrée que les riverains acquittaient pour garder les rues dans l'état où elles étaient. Brandon m'expliqua qu'à un certain endroit un chargement de fourrage bloquait la rue, ce qui forçait les passants à se glisser entre les maisons et le foin. Il avait peine à croire que les jeunes filles aient pu passer par là car, à certains moments, il les perdit de vue mais put tout de même les suivre en filant Buckingham. Il finit enfin par les repérer et les vit tourner dans la ruelle menant chez Grouche et pénétrer dans sa demeure.

Ayant vu que les jeunes filles s'étaient arrêtées, Buckingham s'empressa de s'en aller tandis que Brandon attendait que les visiteuses aient terminé leur consultation. Celle-ci sembla durer une éternité, car lorsqu'elles quittèrent l'officine l'obscurité avait envahi Londres.

Marie remarqua qu'un homme les suivait et, ne sachant qui c'était, s'inquiéta grandement. L'objectif de sa démarche ayant été atteint, son courage semblait maintenant lui manquer.

— Jeanne, quelqu'un nous suit... chuchota la princesse.

— Oui... répondit Jeanne avec une sérénité d'autant moins coutumière que Marie savait combien sa dame de compagnie pouvait être peureuse.

— Oh! Si je vous avais seulement écoutée, Jeanne, et n'étais pas venue m'aventurer en des lieux aussi sinistres. Et tout cela pour apprendre le pire... Pensez-vous que nous sortirons vivantes de cette aventure?

Elles hâtèrent le pas tandis que l'homme qui les suivait se souciait visiblement moins de passer inaperçu qu'à l'aller. La peur de Marie augmenta en entendant les pas du suiveur, en distinguant plus nettement sa silhouette, et elle serra le bras de Jeanne.

— C'en est fini de nous... Je donnerais tout ce que j'ai ou espère avoir en ce monde pour pouvoir être protégée par monsieur Brandon à cet instant précis...

Elle n'avait pu s'empêcher de penser à lui pour la défendre en ce moment critique. L'occasion étant trop belle, Jeanne enchaîna:

— Justement, c'est monsieur Brandon qui nous suit! Si nous attendons quelques secondes, il ne tardera pas à nous rejoindre...

Puis elle l'appela avant que Marie ne puisse intervenir.

Cette révélation possédait deux facettes. Il était vrai que la présence de Brandon avait été ce qu'elle souhaitait le plus ardemment, mais ce souhait s'était évanoui lorsqu'elle avait découvert que la personne qui les suivait n'avait pas de mauvaises intentions. Deux pensées s'imposèrent alors à l'esprit de la princesse. Dans son optique, elle en voulait à Brandon de l'avoir privée de son attention et d'avoir tourné son amour en dérision. De plus, Grouche avait confirmé que Brandon était un personnage peu fiable. Ensuite, elle avait été surprise en train d'entreprendre une démarche qu'elle eût préféré garder secrète et qui était maintenant connue de la personne la moins habilitée à l'apprendre! Elle se retourna donc vers Jeanne et s'écria:

— Jeanne Bolingbroke, pour avoir trahi ma confiance, vous quitterez mon service dès que nous serons de retour à Greenwich!

Maintenant que le danger semblait écarté et qu'elle était rassurée par la présence de Brandon, car au fond du cœur elle l'imaginait comme un pourfendeur de dragons et de géants, elle ne lui réserva pas moins un traitement inique. Les jeunes filles s'étaient arrêtées lorsque Jeanne avait fait signe à Brandon. Il s'approcha et se découvrit en espérant être accueilli chaleureusement. Mais cet homme, à la philosophie plutôt réaliste, n'avait pas encore appris à se méfier des humeurs princières. Grande fut sa surprise lorsque Marie déversa sur lui sa colère.

— Monsieur Brandon, vous avez eu l'outrecuidance de nous suivre et cela va vous coûter cher… Nous ne souhaitons aucunement votre compagnie. Nous vous prions de nous laisser à nos affaires et de vous inquiéter uniquement des vôtres…

Tel était le traitement qu'il recevait de la jeune fille qui disait lui avoir donné son amour voilà une semaine. Jeanne, qui avait appelé Brandon et était la cause de cette filature, se mit à verser d'amères larmes.

— Monsieur, pardonnez-moi, ce n'est pas de ma faute. Elle m'avait seulement mentionné…

Une claque magistrale de Marie lui ferma la bouche. Jeanne, en pleurs, fut entraînée au loin par sa maîtresse.

Après avoir quitté la maison de Grouche, les deux jeunes filles avaient commencé à se diriger vers East Cheap avec l'intention de prendre la route du haut. Aussi suivirent-elles cette direction. Brandon continuait de les filer, malgré les consignes de Marie. Par la suite, elle le remercia ainsi que la divine providence...

Elles marchaient depuis moins de cinq minutes et avaient à peine tourné le coin d'une ruelle serpentant parmi les entre-pôts des poissonniers lorsque quatre cavaliers dépassèrent Brandon dans l'intention évidente de poursuivre les impru-dentes. Brandon accourut, mais avant d'atteindre le coin de la ruelle, il entendit des cris d'épouvante. Lorsqu'il tourna l'inter-section, il vit nettement que deux des hommes avaient mis pied à terre et essayaient de s'emparer des jeunes filles à qui la peur avait donné des ailes et dont les pas n'étaient guère entravés par leurs jupes courtes. Hurlant de toute la force de leurs poumons et faisant preuve d'une étonnante célérité, elles ne facilitaient pas la tâche des ravisseurs, inconscients du fait qu'ils étaient pourchassés à leur tour par Brandon et ne s'attendant pas à une attaque sur leurs arrières. Les deux autres cavaliers, encore sur leur monture, lancèrent un cri d'alarme à l'inten-tion de leurs complices mais ces derniers étaient si occupés qu'ils ne l'entendirent point. L'un de ceux qui étaient à pied fut prestement expédié *ad patres* par un coup d'épée de Brandon qui lui perça la nuque avant de savoir ce qui lui arrivait. L'autre se retourna et, dans les mêmes conditions, trouva une mort fulgurante. Les deux fugitives s'étaient arrêtées pour souffler. Marie avait trébuché mais s'était relevée. Terrorisées, elles offraient une image pitoyable. Brandon s'approcha d'elles mais, pendant ce temps, les deux cavaliers étaient sur lui, sabrant sauvagement du haut de leurs montures. Courageusement, il tentait de parer les coups et d'éviter que les jeunes filles ne fussent piétinées par les chevaux. Une saillie d'environ deux pieds dans le mur, une sorte d'arc-boutant, lui permit d'abriter les malheureuses en les protégeant de son corps. Décidé à mener un combat inégal, fort heureusement sa position ne permettait qu'à un seul cheval d'approcher. Des hommes à pied auraient eu meilleur jeu mais ceux-là tenaient à demeurer en selle. L'un d'entre eux chargea férocement. Dans l'obscurité, son épée heurta le mur en faisant des étincelles. La chance avait souri à Brandon qui aurait fort bien pu périr dans cette attaque, mais cette erreur de son adversaire lui permit d'enfoncer sa lame dans le garrot du cheval, qui s'abattit en arrière, retenant son cavalier prisonnier sous sa masse. La jambe de l'homme était coincée contre la pierraille d'un caniveau.

Les cris de l'homme alarmèrent son compagnon qui vint à sa rescousse. Pendant ce temps, Brandon en profita pour prendre la fuite avec ses protégées. Bien que brave, il n'était pas suffisamment inconscient pour ne pas apprendre très tôt qu'en certaines occasions la fuite pouvait s'avérer opportune.

Dans la lueur des étincelles jaillissant de l'épée qui avait heurté le mur, Brandon avait reconnu le visage de Buckingham, qui avait perdu son masque. Il n'en parla que très longtemps après, ce qui risqua d'ailleurs de provoquer sa perte.

Comme quoi des paroles, rendues publiques ou non, peuvent influencer les événements de la même manière !

Les deux imprudentes étaient mortes de peur et, pour progresser plus rapidement, Brandon dut porter la princesse et aider Jeanne jusqu'à un endroit qu'il estimait être sûr. Jeanne récupéra rapidement, mais Marie ne semblait pas pressée de marcher et posait sa tête d'un air apparemment ravi sur l'épaule de son sauveteur.

Quelques minutes plus tard, Jeanne lui dit:

— Vous pouvez marcher maintenant, Milady. Je pense que vous allez mieux. Nous serons bientôt près du Marché aux poissons, où l'on est en sécurité à cette heure-ci.

Marie ne répondit rien à Jeanne mais, alors que Brandon prenait un peu de retard à un étroit croisement, elle chuchota à son amoureux:

— Pardonnez-moi... Pardonnez-moi... Je ferai n'importe quelle pénitence que vous voudrez. Je ne suis pas digne de prononcer votre nom. Je vous dois la vie et davantage, et ce, mille fois!

Elle leva la main et la plaça sur la joue et le cou de son sauveur. C'est alors qu'elle s'aperçut pour la première fois qu'il avait été blessé. Elle versa des larmes en quittant ses bras pour se remettre sur pied. Ils cheminèrent en silence pendant quelque temps. Elle prit ses mains dans les siennes, les porta à ses lèvres, les embrassa et les posa sur son cœur. Une demi-heure plus tard, Brandon laissa les deux jeunes filles à Bride-well House. Il se rendit au pont, où il avait laissé son cheval dans une hostellerie, et chevaucha jusqu'à Greenwich.

Ainsi Marie s'était rendue chez Grouche en pure perte, car le voyant ne lui avait pas dit ce qu'elle aurait voulu entendre. Il lui raconta qu'elle avait plusieurs soupirants, un fait que la classe et le visage de la consultante laissaient soupçonner. Il lui apprit également qu'elle avait un amoureux de naissance modeste. Pour ajouter du piquant et un accent de vérité à cette troublante révélation, il avait mentionné que ce quidam était «faux», ce qui accentua le désarroi de Marie. Enfin, pour la flatter, il lui prédit qu'elle épouserait bientôt quelque grand prince ou du moins un noble, cette dernière option semblant la plus probable. Au lieu de la réjouir, ces nouvelles l'affligè-rent et elle souhaitait que ce diseur de bonne aventure et ses damnées prophéties aillent au diable. Elle se maudissait également pour être venue le consulter. En admettant que l'astrologue n'ait pas deviné quel genre de personne était Marie (ce dont elle était persuadée), ses «prédictions» ne manquaient pas de subtilité. Aussi ce soir-là Marie pleura et émit des gémissements pour avoir commis l'erreur d'aller voir Grouche. Son cœur trop lourd ajoutait à la douleur et au désarroi qu'elle ressentait. Comme d'habitude, quelqu'un devait payer toutes les erreurs que les gens de pouvoir obstinés commettent. Ce fut donc Brandon qui écopa les frais des folies de la princesse. Lorsque vous verrez ce qu'il lui en coûta et la manière pitoyable dont elle montra sa gratitude, je crains que vous ne la méprisiez. Mais attendons! Seul qui vous savez peut vraiment juger… Nul homme ne connaît vraiment le cœur d'un de ses semblables, à plus forte raison celui d'une femme. Il est donc difficile de porter un jugement péremptoire. Prenons donc quelque recul et laissons autant que possible à l'avenir les choses qui doivent demeurer immuables aujourd'hui.

CHAPITRE IX

Les Français appréciaient tant la compagnie de nos belles dames que je pensais que cette soirée-là ne prendrait jamais fin. De plus, j'avais hâte de voir Brandon et de connaître les péripéties de l'escapade des deux jeunes filles et des dangers qu'elles avaient courus.

Mais les meilleures choses ont une fin et, tôt le matin, je me précipitai vers nos appartements, où je trouvai Brandon gisant tout habillé, plein de sang provenant d'une douzaine d'estafilades provoquées par des coups d'épée. Comme il était très faible, je fis appeler un barbier qui lui enleva sa cotte de maille et lui pansa ses plaies. Il tomba ainsi dans un sommeil profond tandis que je le veillais. À son réveil, il me raconta ce qui était arrivé mais me demanda de ne pas parler de ses blessures, car il tenait à les garder secrètes afin de pouvoir mieux dissimuler leur cause. Comme je l'ai mentionné, il ne toucha pas un mot sur la participation de Buckingham à cette agression.

Cet après-midi là, je vis la princesse en espérant, bien sûr, qu'elle demanderait des nouvelles de son défenseur. Celui qui était intervenu avec tant d'à-propos et qui souffrait pour elle valait bien quelques marques de sollicitude. Elle n'en toucha pas mot. Elle ne m'approcha jamais et, ostensiblement, m'évita sans en avoir l'air. Le lendemain matin, elle se rendit à Scotland Palace avec Jeanne, qu'elle avait rappelée auprès d'elle, sans que l'une d'elles ne fasse allusion aux événements tragiques qu'elles avaient vécus. Cette conduite sans cœur m'enragea, mais je fus heureux d'apprendre plus tard que l'attitude de Jeanne avait été dictée par Marie. Craignant que quelque signe de sollicitude ne révélât son secret, cette dernière avait fait preuve d'un égoïsme exacerbé.

Il semblerait que Marie avait eu vent des négociations concernant son éventuel mariage. Advenant que son frère ne découvre ses démarches occultes et les incidents malheureux qu'elles avaient provoquées, elle craignait de se faire expédier brusquement en France en dépit de ses cajoleries et des mesures dilatoires auxquelles elle ne finissait plus de recourir.

Un destin terrible la menaçait, d'autant plus qu'elle aimait quelqu'un d'autre. En rétrospective, je crois qu'en semblant si égoïste Marie n'avait d'autre arrière-pensée que de tout simplement sauver sa propre peau.

La nuit suivante, je fus éveillé par des cognements à ma porte. En ouvrant, je me trouvai en face d'un sergent du shérif de Londres accompagné de quatre hallebardiers.

Le sergent me demanda si Charles Brandon était là et, devant ma réponse affirmative, m'ordonna de le faire venir. J'expliquai au sergent que Brandon était cloué au lit et malade. Il me répondit de me montrer sa chambre.

Toute résistance ou évasion s'avérant inutile, je réveillai mon ami et fit entrer le sergent. Ce dernier lut alors le mandat ordonnant l'arrestation de l'esquire Charles Brandon, pour le meurtre de deux citoyens de Londres perpétré telle nuit de telle date de l'an de grâce 1514. La toque de Brandon avait été trouvé près des victimes et les autorités avaient appris «de bonne source» que Brandon était le coupable. Cette source était évidemment Buckingham.

Lorsque le sergent trouva Brandon couvert de blessures, il n'y eut plus de doute et, malgré les difficultés à se mouvoir, mon ami dut s'habiller et les suivre. Une litière portée par des chevaux attendait et nous nous dirigeâmes tous vers Londres.

Pendant que Brandon s'habillait, je lui fis savoir que j'allais réveiller le roi qui ne manquerait pas de lui pardonner lorsqu'il connaîtrait le fin fond de l'histoire. Brandon demanda au sergent de nous laisser seuls et il ferma la porte.

— Ne faites rien de la sorte, Caskoden. Si vous prévenez le roi, je soutiendrai qu'il n'y a pas un mot de vrai dans votre histoire. Une seule personne au monde peut raconter les événements de cette nuit-là; si elle ne le fait pas, ils doivent demeurer secrets. Je sais qu'elle corrigera la situation sur-le-champ. Je ne voudrais pas lui donner l'impression de penser un seul instant qu'elle puisse échouer. Vous ne la connaissez pas. Parfois, elle semble égoïste; ce n'est que de l'étourderie encouragée par la flatterie, mais elle a un cœur généreux et je lui fais confiance sur ma vie. Si vous divulguez un seul mot de ce que je vous ai dit, vous risquez d'aggraver la situation. C'est pourquoi je vous implore de ne rien dire à qui que ce soit. Si la princesse ne me libère pas… mais je ne veux pas évoquer ce cas. Vous pouvez être assuré qu'elle est en mesure de faire beaucoup mieux que vous le pensez, car c'est un être en or…

Ces paroles clôturèrent cet entretien, car je ne savais pas quel nouveau danger mes confidences pourraient engendrer ou gâcher une affaire que j'essayais si ardemment d'arranger. Je me gardai de lui dire que les jeunes filles avaient quitté Greenwich et ne lui parlai pas de mes diffuses craintes – peut-être mal fondées – que Marie n'agisse point comme il le pensait en un tel cas urgent. Je me contentai de l'aider à s'habiller et l'accompagnai à Londres.

Brandon fut incarcéré à Newgate, la plus sinistre prison de Londres à cette époque. On y enfermait tous les hommes de sac et de corde alors que la prison de Ludgate était réservée aux mauvais payeurs. On le précipita dans un cachot souterrain plein d'eau suintant des murs adjacents aux douves et plein de rats et autres vermines. Pas de lit, pas de tabouret, pas de plancher et pas un brin de paille. Seulement des murs gluants couverts de moisissure et une arche sans fenêtre au-dessus. Personne ne pouvait s'imaginer un lieu plus horrible où passer ne serait-ce qu'un moment. J'eus un aperçu des lieux grâce à la lueur émise par la lanterne du gardien lorsqu'il poussa Brandon dans ce réduit. Il me sembla que si je devais passer une nuit dans cet endroit abominable, j'en mourrais ou deviendrais fou. Je protestai, suppliai le gardien et lui proposai même un peu d'argent pour améliorer le sort du prisonnier, mais en vain. Le gardien avait reçu la pièce avant mon arrivée pour se montrer inflexible... Même si cela ne servait à rien, je fus heureux de veiller sous une pluie battante à l'extérieur des murs de la prison tout le reste de cette nuit maudite. Je tenais à demeurer près de mon ami pour partager ses souffrances.

N'étais-je pas aussi grandement endetté envers lui? N'avait-il pas mis sa vie en péril et versé son sang pour sauver l'honneur de Marie et de Jeanne, mille fois plus précieuse à mes yeux que mon propre souffle? Ne souffrait-il pas en ce moment précis à cause de cet insigne service rendu à ma demande et à ma place? Si mon âme n'avait pas été avec lui, je me serais senti comme l'un des plus ingrats misérables sur cette terre, pire peut-être que ces deux jeunes filles insouciantes et égoïstes. J'espérais qu'il le ressentait et je crois bien que j'aurais donné ma vie pour ne plus le voir croupir une heure de plus dans ce cachot.

Dès que les portes de la prison s'ouvrirent le lendemain matin, je dérangeai une fois de plus le geôlier afin qu'il installe Brandon dans une cellule plus confortable. Sa réponse fut que, étant donné la fréquence de ce genre de crimes à Londres ces derniers temps, on ne pouvait accorder quelque faveur que ce soit à ceux qui les commettaient. Les gens tels que Brandon devaient être suffisamment au courant pour s'en garder et donc subir leur châtiment dans toute sa rigueur.

Je tentai alors de lui expliquer qu'il faisait erreur dans ce cas particulier, que je connaissais les faits, que tout s'expliquerait ce jour même et que Brandon serait libéré.

— Fort bien, fort bien, répondit cet individu buté. Tous les gens qui sont ici prétendent prouver leur innocence claire-ment et sur-le-champ. Pourtant, presque tous finissent pendus ou, pour varier un peu, traînés en ville sur une claie et démembrés...

Je demeurai à Newgate jusque vers neuf heures et, en sortant, croisai Buckingham accompagné de son séide Johnson, une sorte de chevalier et homme de loi. Je descendis au palais de Greenwich et découvris que les jeunes filles se trouvaient toujours à Scotland Palace. Je m'y rendis donc immédiatement à cheval.

Dès que je fus en présence de Marie et de Jeanne, je m'empressai de leur raconter comment Brandon avait été arrêté sous une accusation de meurtre. Je les informai également de sa piètre condition : à moitié mort à cause de ses blessures et du sang qu'il avait perdu, enfermé dans un abominable cachot. Mon récit les toucha beaucoup et elles versèrent des larmes. Je pense que Marie avait eu vent de l'arrestation, car elle ne semblait pas surprise.

— Pensez-vous qu'il divulguera pourquoi il a tué ces hommes ? demanda-t-elle.

— Je sais qu'il n'en dira rien, mais aussi que vous parlerez... lui répondis-je en la regardant dans les yeux.

— Certainement, nous irons voir le roi immédiatement… répondit Jeanne sur le qui-vive.

Marie semblait moins pressée que Jeanne. Plongée dans une sorte de rêverie, la larme à l'œil, le regard vague, apparemment absorbée dans ses pensées, après que nous l'ayons un peu pressée elle ajouta :

— Je pense qu'il faudrait faire quelque chose. Je ne vois pas d'autre moyen. Mais, Sainte Vierge Marie, venez-moi en aide !

Les jeunes filles se préparèrent en hâte et nous reprîmes le chemin de Greenwich afin que Marie puisse informer le roi. En route, je fis halte à Newgate pour dire à Brandon que la princesse le tirerait bientôt de ce mauvais pas. On ne me permit pas, par contre, de le voir.

J'étais déçu, car j'avais cru que les démarches ne prendraient que quelques heures, le temps de chevaucher jusqu'à Greenwich et de renvoyer un messager. C'est donc le cœur léger que je retrouvai les jeunes femmes et que nous rentrâmes chez nous au petit galop.

Après avoir attendu un délai raisonnable pour que Marie puisse voir le roi, je partis à sa recherche une fois de plus afin d'apprendre à quel endroit et de qui je devais recevoir l'ordre de libération de Brandon et quand il me fallait aller chercher mon ami à Londres.

C'est alors qu'à ma plus grande surprise et non sans un certain haut-le-cœur j'appris de Marie qu'elle n'avait pas encore vu le roi.

— J'ai attendu, car il m'a fallu manger, me baigner et m'habiller, répondit-elle. Ce ne sont pas quelques petits moments de plus ou de moins qui feront une grande différence…

— Doux Seigneur! Votre Altesse... Ne vous ai-je point dit que l'homme qui sauva votre honneur est couvert de blessures reçues en vous défendant et à moitié mort pour avoir perdu son sang afin de vous épargner des outrages pires que la mort? Ne vous ai-je point dit qu'il croupissait dans un cachot ignoble où vous refuseriez de mettre les pieds pour tout l'or du pont de Londres? Qu'il est entouré de vermine rampante dont vous n'oseriez même pas évoquer le nom? Qu'il est sous le coup d'une accusation qui pourrait le mener à être pendu ou traîné sur une claie dans la ville et même démembré? Pourtant, vous prenez le temps de manger, de vous baigner et de vous habiller... Au nom du Tout-Puissant, Marie Tudor, de quelle étoffe êtes-vous donc faite? S'il avait attendu une minute de plus, avait pris le temps de reprendre son souffle, avait hésité un seul instant à affronter les redoutables épées de quatre adversaires, où seriez-vous maintenant? Pensez-y, princesse, pensez-y!

Je m'effrayai un peu de ma longue tirade, inspirée par ma douleur, mais Marie l'accepta très bien et me répondit lentement, l'air absent:

— Vous avez raison. Je vais y aller de ce pas. Je méprise ma conduite égoïste. J'ai beau me torturer les méninges, il n'y a pas d'autre moyen. Il faut le faire et je vais m'en occuper...

— Je vais vous accompagner, ajoutais-je.

— Je ne vous blâme pas de douter de moi puisque j'ai déjà manqué une fois à ma parole. Dorénavant, vous n'aurez pas à douter, car je vais m'occuper de cette affaire sans tarder, peu importe le prix à payer. Je vais donc régler cela immédiatement...

— Et je vous accompagnerai, Lady Marie, ajoutai-je résolument.

Elle sourit de ma persistance, me prit par la main et se contenta de m'ordonner : «Allons-y!»

Nous cherchâmes le roi, mais tout sourire avait disparu du visage de Marie. Elle avait l'air de se rendre à son exécution. Elle avait le teint exsangue et ses lèvres avaient un ton cendreux.

Le roi se trouvait en plein conseil, en compagnie d'ambassadeurs français, discutant des clauses complexes du contrat de mariage. Craignant quelque manifestation de véhémence de la part de la princesse, Henri refusa de la voir. Comme d'habitude, stimulée par l'opposition qu'on lui présentait, elle fit preuve de détermination en s'asseyant dans l'antichambre et affirma qu'elle ne broncherait pas avant de voir le roi.

Quelques minutes passèrent. L'un des pages du roi vint me trouver pour me dire que le souverain m'avait fait mander dans le palais et qu'il voulait me voir céans. Je me rendis donc à sa requête, laissant Marie se morfondre seule dans l'antichambre.

Lorsque je vis le roi, il me demanda :

— Mais où donc étiez-vous, Sir Edwin? J'ai pratiquement éreinté une bonne demi-douzaine de pages pour vous trouver. Je veux que vous vous prépariez immédiatement à partir pour Paris avec une ambassade auprès de Sa Majesté le roi Louis. Vous en serez l'interprète. Vous n'avez pas besoin de savoir qui sera l'ambassadeur. Préparez-vous immédiatement. L'ambassade quittera Londres à l'auberge Tabbard dans une heure.

Cet ordre de service ne pouvait pas tomber à un moment plus inopportun. Après avoir vu le roi, je cherchai Lady Marie dans l'antichambre où je l'avais laissée, mais elle n'y était plus. Je parcourus donc ce satané palais de long en large sans pouvoir la trouver, pas plus que Lady Jeanne d'ailleurs.

Le roi m'ayant spécifié que l'ambassade devait être tenue secrète, je ne devais en parler à personne, et à plus forte raison à Marie. Personne ne devait savoir que je m'absentais de l'Angleterre et je ne devais communiquer avec qui que ce soit dans mon pays pendant mon séjour en France.

Il n'était pas question de désobéir, car je risquais ma tête. Ces considérations mises à part, le strict respect des ordres formels du roi faisait partie intégrante de ma charge, et les Caskoden avaient toujours été fidèles à ce principe. Je ne suis pas aussi illustre que certains hommes de la cour mais je peux me vanter de n'avoir jamais failli à ma fidélité à la couronne pas plus qu'à l'honneur.

Dans l'heure qui suivit, il me fallait préparer mon bagage et chevaucher six milles jusqu'à Londres, et la moitié de ce temps s'était déjà écoulé. En retard, je ne pouvais perdre une minute de plus.

Je me rendis à ma chambre, rassemblai quelques effets mais ne m'encombrai guère, préférant m'en procurer à Paris, où je trouverais sans difficulté des vêtements dernier cri.

J'essayai toutefois de m'assurer que Marie ferait le nécessaire auprès du roi et lui raconterait tout afin de ne pas laisser mon ami Brandon croupir une autre nuit dans cette oubliette. Une crainte persistante me rongeait cependant le cœur, une sorte d'intuition prémonitoire qui me faisait douter de la princesse.

Étant donné qu'il m'était impossible de trouver Marie ou Jeanne, je recourus à la seule méthode qui s'imposait, c'est-à-dire écrire un mot à chacune d'elles. Je leur demandai d'agir au plus vite et leur livrai mon message par l'intermédiaire de Thomas, mon factotum, une de ces personnes sur lesquelles on pouvait toujours compter. J'omis de leur raconter que je me rendais en France, me contentant de leur dire qu'une mission m'appelait d'urgence à l'extérieur de Londres pour un certain temps. Je leur disais essentiellement: «Je laisse entre vos mains le sort de cet homme auquel nous devons tant, sachant combien vous serez compatissantes à son égard.»

Je restai près d'un mois à l'étranger et me gardai d'écrire. Même Jeanne ne savait pas où je me trouvais. Je ne recevais aucun courrier et n'en attendais pas. Tels étaient les ordres du roi, et bien que je ne puisse me targuer d'être parfait, l'une de mes vertus primordiales est le respect de la parole donnée. Voilà pourquoi je ne recevais aucune nouvelle d'Angleterre et que je n'en envoyais pas dans mon pays.

Pendant tout ce temps, j'appréhendais le fait que Marie se garde de faire le nécessaire pour libérer Brandon. Comme nous tous, elle était au courant des négociations visant à arranger son mariage avec le roi de France, mais inconsciemment cette nouvelle avait pour elle figure de vague ouï-dire. Je savais cependant que les rumeurs plus ou moins fondées qui avaient pu parvenir à ses oreilles ne faisaient que renforcer chez elle la certitude d'une union politique, et son cœur était rempli d'effroi face à son frère, connu pour être un homme de nature plutôt violente. Elle recourait donc aux cajoleries et aux câlineries envers lui et je craignais son refus de raconter à Henri sa visite chez Grouche, car elle savait combien son frère aurait été furieux qu'elle soit allée consulter un tel mage. J'étais certain que c'est cette crainte du roi qui avait empêché Marie de se rendre directement chez lui lorsque nous sommes partis de Scotland Palace pour nous rendre à Greenwich et je savais que ses tergiversations concernant ses repas, ses ablutions et ses robes n'étaient que de commodes prétextes pour ne pas affronter l'ire de son redoutable frère.

Cette crainte m'accompagna durant tout mon séjour, mais je me raisonnais et tentais de me rassurer. Je ne cessais de me répéter que Marie ne pouvait manquer à sa parole et que même dans le cas contraire ma douce et bienveillante Jeanne ne manquerait pas de lui rappeler ses devoirs. Malheureusement, je crains que nos pressentiments ne s'avèrent trop souvent et fassent échec à la logique. Je parle évidemment pour moi. Nous possédons certaines facultés cachées qu'il ne faut pas minimiser et je m'exprime pour notre postérité.

La meilleure preuve de mes appréhensions fut qu'en retournant à Londres je trouvai Brandon toujours dans son abominable cachot. Pire : il avait été jugé et reconnu coupable de meurtre puis condamné à être pendu, traîné sur claie puis démembré. Pendu ! Traîné ! Démembré ! Voilà avec quelle barbarie on le traitait !

Mais revenons un mois en arrière dans le but d'examiner les agissements d'une de nos vieilles connaissances, Sa Grâce le duc de Buckingham.

Le matin même de la fatale escarmouche de Billingsgate, le barbier qui avait pansé les blessures de Brandon avait été appelé à Londres pour traiter le genou luxé de Sa Grâce, le cher duc. Au cours de son travail, ce personnage hâbleur se vanta de préciser que la nuit précédente il avait pansé neuf blessures d'une gravité variée chez monsieur Brandon, «un ami du roi». Cette révélation établit l'identité de l'homme qui était accouru à la rescousse des deux jeunes filles, un fait dont Buckingham se doutait depuis longtemps et qui mena à l'arrestation de Brandon, dont j'ai précédemment parlé.

Plus tard, j'appris de sources diverses que ce noble couard avait trouvé là un moyen commode de se venger de l'affront que Brandon lui avait infligé en lui brisant la pointe de son épée au bal donné par Marie. Il se rendit d'abord à Newgate où il magouilla avec le gardien – qui lui était vendu corps et âme – pour faire enfermer son adversaire dans la pire cellule. Puis il se rendit à Greenwich pour s'occuper de la suite des événements, car il savait trop bien que le roi, apprenant l'incarcération de Brandon, ne tarderait pas à le faire relaxer sur-le-champ.

Le roi avait à peine appris l'arrestation lorsque les suppositions de Buckingham se trouvèrent confirmées : le roi demandait la libération immédiate de Brandon.

Lorsque le duc entra dans les bureaux du roi, Henri lui demanda d'approcher.

— Milord, vous tombez à point : un si grand ami du peuple de Londres ne peut manquer de nous aider grandement ce matin. Notre ami Brandon a été arrêté pour avoir tué deux hommes voici deux nuits dans le secteur de Billingsgate. Je suis certain qu'il s'agit d'une erreur et que notre bon shérif ne détient pas le coupable. Toutefois, coupable ou non, nous voulons qu'il soit libéré et, pour ce faire, recourons à vos bons offices…

— Je serai trop heureux de servir Votre Majesté et me rendrai immédiatement à Londres pour tirer cette affaire au clair avec le Lord Maire.

Dans l'après-midi, le duc revint et demanda à être reçu en privé par le roi.

— À propos de la libération de Brandon, dit-il, j'ai fait comme Sa Majesté me l'a ordonné. Au cours de cette enquête, j'ai jugé qu'il me fallait vous consulter encore avant de procéder à cette libération. Je crains qu'il n'y ait aucun doute que Brandon soit notre homme… Il semble qu'il se trouvait en compagnie de deux jeunes personnes à cause desquelles il s'est mis en mauvaise posture et il a ensuite poignardé deux hommes dans le dos. Voilà qui est très grave. Étant donné que ce genre d'incident est un peu trop fréquent, la population gronde… Dans de telles conditions, vu que Votre Majesté fera bientôt appel à la Cité de Londres pour lui accorder un prêt pour la dot de Lady Marie, je pense qu'il ne serait guère opportun de se mettre les citoyens à dos avec cette affaire, mais bien de laisser monsieur Brandon où il est, jusqu'à ce que le prêt soit accordé. Cela fait, nous pourrons toujours leur faire un pied de nez et prendre nos dispositions…

— Nous ferons sans tarder un pied de nez à ces piètres citoyens et obtiendrons néanmoins notre prêt! s'exclama le roi en colère. Je tiens à ce que Brandon soit libéré sur-le-champ et j'attends un autre rapport dans les plus brefs délais, Milord…

Buckingham sentit sa revanche lui glisser entre les doigts, mais lorsqu'il s'agissait de se montrer diabolique, sa patience était illimitée. Cela se passait pendant que Marie et moi tentions en vain d'obtenir une audience auprès d'Henri VIII.

Buckingham était allé présenter ses respects à la reine et, en revenant, avait avisé Marie qui attendait dans l'antichambre pour être reçue par le roi.

La présence de cet homme qu'elle méprisait tant la contraria au premier abord, mais elle pensa l'utiliser pour parvenir à ses fins. Elle connaissait l'ascendant qu'il exerçait sur les Londoniens et sur les autorités municipales de Londres et s'imaginait – en fait, elle s'illusionnait – que son troublant sourire exercerait une influence sur lui. Elle avait maintes preuves de l'obsession amoureuse que cet homme de pouvoir entretenait à son égard et espérait obtenir la libération de Brandon grâce à son intercession sans avoir à lui révéler son dangereux secret.

À la plus grande surprise du duc, elle lui sourit et l'accueillit cordialement.

— Milord, vous n'avez pas été très gentil envers nous dernièrement et n'avez guère fait montre de votre esprit. Je suis heureuse de vous revoir. Et quelles sont les nouvelles?

— Rien de très intéressant. Si l'on peut appeler cela une nouvelle, j'ai appris une autre danse de Caskoden et espère que la plus jolie dame de ce monde m'accordera la faveur d'une danse lors du prochain bal.

— Vous serez le bienvenu, et pour plusieurs danses, j'espère, Milord… répliqua Marie, flattée par le compliment du bellâtre.

Un tel assaut de bienveillance aurait paru suspect à toute personne moins vaniteuse que Buckingham, mais il ne vit là aucune malice. Au contraire, cela le conforta dans l'idée que Marie ne savait pas qui l'avait agressée à Billingsgate et il s'en sentit grandement soulagé.

Le duc grimaça un sourire et se montra enchanté de l'amabilité de la princesse. Ils marchèrent le long du corridor, devisant et riant. Marie attendit le moment propice pour lui poser une question sans exciter ses soupçons. Finalement, elle se décida lorsque Buckingham, curieux, lui demanda ce qu'elle faisait dans l'antichambre du roi.

— J'attends de voir mon frère, lui expliqua-t-elle. L'ami de Caskoden, Brandon, a été arrêté au cours d'une sorte de rixe qui s'est déroulée à Londres. Sir Edwin et Lady Jeanne ne cessent de m'importuner afin que j'obtienne sa libération. J'ai donc promis de les aider. Au lieu de présenter moi-même cette requête au roi, peut-être que Votre Grâce serait disposée à le faire à ma place? À Londres, vous êtes presque aussi puissant que Sa Majesté et j'aimerais vous demander d'obtenir la libération de monsieur Brandon le plus rapidement possible. Je vous saurais infiniment gré, monsieur le duc, si vous vous chargiez de cette démarche…

Elle lui fit son plus beau sourire et feignit une indifférence que tout autre interlocuteur que Buckingham aurait décelé comme une simulation. La démarche était évidemment en pure perte, car Buckingham fit mine de consentir et précisa que même s'il n'aimait pas Brandon, pour être agréable à Son Altesse, il accepterait de s'occuper de lui.

— Je crains toutefois, dit-il, que tout cela doive rester secret et qu'il vaudrait mieux arranger son évasion plutôt que de donner ordre de le relaxer. De tels incidents ont rendu les citoyens très nerveux dernièrement, car nombre de contrevenants ont réussi à échapper aux châtiments par suite de l'intervention des tribunaux. À cause de tous ces crimes impunis, je crains que ce Brandon n'ait à faire les frais de l'opprobre publique des Londoniens et il sera presque impossible de le faire libérer, sauf en s'arrangeant avec son geôlier pour qu'il s'évade. Notre homme pourra ainsi se faire oublier dans quelque coin reculé jusqu'à ce que le tumulte retombe ou que Londres ne connaisse une autre vague de crimes. Ensuite il y aura moyen de lui accorder le pardon et de le ramener en ville.

— Lui pardonner! De quoi parlez-vous, Milord? On n'a rien à lui pardonner. On devrait, au contraire, le récompenser!

Après s'être enflammée, Marie essaya de rattraper sa gaffe.

— Je veux dire… Du moins d'après ce que l'on m'a rapporté, il paraît que cette tuerie a été perpétrée pour défendre… deux femmes…

Il n'est pas difficile de s'imaginer dans quel état la pauvre et naïve princesse se trouvait. Assaillie par le trouble et le chagrin, elle avait à affronter un individu retors qui en savait beaucoup plus long qu'elle sur cette affaire puisqu'il y avait directement pris part.

— Et qui vous a raconté cela? demanda le duc.

Marie vit qu'elle était allée trop loin et, après avoir hésité un instant, répondit:

— C'est Sir Edwin Caskoden qui le tient de Brandon, je crois...

La manœuvre, quoique aussi loin de la vérité que de l'efficacité, était habile.

— Je vais de ce pas organiser l'évasion de Brandon, dit Buckingham en faisant mine de s'en aller. Cependant, vous ne devez dire à personne que je m'occupe de cette affaire, car je perdrais alors toute la crédibilité que je possède auprès des citoyens de la Cité de Londres, bien que pour vous, Altesse, je sois prêt à perdre mille fois les faveurs de la multitude pour un seul de vos sourires...

Elle lui sourit et, alors qu'elle regardait Buckingham s'éloigner, pensa qu'après tout ce grand seigneur avait un cœur compatissant.

Elle poussa un soupir de soulagement, persuadée d'avoir réussi à obtenir la libération de Brandon. Elle gardait au cœur un dangereux secret dont la divulgation ne pouvait qu'endurcir la résistance d'Henri à ses flatteries et la catapulter tout droit sur le trône de France.

Elle n'était cependant pas pleinement satisfaite de cet arrangement. Elle savait pertinemment que ses obligations envers Brandon exigeait de ne point abandonner la responsabilité de sa libération à une tierce personne, à plus forte raison à un ennemi tel que Buckingham. Malheureusement, si elle devait intervenir directement pour faire libérer Brandon, le prix à payer serait si élevé qu'il était impératif pour elle de prendre des risques en recourant aux moyens à sa disposition. Il ne faudrait pas croire qu'elle n'aurait pas consenti librement à se sacrifier pour sauver Brandon en racontant toute l'histoire à Henri pour sauver la vie du prisonnier. D'un autre côté, l'alternative que lui offrait Buckingham semblait sûre, et quoiqu'elle ne fût pas entièrement satisfaite, elle ne voyait pas comment l'affaire aurait pu avorter. Buckingham faisait grand état de sa parole de chevalier et elle était persuadée d'avoir sur lui une forte influence. En résumé, comme bien d'autres personnes, elle se trompait grossièrement alors qu'elle se pensait en toute sécurité.

L'idée de faire «évader» Brandon la révulsait car elle se demandait comment il pouvait être considéré comme un fugitif par une justice qui, au contraire, aurait dû le récompenser! Pourtant, elle calmait ses scrupules en se faisant une raison, en se disant que cette séparation ne durerait guère. Elle savait que Brandon consentirait à ce sacrifice si cela devait la libérer des risques qu'elle considérait pires que la damnation: son accession au trône de France!

Alors que ces pensées assaillaient l'esprit de la princesse et lui apportaient un certain soulagement, cela ne l'empêchait pas de ressentir un malaise, comme un poids sur le cœur. Après tout, elle jouait avec la vie de Brandon et ne devait pas le forcer à consentir à d'autres sacrifices. Elle devrait donc aller trouver le roi, tout lui raconter sans détour et ne pas se soucier des conséquences. En y pensant bien, dans sa capacité à tout envisager de manière lumineuse, elle eut une autre idée: elle se rendrait tout de suite à Windsor avec Jeanne et enverrait un mot à Brandon à la prison de Newgate lui demandant de venir la trouver après son évasion. Ainsi pourrait-il se dissimuler aux abords de Windsor et tous deux pourraient se voir chaque jour.

Pour Marie, résoudre se limitait à agir. La communication fut confiée à un page et, une heure plus tard, les jeunes filles étaient en route pour Windsor.

Buckingham se rendit à Newgate, s'attendant à faire de nécessité vertu en se mettant en bons termes avec Marie et pour obéir aux ordres du roi de libérer Brandon. Il avait espéré encourager le prisonnier à quitter Londres furtivement et immédiatement en lui faisant ressortir les conséquences funestes d'une rupture entre les citoyens et le roi pouvant résulter de sa libération. Il comptait bien sûr sur la générosité de Brandon pour lui accorder son aide. Malheureusement, il découvrit le mot que le page de Marie avait délivré au geôlier de Newgate et modifia tous ses plans en conséquence.

Il s'arrangea pour que le geôlier fasse parvenir le mot au roi sans mentionner son intervention. Le duc se dirigea ensuite vers Greenwich, où il demanda audience auprès du roi quelques minutes avant que le messager, porteur du message de Marie, n'arrive. Buckingham trouva le roi et, feignant la contrariété, lui mentionna que les autorités municipales refusaient de lui remettre Brandon, sauf sur présentation d'un ordre portant le sceau royal.

Henri et Buckingham affichèrent une indignation de bon aloi envers les agissements inacceptables de ces misérables représentants des citoyens et chacun fit valoir sa propre importance en gaspillant inutilement leur énergie. Comme le duc l'avait prévu, c'est au beau milieu de ces imprécations et invectives que le messager de Newgate arriva avec le pauvre petit mot de Marie que l'on tendit au roi qui le lut :

« À monsieur Charles Brandon,

Je vous salue.

Vous serez bientôt libre ; peut-être est-ce déjà fait. Il est certain que je n'étais pas pour vous laisser longtemps en prison. Je me rends de ce pas à Windsor, dans l'espoir de pouvoir vous voir rapidement.

Marie »

— Que signifie cela ? s'écria Henri. Ma sœur qui écrit à Brandon ! Ventrebleu ! Mon cher Lord Buckingham, les soupçons que vous m'avez confiés en toute discrétion sont peut-être justifiés. Nous laisserons cet homme où il se trouve, à Newgate, et la justice de notre bon peuple de Londres suivra son cours.

Le jour suivant, Buckingham se rendit à Windsor et expliqua à Marie qu'il avait fait le nécessaire la nuit précédente pour que Brandon s'évade et qu'il avait entendu dire que ce dernier avait quitté le pays pour la Nouvelle-Espagne.

Marie remercia le duc mais le cœur n'y était pas. Ses ressources d'énergie étaient épuisées.

Elle demeura à Windsor, berçant son amour pour la douleur qu'il lui apportait, redoutant la bataille qu'elle allait avoir à mener prochainement pour défendre un sentiment auquel elle tenait plus qu'à la vie.

Par moment, elle avait des accès de colère parce que Brandon n'était pas venu la voir avant son départ, mais bientôt sa colère se changeait en larmes et celles-ci provoquaient chez elle une sorte de joie à la pensée qu'il l'avait fuie parce qu'il l'aimait. Après qu'il eut volé à son secours à Billingsgate, Marie envisageait la situation très différemment et tout avait changé. Elle était toujours consciente de la distance abyssale qui les séparait, mais avec la différence qu'elle l'assumait. Avant ces événements, elle n'avait eu affaire qu'à un roturier du nom de Charles Brandon et elle était princesse. Sa condition sociale n'avait pas changé mais Brandon était devenu un demi-dieu. Nul mortel ne pouvait être aussi brave, fort, généreux et rempli de sagesse et, par-dessus tout, nul mortel n'aurait su triompher d'ennemis à quatre contre un. La nuit, elle dormait dans les bras de Jeanne et, tout en sanglotant, ne cessait de lui raconter son histoire d'amour avec Brandon, ne se lassant d'évoquer sa beauté et la perfection de ses qualités. L'oreille réceptive et le cœur bienveillant, Jeanne câlinait sa maîtresse sans relâche.

Ensuite Marie lui expliquait comment les portes de la vie s'étaient refermées sur elle de manière implacable à l'âge de seize ans et que tout ce qui lui restait à faire était d'attendre la fin. Parfois, elle se montrait plus optimiste et relatait ce que Brandon lui avait raconté sur la Nouvelle-Espagne, comment la chance souriait aux audacieux dans ces contrées lointaines et comment il en reviendrait riche et glorieux pour pouvoir acheter à Henri la liberté de sa sœur grâce aux millions de livres d'or qu'il gagnerait. Oui, elle attendrait. Tout comme le chevalier Bayard, elle fixait très haut sa rançon et s'en croyait parfaitement digne. Elle l'était certainement pour Brandon, ou du moins l'avait été car, comme on le verra, alors qu'elle se lamentait, sa cote n'était guère élevée sur le marché des amours.

Marie demeura donc à Windsor. Elle passait son temps à se lamenter, à pleurer et à rêvasser en souhaitant pouvoir franchir en pensée les océans tumultueux pour rejoindre son amoureux. En attendant, Brandon était jugé en secret à Londres et avait été condamné à être pendu, traîné sur une claie et démembré pour avoir sauvé davantage que la vie de Marie.

Bien fou est celui qui se fie aux princesses!

CHAPITRE X

Les affaires de l'État étaient ainsi lorsque je suis revenu de France. Je me détestais tellement de ne pas avoir eu le courage de risquer le mécontentement du roi et de ne pas avoir refusé de partir avant que Brandon soit vraiment tiré de ses problèmes. Il m'était difficile de penser que j'étais parti en laissant un enjeu aussi sérieux à deux jeunes écervelées, dont l'une d'elles possédait une humeur changeante et l'autre vivait sous l'influence de la première. Je ne pouvais que penser à la différence qui existait entre Brandon et moi et savais pertinemment que, si je m'étais trouvé à sa place, il aurait tout fait pour me faire libérer et aurait défoncé les murs de Londres à mains nues pour y arriver.

Lorsque j'ai su que Brandon s'était trouvé enfermé dans un cachot pendant cet interminable mois, j'étais persuadé qu'il allait en mourir. Mon auto-accusation en est devenue si forte et si amère, et la douleur mentale que j'éprouvais si vive, que j'avais décidé de mettre fin à mes jours si d'aventure mon ami décédait soit à la suite d'une maladie contractée dans le cul-de-basse-fosse ou parce qu'il avait été exécuté. Il s'agit toutefois d'un sujet beaucoup plus difficile à mettre en œuvre qu'à élaborer lorsque vient le moment.

En plus de m'adresser tous les torts, je condamnais également ces deux jeunes étourdies qui avaient abandonné Brandon à son triste sort. Elles lui devaient beaucoup. Leur égoïsme m'a fait alors exécrer la gent féminine dans son ensemble.

Cette fois-ci, je n'ai pas tergiversé. Je ne faisais pas plus confiance à Lady Jeanne qu'à Lady Marie. Je me moquais éperdument du fait que ces demoiselles aient à prendre pour époux le roi de France ou le diable en personne. La gent féminine pouvait bien disparaître à l'autre bout du monde, cela m'était complètement égal. Je devais racheter ma faute si cela était encore possible et sauver Brandon, qui valait pour moi davantage que toutes les femmes de la terre. Je comptais bien dire à Marie et à Jeanne ce que je pensais d'elles et cela mettrait un terme à tous les liens entre nous. J'y tenais non seulement à cause de la façon avec laquelle elles avaient traité Brandon, mais surtout parce qu'elles m'avaient rendu coupable d'une faute grave que je ne pourrai jamais oublier de ma vie. Je pris la décision d'aller trouver le roi et je l'ai fait dans les cinq minutes qui ont suivi le moment où j'ai entendu dire que Brandon était encore prisonnier.

J'ai retrouvé le souverain alors qu'il dînait seul à table mais en public et, bien entendu, je n'ai pas eu le droit de lui adresser la parole. N'étant pas d'une humeur à me faire évincer, j'ai donc repoussé les gardes sans ménagement et, à la grande frayeur de tous du fait que le chagrin, la rage et le désespoir me rendaient pratiquement fou et que mon visage trahissait cet état, je me suis précipité vers le roi et suis tombé à genoux devant lui.

— Justice! Ô mon roi, ai-je crié.

Tous les courtisans ont pu entendre mes paroles.

— Justice! Ô mon roi, pour l'homme qui a été le plus mal utilisé, pour l'âme la plus courageuse et la plus fidèle qui ait jamais vécu et souffert.

Les larmes ont commencé à ruisseler sur mon visage à ce moment-là et ma voix s'est étranglée. Je poursuivis:

— Charles Brandon, le grand ami de longue date de Votre Majesté se trouve à l'heure actuelle dans un horrible cul-de-basse-fosse sans lumière. Il est condamné à mort, comme Votre Majesté doit le savoir, pour le meurtre de deux hommes dans le secteur de Billingsgate. Je vais tout vous raconter. Je devrais être mis au ban de tous les hommes dignes de ce nom pour ne pas vous avoir relaté les faits avant mon départ pour la France. J'en ai chargé une personne qui devait le faire mais qui s'en est gardé. Je vais donc tout vous dire. Votre sœur, Lady Marie, et sa dame de compagnie, Lady Jeanne Bolingbroke, retournaient seules au palais après une visite nocturne qu'elles avaient faite au devin Grouche, dont Votre Majesté a sans doute entendu parler. J'avais été mis au courant de la visite que Lady Marie projetait bien qu'elle ait fait jurer le secret absolu à mon informateur. Je ne pouvais m'y rendre du fait que j'étais retenu au service de Votre Majesté, car cela se déroulait pendant la nuit où s'est tenu le bal pour les ambassadeurs français. J'ai donc demandé à Brandon de les suivre, ce qu'il a fait, sans que la princesse ne s'en rende compte. À leur retour, les demoiselles ont été attaquées par quatre brutes. Elles auraient connu un sort pire que la mort si l'âme la plus courageuse et la meilleure épée d'Angleterre ne s'était portée à leur secours. Leur sauveur les a reconduites jusqu'à Bridewell sans qu'elles aient eu à souffrir de quoi que ce soit. Cet homme a été condamné à la pendaison et à être démembré, toutefois je connais assez bien le grand cœur de Votre Majesté pour savoir qu'elle possède le pouvoir de faire relâcher cet homme immédiatement et de le récompenser royalement. Pensez-y! Mon roi! Il a sauvé l'honneur royal de votre sœur qui vous est si chère, et sa loyauté et son courage ont été pour lui des sources de souffrances abominables. Le jour où j'ai dû partir précipitamment pour la France, Lady Marie m'avait promis qu'elle allait tout vous raconter pour faire libérer cet homme qui l'avait si noblement protégée. Cependant, nous parlons ici d'une femme et, en tant que telle, elle est née pour ne pas être fidèle à sa parole.

Le roi s'amusait de ma fougue :

— Que me dites-vous exactement, Sir Edwin ? Je suis au courant de la condamnation à mort de Brandon, toutefois il m'est impossible de m'ingérer dans les affaires de justice de ces braves citoyens de Londres même si je le voulais, car il s'agit du meurtre de deux chevaliers qui a été perpétré dans les rues de cette ville. Si Brandon est l'instigateur d'un tel crime, et d'après ce que j'ai compris il ne nie pas le fait d'avoir commis ces meurtres, il m'est impossible de l'aider, même si j'en avais envie. Mais cette histoire ridicule concernant ma sœur ! Cela ne peut être vrai. Votre amitié pour Brandon et votre désir de le sauver doivent en être la cause. Soyez prudent, cher Maître, lorsque vous racontez de telles choses. Si jamais elles étaient vraies, comment se fait-il que Brandon ne les ait pas relatées lors de son procès ?

— C'est aussi vrai que Dieu existe, mon roi ! Que la vie me soit ôtée si les témoignages de Lady Marie et de Lady Jeanne ne concordent pas avec ce que j'avance. Il ne voulait pas expliquer pourquoi il avait tué ces hommes de peur de compromettre l'honneur des demoiselles qu'il venait de sauver, car comme Votre Majesté peut en être consciente, certaines personnes rendent quelquefois visite à Grouche pour d'autres raisons que d'écouter ses prédictions. Dans cette affaire, ce n'est pas le cas, mais Dieu sait combien il existe de mauvaises langues. Ainsi Brandon était prêt à mourir pour ne pas parler plutôt que de laisser les médisants salir des personnes qui vous sont si chères. Il semble que ces jeunes femmes qui doivent tant à cet homme si courageux soient également d'accord pour le laisser mourir, plutôt que d'avoir à supporter les conséquences de leur propre folie. Ne tardez pas, je vous en prie, Votre Majesté. Ne prenez pas une bouchée supplémentaire, je vous en supplie, avant que cet homme qui vous a si fidèlement servi ne soit tiré de la geôle et que sa condamnation à mort ne soit révoquée. Venez, venez, mon roi, maintenant, et tout ce que je possède, ma richesse, ma vie et mon honneur sont vôtres pour toujours.

Le roi resta silencieux pendant un certain temps, tenant son couteau dans une main.

— Caskoden, au cours de toutes ces années, vous ne m'avez jamais menti. Vous n'êtes pas un homme de forte corpulence, mais votre honneur est si grand qu'il pourrait être celui d'un Goliath. Je crois que vous dites la vérité. De ce pas, je vais libérer Brandon. Et cette petite dévergondée qu'est ma sœur va partir pour la France et y vivre du mieux qu'elle pourra avec ce beau vieux roi Louis. Je ne connais pas de punition plus importante à lui infliger. J'ai décidé. Elle ne me fera plus changer d'avis. Sir Thomas Brandon, préparez mes chevaux, je pars chez le maire ! Ensuite chez l'évêque de Lincoln pour finaliser le traité avec la France. Qu'il soit annoncé immédiatement que la princesse Marie sera reine de France dans le mois à venir.

Tout cela fut annoncé en présence des courtisans et tout Londres fut au courant de l'histoire le soir même.

Je m'incrustai dans le sillage du roi sans y être invité car j'étais déterminé à ne faire confiance à personne, pas même au monarque, jusqu'à ce que Brandon soit libéré. Henri avait dit qu'il irait en premier chez le maire et ensuite chez Wolsey. Cependant, après avoir traversé le pont, il a emprunté Lower Thames Street et a tourné sur Fish Street Hill pour arriver à Grace Street vers Bishopgate. Il a déclaré qu'il s'arrêterait chez madame Cornwallis pour y manger un pudding; puis il s'est dirigé chez Wolsey qui habitait, à cette époque, dans une maison près du mur, de l'autre côté de Bishopgate.

Je savais très bien que si le roi se rendait directement chez Wolsey, cela ne serait que ripailles, beuveries et jeux, interrompus de temps à autre par quelques discussions sur les affaires de l'État. Le reste de la journée n'y suffirait pas. Puis notre bon évêque ferait venir quelques jeunes et jolies femmes de Londres et la soirée finirait par de la danse, des jeux de cartes et de dés, et encore plus de vin. Tout cela signifierait qu'Henri allait passer la nuit chez Wolsey et que Brandon dormirait une nuit supplémentaire dans ce bourbier qu'était le cachot de Newgate.

J'ai donc décidé de prendre le taureau par les cornes pour empêcher que cela ne se produise. J'ai chevauché hardiment vers le roi et je me suis adressé à lui sans me découvrir.

— Votre Majesté m'a donné sa parole de roi qu'elle irait en premier chez le maire et nous sommes sur le chemin qui conduit chez l'évêque de Lincoln. Cela fait des années que je connais Votre Majesté et j'ai toujours su qu'elle était quelqu'un qui tenait parole. Vous êtes un roi puissant et je vous adresse ici ma première requête. Je vous demande donc maintenant d'être fidèle à votre promesse et de faire votre devoir d'homme et de roi.

Il s'agissait là de paroles intrépides, mais qu'elles lui plaisent ou non, ça m'était égal. Le roi m'a regardé fixement et a répondu :

— Caskoden, vous êtes un vrai chien de garde, toujours sur mes talons ! Toutefois, vous avez raison. J'avais oublié ce que je devais faire. Vous avez dérangé mon repas et mon estomac a exigé que je m'arrête pour déguster un des excellents puddings de Madame Cornwallis. Vous avez eu tout à fait raison de me surveiller. Vous faites un ami extraordinaire pour celui qui est dans le besoin. J'aimerais bien avoir un ami tel que vous...

— Votre Majesté possède deux tels amis. L'un d'entre eux chevauche humblement à vos côtés et l'autre se trouve dans le pire des cachots de la chrétienté.

Sur ces paroles, le roi fit demi-tour et prit la direction de l'ouest vers Guildhall.

Oh! Comme j'ai détesté Henri pour cet oubli égoïste et sans pitié que j'estimais être pire qu'un crime. Il ne restait qu'à espérer que la Vierge lui pardonne le moment venu et qu'elle laisse son âme rôtir au purgatoire dans des flammes purificatrices juste pour lui montrer ce que l'on ressent lorsque l'on est oublié – en enfer.

Nous sommes donc allés sans plus attendre chez le maire. Il a été des plus heureux de pouvoir libérer Brandon lorsqu'il a été mis au courant de mon histoire que le roi m'avait ordonné de répéter. Il a douté de sa véracité, ce qui a provoqué chez lui une légère hésitation.

Le maire a été assez gentil pour dire qu'il ne mettait pas en doute ma parole mais que l'amitié pouvait pousser un homme à toute extrémité, même au mensonge, pour sauver un ami.

Je lui ai alors proposé qu'il m'emprisonne et que je paye de ma vie s'il le fallait pour pouvoir sauver un ami présumé criminel et si jamais je ne disais pas la vérité, les faits devraient être confirmés ou infirmés par la princesse et sa dame de compagnie. Je connaissais Jeanne et j'étais prêt à risquer la justesse de ses paroles; quant à Marie, je ne doutais pas non plus de ce qu'elle allait dire.

Je me suis souvent demandé quelle proportion de la négligence à laquelle on fait face dans ce monde pouvait être imputée aux actions du diable. C'est par la réflexion que l'on devient vertueux. Enfin je le pense. Toutefois, ce n'est pas le moment de philosopher.

Mon offre lui a paru satisfaisante; en effet qu'est-ce qu'un homme peut offrir de mieux que sa vie? Il existe des écrits à ce sujet.

Le maire n'a pas eu besoin que je mette en gage ma vie et consentit à ce que le roi écrive immédiatement l'ordre qui signifierait le pardon de Brandon ainsi que sa libération. Puis nous tous ainsi que le sergent du shérif et ses quatre hallebardiers sommes partis rapidement pour Newgate tandis que le roi Henri se dirigeait chez Wolsey pour décider du sort de Marie.

Brandon a été amené, enchaîné avec des entraves aux poignets et aux chevilles. Il s'est exclamé dès qu'il m'a aperçu:

— Ah! Caskoden! C'est donc vous? J'ai pensé qu'on m'avait amené ici pour me pendre et je suis heureusement surpris de voir que ce n'est pas cela. Toutefois, je suppose que vous n'êtes pas venu pour assister à ma pendaison, même si vous m'avez laissé pourrir dans ce trou pendant si longtemps que je ne sais plus depuis combien de jours je suis ici.

À sa vue, je n'ai pu m'empêcher de retenir mes larmes.

— Vos paroles sont des plus justes, ai-je dit, et j'ai poursuivi rapidement tant j'avais hâte qu'il sache que ma faute n'était pas aussi grave qu'elle paraissait. Le roi m'a envoyé en France avec un préavis d'une heure le jour qui a suivi votre arrestation. Je sais trop bien que je n'aurais jamais dû partir sans vous avoir sorti de ce mauvais pas, mais vous m'aviez demandé de garder le silence et j'avais confié cette affaire à quelqu'un d'autre.

— J'ai bien pensé qu'il avait dû arriver un incident de ce genre. Vous n'êtes pas coupable de quoi que ce soit. La seule chose que je vous demanderai, mon ami, c'est de ne plus jamais me parler de cette histoire...

«Mon ami», comme ces mots étaient doux à mes oreilles! Aussi doux que les mots d'amour que s'échangent les tourtereaux!

162

J'ai eu de la difficulté à le reconnaître, tellement il était recouvert de poussière et de vermine. Sa barbe et ses cheveux étaient emmêlés et sales, ses yeux ternes et son teint blafard. Je ne vais cependant pas m'étendre plus longtemps sur son apparence ; la souffrance avait fait son travail. Je l'ai nettoyé et habillé du mieux que j'ai pu à Newgate et je l'ai ensuite conduit chez moi à Greenwich dans une litière à cheval. Mon serviteur et moi l'avons complètement lavé, rhabillé et tondu pour finalement le mettre au lit.

— Ah ! Ce lit est un avant-goût du paradis ! a-t-il dit en se couchant.

Il avait un aspect pitoyable et j'avais du mal à retenir mes larmes. J'ai demandé à mon serviteur d'aller chercher un homme que nous appelions Le Maure, qui était un érudit bien qu'il fût un étranger que les gens pleins de préjugés détestaient. Il vivait non loin d'East Cheap et vendait des armes de petit format. Il nous a vite rejoints. Brandon et moi le connaissions bien et admirions son savoir. Nous l'aimions pour sa philosophie de la vie dont le levain était la charité, une petite plante modeste trop souvent éclipsée par la croissance fétide du dogmatisme.

Le Maure était un grand connaisseur des potions curatives de l'Orient et insistait pour dire, bien sûr en privé, que tous les pèlerinages et toutes les reliques de la chrétienté n'avaient aucun pouvoir contre la douleur que pouvait ressentir un bébé à son petit doigt. L'homme était en effet très en avance sur nous dans le domaine des connaissances des remèdes.

Le Maure a immédiatement donné à Brandon une potion calmante qui a vite plongé mon ami dans un sommeil réparateur. Il l'a ensuite lavé puis a fait certains signes et prononcé quelques paroles cabalistiques. Les remèdes ainsi que les incantations ont fait preuve de tant de pouvoir que Brandon était un autre homme lorsqu'il s'est réveillé le lendemain. Le Maure a donné des conseils concernant la nutrition, a recommandé du rosbif ainsi que du vin, bien que cette indication soit à l'opposé de la croyance populaire voulant qu'il faille faire jeûner le malade pour que la maladie quitte son corps. Notre foi dans Le Maure était si grande que nous avons suivi ses principes à la lettre. C'est ainsi que Brandon avait récupéré sa force habituelle quelques jours plus tard.

Je vais vous demander de faire un petit retour en arrière.

Au cours de la semaine qui a suivi la conversation que Brandon avait eue avec Marie dans la pièce près de la chambre du roi, et avant la tragédie qui s'est déroulée à Billingsgate, lui et moi nous sommes entretenus de la situation extraordinaire dans laquelle il se trouvait.

Je me rappelle qu'il avait dit à un moment:

— Je me trouvais en parfaite sécurité avant cet après-midi là. Je crois même que j'aurais pu partir et l'oublier, mais je pense que les promesses que nous nous sommes faites m'ont plongé dans un hébétement total et ont annihilé tous les efforts que j'aurais pu entreprendre. Il m'arrive parfois de me sentir totalement dépourvu de moyens et, malgré le fait que j'aie réussi à faire en sorte qu'elle reste loin de moi depuis ce jour-là, ma détermination à quitter l'Angleterre n'est plus ce qu'elle était. C'était exactement ce dont j'avais peur si je laissais les choses aller jusqu'au point où je serais sûr de son amour pour moi. C'est une chose que j'avais désirée avant et j'avais rapidement conclu que cet amour n'avait pas d'avenir. Toutefois, maintenant que je sais qu'elle m'aime, vivre sans elle revient à vivre en retenant ma respiration. Il me semble que je ne pourrai plus la retenir un instant après l'autre. Je sais pertinemment que si je voyais son visage une fois de plus il me serait possible de respirer. Elle est le souffle de la vie qui bat dans ma poitrine.

C'est Dieu qui a décidé qu'elle soit mienne. Que soient honnis ceux qui essayeront de nous séparer !

Puis d'un ton penseur, il avait ajouté :

— Il est absolument certain qu'elle m'aime. Elle n'aurait pu agir de cette façon si son amour n'avait été si fort qu'elle ne pouvait y résister.

— Que cela ne vous trouble point, avais-je répondu. Une femme comme Marie ne peut pas agir avec deux hommes de la façon avec laquelle elle a agi envers vous. De nombreuses femmes aiment ou pensent qu'elles aiment plusieurs fois, mais il n'y a qu'un homme qui puisse recevoir la pleine mesure de son amour. D'autres femmes n'ont rien à donner que le meilleur d'elles-mêmes, et une fois qu'elles l'ont donné, elles ont fourni le maximum. À moins que je ne me trompe, moi qui connais bien Marie, j'estime qu'elle est une telle femme malgré toutes ses faiblesses. Là encore, ne vous laissez pas envahir par le doute.

Brandon avait répondu avec un petit sourire au milieu de sa rêverie.

— Ce n'est pas tant le doute qui me trouble que ce qui cause ce doute.

Puis il avait ajouté en se levant :

— Si jamais je venais à penser qu'elle m'a menti, si jamais je venais à penser qu'elle avait dit tout cela volontairement pour me faire souffrir, je la tuerais, que Dieu me pardonne !

— Ne pensez pas à cela. Quelles que soient ses fautes, et elle en a suffisamment commises, une chose est certaine : elle ne désire pas un autre homme que vous. Son amour pour vous a vaincu les conflits qui existaient parce que cet amour est devenu son maître. Il s'agit du sentiment le plus fort et le meilleur. En fait, nous sommes en face de la seule vraie façon d'aimer ; il y a plus de valeur là que dans toutes les passions qui existent sur terre.

— Oui, je le crois. Je sais qu'elle a commis des fautes. Je ne suis pas aveuglé par ma partialité. Elle est cependant pure et chaste comme une enfant, et aussi gentille, forte et fidèle que peut l'être une femme. Mon opinion d'elle ne peut pas être plus haute. Elle possède toutes ces vertus et toutes ces qualités en plus de sa beauté qui lui vient de sa plébéienne de grand-mère, Elizabeth Woodville, qui a conquis le cœur de son époux royal et a gravi les marches du trône en compagnie du galant Édouard. Cet héritage fait surface chez Marie, tout spéciale-ment en ce qui concerne son cœur, et il ne disparaîtra pas ; il neutralisera le poison royal qui coule dans ses veines et fera d'elle une déesse. Toutefois, si jamais ses fautes devaient être mille fois plus importantes et que chaque faute soit des milliers de fois plus grave, sa beauté les rachèterait toutes. Une beauté comme la sienne supporte que l'on commette des erreurs. Pensez à Hélène et à Cléopâtre, pensez à Agnès Sorel, la favorite du roi Charles VII. Leurs erreurs leur ont-elles fait perdre leur beauté ? La beauté masque bien plus de fautes que la charité – et entraîne plus de chagrin que la peste.

À la suite de ce mois que mon ami a passé à Newgate avec la menace constante de la corde du bourreau, je me suis demandé si la beauté de Marie pouvait si facilement estomper ses fautes. Je peux vous dire tout de suite que Brandon a changé d'avis en ce qui concerne cette doctrine particulière de réparation.

CHAPITRE XI

Après avoir quitté Brandon, j'eus envie de me rendre à Windsor afin de manifester mon indignation aux demoiselles, mais plus j'y pensais et plus j'étais persuadé que, quelque part, une erreur avait dû se produire. Je ne pouvais m'imaginer que Marie ait laissé la situation se détériorer à ce point alors qu'il était en son pouvoir de changer le cours des événements. Elle était capable de négliger son devoir un jour ou deux mais, tôt ou tard, sa noble nature prenait le dessus et, avec Jeanne à ses côtés pour l'encourager, je suis certain qu'elle aurait pu faire libérer Brandon depuis belle lurette à moins de circonstances extraordinaires.

C'est pourquoi je ne me rendis à Windsor qu'une semaine après la libération de Brandon, lorsque le roi me demanda de l'accompagner avec Wolsey et monsieur de Longueville, l'ambassadeur spécial de France, dans le but d'offrir officiellement à Marie la main de Louis XII et d'avoir l'honneur de devenir reine.

La princesse savait fort bien ce qui se tramait depuis des semaines mais n'avait aucune idée où en était l'affaire, car autrement elle aurait manifesté depuis longtemps son opposition au roi avec véhémence. Elle ne pouvait croire que son frère pouvait vraiment la forcer à accepter ce destin pitoyable et, malgré toutes ses ambitions politiques, Henri se serait peut-être gardé de lui imposer sa volonté n'eut été la futile histoire de la visite chez Grouche.

Toutes les circonstances concordaient pour faire du mariage de Marie un véritable sacrifice virginal. Louis était un vieux quinquagénaire plein de considérations très françaises sur la moralité et l'immoralité. De plus, il existait des conditions dont je ne veux même pas parler ici, mais dont Henri et Marie avaient été mis au courant. Bref, elle eut aussi bien fait d'épouser un lépreux. On ne s'étonnera pas que la jeune princesse ait été terrifiée à l'idée de cette union et qu'elle y résistât avec l'énergie du désespoir.

C'est ainsi que Marie, la première personne concernée par cette affaire, avait été la dernière à apprendre la signature de ce traité.

Windsor se trouvait à près de huit lieues de Londres et, à cette époque, n'était occupé que par les demoiselles et quelques vieilles dames et leurs gens. Aussi, les nouvelles de la ville ne s'y rendaient pas vite. Il est probable que si celles concernant le traité et la libération de Brandon se fussent rendues à Windsor, les personnes qui en auraient eu vent se seraient gardées de les annoncer à Marie. De toute façon, elle ne fut aucunement informée jusqu'à ce qu'elle apprenne que le roi et l'ambassadeur de France viendraient à telle date à Windsor pour demander officiellement sa main pour le roi Louis et lui présenter des cadeaux en son nom.

Je ne doutais pas que Marie connût des difficultés et étais certain qu'elle avait compliqué les affaires la concernant. Je savais qu'elle souffrait amèrement, mais m'en réjouissais secrètement en pensant au traitement qu'elle avait réservé à Brandon.

Un jour ou deux après sa libération, alors que je commençais à lui parler des deux demoiselles, Brandon m'interrompit solennellement, de manière menaçante.

— Écoutez, Caskoden. Vous êtes mon ami. Mais si vous mentionnez une fois de plus leur nom, vous ne le serez plus et je vous maudirai!

Cette attitude m'effraya, car il était bien plus démonstratif que je l'étais. Je pris donc le parti de me taire sur ce sujet, du moins jusqu'à… Mais n'anticipons pas. J'en parlerai ultérieurement.

Le matin convenu, le roi, Wolsey, de Longueville et moi-même, accompagnés d'une petite escorte, chevauchâmes jusqu'à Windsor pour rencontrer Marie qui, anticipant notre arrivée, s'était barricadée dans sa chambre et refusait de recevoir les visiteurs. Le roi monta à la chambre de sa sœur pour la raisonner et lui demander de descendre, mais la jeune demoiselle s'était cloîtrée derrière des portes de chêne épaisses de deux pouces et refusait d'ouvrir. Henri la priait d'une voix de stentor qui nous faisait rire sous cape. Puis Sa Majesté menaça de faire défoncer la porte, mais l'évanescente assiégée se taisait par provocation, laissant le roi à ses invectives. Apoplectique, le souverain nous fit mander pour que nous puissions le voir en train de ramener à la raison cette «petite dévergondée pleine d'obstination» – une tâche qu'il avait grandement sous-estimée.

On brisa bientôt la porte. Le roi entra en premier, suivi de de Longueville et de Wolsey, puis du reste de notre délégation. En pénétrant en ces lieux conquis, nous essuyâmes la défaite la plus risible jamais subie par des assiégeants. L'ennemie, quoique menue, était bien trop rusée pour nous. Rien ne semblait abattre cette jeune fille dont les ressources semblaient si inépuisables qu'au moment de crier «Victoire» le succès attendu se muait en défaite. Que dis-je? En un ridicule désastre.

Nous avons trouvé Jeanne accroupie sur le sol, à moitié morte de frayeur à cause du bruit et de la fureur ambiants. Sa maîtresse, par contre, était au lit, le visage tourné vers le mur, et affichait un calme olympien. Ses vêtements étaient en tas au milieu de la pièce.

Sans même tourner la tête, elle s'exclama:

— Entrez, mon cher frère! Vous êtes vraiment le bienvenu! Faites entrer vos amis bien que, comme vous pouvez le constater, je ne sois pas en tenue de cour pour les accueillir…

Joignant le geste à la parole, elle sortit son bras nu du lit pour prouver ses dires. Les petits yeux noirs du Français se mirent à briller devant la beauté de sa future reine.

Regardant toujours vers le mur, Marie reprit:

— Je vais me lever et vous recevoir sans façon si vous voulez bien m'attendre…

Cette décision décontenança l'imperturbable roi Henri dont la patience commençait à atteindre ses limites.

— Couvrez ce bras, petite indécente! hurla-t-il.

— Ne soyez pas impatient, mon cher frère, je vais sauter du lit dans un instant.

Un cri fusa et ameuta l'assistance. C'était Jeanne qui, approchant du roi, l'implorait.

— Je supplie Votre Majesté de sortir. Elle est capable de faire ce qu'elle a dit. J'en suis aussi certaine que vous êtes là. Vous ne la connaissez pas; elle est très fâchée. Par pitié, sortez, Sire; je vous l'amènerai en bas d'une manière ou d'une autre…

— Ah! Assurément! Jeanne Bolingbroke, s'écria Marie du fond de son lit. Si mes invités sont assez aimables pour me rendre visite dans ma chambre, je les recevrai en personne… dit-elle en commençant à soulever son couvre-lit.

Que Marie eût été ou non décidée à mettre sa menace à exécution, je ne saurais le dire, mais la connaissant trop bien pour prendre des risques, Henri nous fit tous sortir et se mit en tête de notre cohorte dépitée, blasphémant comme un charretier et jurant par tous les saints que sa sœur épouserait le roi Louis ou périrait. Il remonta à la chambre de Marie pour tenter de la faire changer d'idée, mais il trouva chez elle une résistance opiniâtre et inflexible et revint bredouille.

Finalement, sa colère retomba. La chose finit par l'amuser et, après sa dernière tentative de convaincre Marie, il descendit en riant.

— Il faut que je lâche prise ou alors que je baisse la visière de mon casque, car il est dangereux de s'approcher d'elle à visière levée. C'est une vraie mégère et elle a failli me crever les yeux!

Wolsey, qui connaissait l'art de résoudre les cas difficiles, attira Henri près d'une fenêtre et s'entretint avec lui à voix basse.

Il était triste de voir ainsi un puissant roi et un influent ministre d'État en train de mettre au point un plan d'attaque contre une fragile jeune fille. Aussi rancunier que je pouvais l'être envers la princesse, je ne pouvais m'empêcher d'avoir pitié d'elle et j'admirais grandement la détermination qu'elle ne craignait pas d'opposer à la puissance d'un roi qui faisait trembler le monde.

Pour l'instant, Sa Majesté riait grassement et se tapait sur les cuisses comme s'il était pleinement satisfait des propositions de Wolsey.

— Tenez-vous prêts. Nous rentrons à Londres, dit-il.

En quelques instants, nous étions tous dans l'escalier principal, prêts à partir. La fenêtre de la chambre de Marie se trouvant juste au-dessus, j'aperçus Jeanne qui nous regardait monter à cheval et nous éloigner.

Lorsque nous fûmes hors de la vue de Marie, le roi m'appela et fit faire demi-tour à nos chevaux ainsi qu'à ceux de Longueville et de Wolsey. Après avoir emprunté un itinéraire tortueux, nous revînmes au château où nous pûmes nous introduire par une porte dérobée à l'insu des occupants.

Nous fûmes priés par le roi de garder le silence et, une heure plus tard, persuadée que nous étions bien partis, la princesse descendit et entra dans la pièce où nous l'attendions.

Il s'agissait là d'une manœuvre plutôt fourbe et je ressentis quelque mépris pour les hommes qui l'avaient imaginée. Je vis que la première réaction de Marie avait été de fuir et de se retrancher dans sa citadelle – c'est-à-dire son lit – mais en vérité on devinait par son maintien qu'elle n'avait aucune intention de reculer. Elle était comme la gardienne d'un fortin, pleine de détermination, et je pensais qu'elle aurait fait une courageuse guerrière. Mais là encore c'eut été gâcher une féminité si parfaite. Dieu qu'elle était belle! Elle jeta un regard rapide et étonné à son frère et à ses compagnons et, levant sa jolie frimousse, chantonna d'un air détaché quelque ballade en se dirigeant de l'autre côté de la pièce avec une démarche digne de celle de la déesse Junon.

Je vis le roi sourire à demi pour la fierté qu'il éprouvait en raison de la présence de sa sœur, à demi par amusement, tandis que l'ambassadeur français appréciait d'un œil connaisseur les charmes de la princesse.

Henri et l'ambassadeur échangèrent quelques mots à voix basse lorsque ce dernier tira de l'une de ses vastes poches un écrin et qu'il se dirigea vers Marie, le roi sur ses talons.

Marie était tournée de côté lorsqu'ils la rejoignirent mais, telle une statue de bronze, elle ne modifia pas sa pose. Elle avait précédemment pris un livre qui traînait sur une table et faisait mine d'être plongée dans sa lecture lorsqu'ils s'approchèrent.

Tenant l'écrin, de Longueville fit une courbette puis, dans un anglais hésitant, s'adressa à Marie.

— Permettez-moi, très gracieuse princesse, d'avoir l'honneur de vous offrir au nom de mon auguste maître ce modeste témoignage de sa grande admiration et de son amour pour votre personne...

Il s'inclina une fois de plus, fit un sourire qui sur son visage ridé faisait penser à une déchirure dans un parchemin ancien, et présenta l'écrin ouvert à Marie dans l'intention probable de l'éblouir par son contenu : une superbe rivière de diamants.

Elle tourna légèrement son visage d'un air dédaigneux, prit l'écrin, se saisit tranquillement du collier et le projeta délibérément dans la face du malheureux ambassadeur.

— Voici ma réponse, monsieur ! Rentrez chez vous et dites à votre imbécile de vieux maître que je vomis sa demande en mariage, que je le déteste, que je le hais, que je l'exècre...

Des larmes se mirent à couler sur ses joues.

— Quant à vous, Sieur Wolsey, vil roquet de boucher, je reconnais bien là vos stratagèmes, car les autres n'avaient pas suffisamment de cervelle pour l'imaginer. Ah ! Vous devez être bien fier d'avoir ainsi déjoué une malheureuse jeune fille éplorée... Mais je vous le dis, monsieur, vous n'en êtes pas quitte pour autant et nous nous reverrons ou mon nom n'est pas Marie...

Mais toute colère féminine atteint un paroxysme qui se solde par une crise de larmes. Celle de Marie s'était manifestée au maximum lorsque la jeune fille avait lancé le collier à de Longueville et injurié Wolsey. Il ne lui restait plus qu'à quitter précipitamment la pièce.

Évidemment, le roi ne se contrôlait plus et enrageait.

— Par le Tout-Puissant! jura-t-il, nous marierons Marie à Louis de France ou je la ferai fouetter à mort au pilori de Smithfield...

Dans son cœur cruel, peu enclin à une compassion durable, il ne parlait pas en vain.

L'incident terminé, le roi, de Longueville et Wolsey rentrèrent à Londres.

Je demeurai sur place, espérant rencontrer les demoiselles. Après un moment, un page vint me tirer la manche en me disant que la princesse désirait me voir. Il me conduisit dans la chambre de Marie où s'était déroulé la première partie de la tumultueuse rencontre. On avait replacé la porte sur ses gonds, mais le lit était défait et la chambre, en grand désordre.

— Oh! Sir Edwin, dit Marie, le visage en pleurs. Nulle femme ne se trouve dans pire dilemme que le mien. Mon frère est en train de me tuer. Ne voit-il pas que je ne saurais survivre une seule semaine à ce mariage? De plus, mes amis me fuient, sauf Jeanne. La pauvre petite ne peut se résoudre à m'abandonner...

— Vous savez très bien que je ne vous quitterai point, dit Jeanne, bouleversée.

— Et vous aussi, continua Marie. Vous êtes revenu chez vous depuis une semaine et n'êtes point venu me rendre visite...

Je commençais à m'adoucir en constatant son désarroi et en déduisit, tout comme Brandon, que son charme pouvait bien pallier une multitude de péchés – peut-être même celui qui avait consisté à laisser mon ami croupir dans son cachot.

La princesse tenta de retenir ses pleurs, puis reprit le fil de ses pensées.

— Monsieur Brandon aussi est parti sans m'envoyer le moindre mot. Il ne s'est pas présenté mais s'en est allé comme s'il n'était rien pour moi et moi rien pour lui. Bien sûr, il s'en moquait, mais s'il avait connu mes ennuis, il ne se serait pas comporté de cette façon. Je ne l'ai point vu du tout – sauf un après-midi chez le roi – environ une semaine avant cette horrible nuit à Londres, après laquelle j'eus tellement peur que j'étais incapable de dire un seul mot...

Cela me semblait des plus bizarres et je commençais plus que jamais à soupçonner quelque chose d'anormal. Toutefois, je me cramponnais autant que possible au lot d'indignation qui m'avait submergé par suite des agissements de la princesse.

— Comment pouviez-vous vous attendre à recevoir des nouvelles de lui, lui demandai-je, alors qu'il pourrissait dans cet ignoble cachot complètement obscur, condamné à être pendu, exposé à la vindicte populaire et débité en morceaux? Tout ça à cause de votre égoïste négligence à le tirer de ce mauvais pas. Il a perdu la moitié de son sang dans cette aventure, presque sa vie, tout cela pour vous sauver...

Les yeux de Marie s'écarquillèrent et ses larmes firent place à la plus grande des surprises. Aussi je poursuivis:

— Lady Marie... Si quelqu'un m'avait dit que vous auriez laissé l'homme à qui vous deviez tant se morfondre dans une si grande infortune et condamné à mort pour vous avoir sauvée, je n'aurais jamais cru une telle histoire!

— Petit suppôt de Satan! hurla Marie. Quel genre de fable êtes-vous donc en train de me conter pour ajouter à ma torture? Dites-moi qu'il s'agit d'un mensonge ou je vais vous faire arracher votre misérable petite langue!

— Ce n'est pas un mensonge, princesse, mais l'horrible vérité et, pour vous, une terrible honte…

J'étais déterminé à tout lui raconter et à la laisser se voir telle qu'elle était.

Elle eut un rire hystérique et levant les mains en l'air – un geste qui lui était coutumier – elle se laissa tomber sur le lit, terrassée par la nouvelle, agitée de spasmes. Elle ne pleurait plus: elle avait dépassé ce stade. Jeanne s'approcha du lit et tenta de la calmer.

Marie se remit debout et s'exclama:

— Monsieur Brandon est condamné à mort et nous sommes ici en train de bavarder, de pleurer et de nous lamenter? Allons donc! Nous devons aviser le roi sur l'heure. Il faut bouger, Edwin. Je dois faire quelque chose. Jeanne pourra suivre avec les chevaux et nous rejoindre. Non, je ne porterai point de vêtements de cour et garderai ceux-ci. Jeanne, passez-moi un chapeau. N'importe lequel…

Enfilant ses gants et se coiffant, elle poursuivit:

— Je verrai le roi immédiatement et lui raconterai tout… Tout! Je ferai n'importe quoi, épouserai ce vieux roi de France, quarante rois ou quarante démons, peu m'importe; je ferai tout pour le sauver. Oh! Je n'ose penser au temps qu'il a passé dans ce cachot… dit-elle en pleurant abondamment.

Elle parlait si vite et s'agitait tant qu'il me fut impossible de placer un mot avant qu'elle n'ait mis un terme à ses litanies. Je lui pris alors le bras et lui annonçai:

— Ce ne sera pas nécessaire. Vous arrivez trop tard…

Une expression d'horreur se dessina sur son visage. Je poursuivis lentement :

— J'ai obtenu la libération de Brandon voilà une semaine ; j'ai fait ce que vous étiez censée faire. Il repose maintenant dans nos appartements à Greenwich.

Marie me regarda pendant un moment, pâlit, mit ses mains sur son cœur, s'appuya au chambranle de la porte et après un court silence me dit :

— Edwin Caskoden, triste bouffon ! Pourquoi ne m'avez-vous pas annoncé cela en premier ? Vous m'avez inquiétée et mon cœur a été près d'éclater.

— Je l'aurais bien fait si vous m'en aviez donné le temps. Quant à la douleur que cela vous a causée, disons qu'il s'agissait du dernier assaut de mon indignation et je ne m'en soucie guère, car vous avez mérité de souffrir. Je ne sais quelles explications fumeuses vous avez à offrir, mais rien ne peut vous excuser. Toute explication, aussi bonne soit-elle, serait pour vous une bien mince consolation si Brandon avait été battu ce soir-là à Billingsgate…

Effondrée dans un fauteuil, elle semblait plongée dans quelque rêverie, les yeux dans le vide. Puis les larmes se remirent à couler, quoique moins abondamment, sur son visage.

— Vous avez raison. Rien ne peut m'excuser. Je suis la créature la plus égoïste, la plus ingrate, la plus coupable sur cette terre. Tout un mois dans ce cachot ! dit-elle en enfouissant son visage dans ses mains.

— Allez-vous-en un moment, Edwin, puis revenez, car nous désirons vous revoir, me dit Jeanne.

À mon retour, Marie avait repris ses esprits. Jeanne l'avait coiffée. La princesse avait passé sa tenue de cavalière et elle était assise sur son lit, le chapeau à la main. Elle jouait nerveusement avec les rubans de son couvre-chef, les yeux baissés.

— Vous avez certes raison, Sir Edwin. Je n'ai aucune excuse et ne puis en avoir. Je vais toutefois vous dire comment cela s'est passé. Vous souvenez-vous de la journée où vous m'avez laissée dans l'antichambre du roi alors que dans la salle du Conseil royal on discutait des arrangements de mon mariage sans m'en toucher un mot, comme si j'étais quelque esclave ou brute épaisse et décérébrée?

Elle recommença à pleurer mais se ressaisit.

— Alors que j'attendais votre retour, le duc de Buckingham est passé. Je savais qu'Henri était en train de me vendre au roi de France et j'avais le cœur gros pour plus de raisons que vous n'en connaissez. Le Conseil, tout particulièrement Wolsey, ce fils de boucher, opinait dans le sens du monarque et Henri avait hâte que cette affaire soit bouclée. Il pensait que cette union renforcerait sa position politique en lui conférant un statut d'empereur. Pensez donc, empereur! Il s'y voyait déjà. Comme j'avais réussi à le faire préalablement, j'espérais pouvoir le convaincre de ne pas me sacrifier pour satisfaire ses intérêts égoïstes mais savais toutefois que, cette fois-ci, il mettrait tout en œuvre pour avoir raison de moi. Je savais que si je faisais quoi que ce soit pour l'irriter ou m'opposer à lui, tout espoir serait anéanti. Vous savez combien il peut être exigeant en ce qui concerne la conduite d'autrui et combien il se gausse de la sienne et affiche sa vertu par procuration... Vous souvenez-vous comment il avait réduit socialement à néant cette pauvre Lady Chesterfield, cruellement tombée en disgrâce pour s'être rendue chez Grouche où elle avait appris que son mari, malgré toutes les apparences, lui était fidèle? Henri semble vraiment pointilleux sur cette question. On penserait qu'il a édicté un onzième commandement qui s'énoncerait : «Grouche, chez qui point tu n'iras ni consulteras aucunement.» Il semblerait que certaines personnes se soient rendues là pour d'autres raisons que de se faire dire la bonne aventure, mais pour se rencontrer, mais dans mon cas c'était…

Elle s'arrêta en rougissant jusqu'aux oreilles puis reprit :

— Bref, je savais que je ne pourrais plus plaider ma cause auprès d'Henri s'il avait seulement appris que je m'étais rendue chez ce devin et que cette ballade se terminait de manière aussi dramatique. Comment ai-je pu commettre une telle bêtise, Grand Dieu ? Voilà pourquoi j'étais si hésitante d'avouer mon erreur à mon frère. Je pensais que d'autres moyens s'offriraient à moi pour sauver monsieur Brandon. Pendant que j'attendais, le duc de Buckingham s'est approché. Le sachant populaire à Londres et ayant presque autant d'influence dans cette ville que le roi lui-même, j'ai pensé qu'il pouvait nous être de quelque utilité.

«Je savais que le duc et monsieur Brandon avaient eu quelques propos acerbes un certain soir au bal que je donnais. Vous devez d'ailleurs vous en rappeler. Mais je savais également que le duc était amoureux… de ma personne – ou du moins prétendait l'être, car il en faisait courir le bruit. J'étais persuadée qu'avec un peu de flatterie je serais capable de lui faire faire n'importe quoi. Il disait toujours à qui voulait l'entendre qu'il serait heureux d'épancher la moitié de son sang à mon service. Comme si j'avais besoin de cette méprisable humeur alors que ce pauvre monsieur Brandon… C'est lui qui a versé son sang pour moi… dit-elle la voix enrouée de sanglots. C'est ainsi que j'ai dit au duc que je vous avais promis ainsi qu'à Jeanne d'assurer la liberté de Charles Brandon. Je lui ai donc demandé de s'occuper de cette affaire. Il a accepté de bonne grâce et m'a donné sa parole de chevalier qu'il verrait à mettre bon ordre à cela dans l'heure qui suivrait. Il m'a précisé qu'il faudrait que la chose se déroule en toute discrétion, sous le couvert d'une évasion non officielle, car les Londoniens étaient jaloux de leurs prérogatives et particulièrement pointilleux sur les récentes affaires de meurtres. Il a ajouté qu'il fallait faire preuve de la plus grande circonspection, car le roi tenait à s'attirer les bonnes grâces de la Cité afin que cette administration lui prête l'argent dont il avait besoin – pour ma dot semble-t-il...

« Le duc m'a dit qu'il serait fait selon mon bon plaisir et que monsieur Brandon pourrait s'évader, se tenir loin de Londres pendant quelques semaines jusqu'à ce que le roi obtienne son prêt, et qu'ensuite il serait libéré grâce à une proclamation royale.

« Je vis Buckingham le lendemain, car j'étais très inquiète, comme vous pouvez vous en douter. Il m'a dit que le geôlier de Newgate lui avait assuré avoir tout arrangé la nuit d'avant, tel que je l'avais demandé. Je partis donc pour Windsor, car on y est au calme et mon cœur était lourd. De plus, ce lieu se trouve à bonne distance de Londres et j'ai pensé que cela offrait une belle occasion pour monsieur Brandon de voir peut-être... Jeanne et moi... En fait, je lui ai écrit avant de quitter Greenwich pour lui dire que je serais ici. J'ai ensuite entendu dire qu'il était parti en Nouvelle-Espagne. Vous voyez maintenant comment tous les ennuis m'ont assaillie en même temps, mais cette erreur est la plus monumentale parce que j'en suis responsable. Je ne peux demander pardon à quiconque et ne saurais me pardonner à moi-même...

Elle s'enquit ensuite de la santé physique et mentale de Brandon et je ne l'épargnai point à ce chapitre.

Alors que je lui expliquai crûment les choses, elle gardait les yeux baissés, le visage baigné de larmes et jouait avec les rubans de son chapeau.

Je m'apprêtais à partir, quand elle me dit :

— Veuillez s'il vous plaît dire à monsieur Brandon que… que j'aimerais le voir. S'il veut se donner la peine de me rencontrer, je pourrai lui dire de vive voix comment les choses se sont passées…

— Je crains beaucoup qu'il ne se présente pas, car pour lui le coup le plus cruel qu'il ait assumé – pire que l'affreux cachot où on l'avait jeté ou même que sa condamnation à mort –, a été votre défaut d'intercéder en sa faveur pour lui sauver la vie. En effet, il avait totalement confiance en vous. Au moment de son arrestation, il a refusé de me permettre d'en parler au roi. Il m'a dit qu'il savait que vous régleriez cette affaire, que vous étiez, laissait-il entendre, «un être en or»…

— Ah! Il a dit cela? demanda-t-elle avec un triste sourire qui éclaira son visage.

— Sa foi en vous était aussi inébranlable que son aversion envers votre personne puisse l'être aujourd'hui. Dès qu'il sera en état de voyager, il s'en ira en Nouvelle-Espagne.

Ces mots achevèrent de lui ravir ce qui lui restait de couleur sur le visage et elle me dit d'une voix étranglée:

— Alors rapportez-lui mes paroles… Peut-être ne se sentira-t-il pas si…

— Je ne peux faire cela, Lady Marie. L'autre jour, en mentionnant votre nom, il m'a dit qu'il me maudirait si jamais je le prononçais encore en sa présence…

— Est-ce grave à ce point? demanda-t-elle d'un air méditatif. Ainsi, lors de son procès il n'a pas divulgué les raisons qui l'avaient poussé à tuer ces brutes? Il n'a pas voulu me compromettre au risque de perdre la vie? Voilà qui est fort noble en effet…

Elle se leva en serrant les lèvres. Une farouche détermination féminine avait remplacé les larmes et les sanglots.

— Alors je le retrouverai, où qu'il soit. Il doit me pardonner, quelles que soient mes erreurs...

Peu après, nous revenions à Londres au galop. Nous gardions tous les trois le silence mais, au bout d'un certain temps, Marie sortit de sa rêverie.

— Vous savez, lorsque vous m'avez dit qu'il était trop tard et que j'ai cru que monsieur Brandon avait été exécuté, j'ai eu l'impression d'une renaissance, d'une profonde transformation. Ce choc a modifié l'essence de ma nature intrinsèque. On raconte que le métal d'un canon peut être modifié par une explosion trop violente...

D'une certaine façon, elle avait raison. Chevauchant rapidement, nous ne nous arrêtâmes à Londres que pour faire boire nos montures.

Une fois le pont traversé, Marie s'adressa à Jeanne, un peu en aparté :

— Je n'épouserai jamais le roi de France... Jamais!

Marie n'était qu'une frêle jeune fille s'opposant à une horde d'hommes brutaux, dont deux qui dirigeaient les plus importantes nations du monde. Elle devait donc se frotter à une opposition formidable.

Nous allâmes donc à Greenwich et entrèrent dans le palais sans commentaire notoire, car la princesse était libre de se déplacer.

Le roi et la plupart des courtisans étaient à Londres, à Bridewell House et à Baynard's Castle, où Henri faisait le nécessaire pour se voir octroyer un prêt de cinq cent mille couronnes destiné à la dot de Marie. C'était d'ailleurs la seule démarche retenant toute son attention. Plus tard, on le sait, il s'intéressa vivement aux lois concernant le divorce et aux diverses méthodes par lesquelles un homme – tout spécialement un roi – peut se débarrasser d'une femme désagréable. Après être tombé amoureux d'Anne Boleyn, il recourut à une politique où Église et État s'affrontèrent si bien que les événements qui suivirent apportèrent une foule d'ennuis qui devaient se perpétuer longtemps dans le royaume.

En ce qui concerne la dot de Marie, Henri devait ne remettre à Louis que quatre cent mille couronnes. Le mariage de sa sœur était une bonne excuse pour empocher cent mille couronnes de plus pour son usage personnel.

En arrivant au palais, les demoiselles se rendirent à leurs appartements et moi au mien où je trouvai Brandon en train de lire.

Il n'y avait qu'une fenêtre à notre chambre – une lucarne, en fait, aménagée dans le toit et que l'on pouvait atteindre par un passage d'environ cinq pieds de long, de la taille de cette ouverture. Dans cet alcôve, on trouvait le long du mur un banc recouvert de la cape de campagne de Brandon. Nous avions coutume d'y prendre place et d'y lire. C'est donc là que mon ami se trouvait. J'avais l'intention de lui annoncer la venue des demoiselles, car lorsque Marie m'avait demandé si je pensais qu'il viendrait la voir au palais et que j'avais répondu par la négative, elle me réitéra son intention d'aller le trouver sur-le-champ. Toutefois, le courage me manqua et je m'abstins de soulever le sujet.

Je savais que Marie ne devait pas se présenter à notre appartement. En effet, si le roi l'apprenait, nos ennuis se seraient trouvés décuplés, et c'est Brandon qui aurait fait les frais de ce caprice. Si, par malheur, quelqu'un avait vent de cette visite, cela aurait gravement compromis Marie et Jeanne. Le monde est en effet rempli de gens prêts à médire des autres et à voir le mal partout plutôt qu'à prier ou à suivre les préceptes de l'Évangile.

Lorsqu'elle avait exprimé sa détermination d'aller voir Brandon, j'avais dit à Marie ce que j'avais sur le cœur. À cause de toutes les erreurs qu'elle avait commises dernièrement, elle se sentait humiliée et j'avais trouvé suffisamment de courage pour lui faire savoir ce que je ressentais. Elle m'assura avoir pensé à toutes ces choses et, étant donné que Greenwich était pratiquement désert, si l'on agissait en secret, il y avait moyen de mener à bien cette rencontre.

Elle assura à Jeanne que sa présence n'était pas nécessaire et qu'elle tenait à ce que la jeune fille ne soit pas compromise.

Les ennuis avaient fait mûrir la princesse et fait spontanément place dans son cœur à des sentiments altruistes. Les souffrances des autres sollicitent notre compassion et nous sensibilisent à leur douleur. Rien de mieux pour se préparer à affronter cette vie… ainsi que l'autre.

Jeanne tenait toutefois à accompagner Marie, au risque de perdre sa réputation. Alors que nous chevauchions vers Greenwich, Jeanne avait vu juste : si l'amour de Marie devait se transformer en une passion dévorante, non seulement la princesse se détruirait-elle, mais elle détruirait aussi les autres pour atteindre l'objet d'un si grand désir.

Il semblait maintenant qu'elle se dirigeait à toute vitesse vers la réalisation de ce dernier. Seules des chaînes et des entraves auraient pu l'empêcher d'aller trouver Brandon ce soir-là, tant elle était animée d'une force intérieure irrésistible qui balayait tout sur son passage.

Dans notre appartement sous les toits, elle allait devoir affronter une autre forme de volonté, infiniment mieux contrôlée que la sienne, et je ne pouvais prévoir comment tout cela allait finir.

CHAPITRE XII

Cela ne faisait pas très longtemps que j'étais arrivé lorsque j'entendis que l'on frappait à la porte et que l'on m'annonçait l'arrivée des demoiselles. Je les ai fait entrer et Marie s'est dirigée vers le milieu de la pièce. L'obscurité naissait et envahissait les lieux, sauf près de la fenêtre où Brandon se trouvait assis en train de lire. Mon Dieu! Je vivais des moments vraiment exaltants! Mon cœur battait la chamade comme celui d'une jouvencelle. Brandon a repéré les jeunes filles au moment où elles sont entrées mais n'a jamais pris la peine de quitter son livre du regard. Vous devez vous rappeler à quel point il avait souffert. Même si l'on prend le point de vue de Marie, qui est certainement le meilleur, il est certain que l'on avait abusé de la bonne foi de Brandon et, ce qui était encore pire, que la personne responsable de ce méfait était celle-là même qui avait prétendu l'aimer. Elle l'avait gratuitement dupé, car il avait pu penser avoir le droit de l'aimer à son tour et souffert les pires douleurs qu'un cœur puisse endurer. Il convient ensuite de se rappeler qu'il ne connaissait pas le meilleur aspect des choses, mais que le fait le plus amer est qu'en récompense du secours qu'il avait apporté à Marie, au moment où elle en avait le plus besoin, cette dernière l'avait laissé dépérir dans un cachot pendant un mois terrible et, sans mon intervention, l'aurait même laissé mourir. Il n'est donc pas étonnant que son cœur ait été rempli d'amertume vis-à-vis d'elle. Jeanne et moi sommes restés près de la porte et la pauvre Marie qui inspirait vraiment la pitié se trouvait là, ne sachant que faire. Au bout d'un certain temps, elle se dirigea vers la fenêtre et s'arrêta, le cœur battant, au seuil du petit passage.

— Monsieur Brandon, je suis venue non pour vous présenter mes excuses, car rien ne peut excuser ma conduite, mais pour vous dire que ces événements malheureux sont survenus parce que j'avais mal placé ma confiance en une autre personne...

Brandon s'est levé et, tout en marquant la page du livre de son doigt, a suivi Marie qui avait reculé de quelques pas.

— Votre Altesse est fort bienveillante et gentille de m'honorer ainsi. Toutefois, à partir de maintenant, nos routes se séparent et la distance qui existera entre nous sera celle que le vaste monde m'offrira. Je pense qu'il aurait été préférable que vous vous absteniez de me faire une visite aussi imprudente. Tout spécialement étant donné que tout ce qu'un esprit aussi exalté que le vôtre pourrait m'apprendre ne me regarde pas, surtout depuis que j'ai réussi à me libérer des griffes du bourreau...

— Oh! Ne dites pas cela! Je vous en prie! Permettez-moi de vous raconter les événements, et il est bien possible que cela fasse une différence. Je sais que vous devez souffrir en pensant ces horribles choses de moi, tout spécialement après... Vous savez bien ce dont je parle... Après ce qui s'est passé entre nous...

— Oui, cela rend tout beaucoup plus difficile. Si vous êtes capable d'offrir vos baisers (à ces mots, elle rougit comme une pivoine!) à quelqu'un dont vous faites si peu de cas pour que vous le laissiez crever comme un chien alors qu'un mot de votre bouche aurait pu le sauver, qu'est-ce qui me dit que vous ne distribuez pas ainsi vos baisers à tous les hommes que vous rencontrez?

Ces derniers mots offrirent à Marie une ouverture dont elle prit rapidement avantage, car Brandon n'avait pas raison de s'exprimer ainsi.

— Vous savez très bien que cela est faux. Vous n'êtes pas honnête envers moi en affirmant cela, pas plus que vous l'êtes envers vous-même. Vous savez très bien qu'aucun autre homme n'a jamais reçu ou n'aurait pu recevoir de faveurs de ma part, même la plus petite. Le dévergondage ne fait pas partie de mes défauts. Ce n'est pas cela qui vous met en colère. Je sais que vous ne doutez pas de moi sur cette question. En vérité, j'en étais presque arrivée à croire que vous étiez trop certain de la chose, qu'à vos yeux j'étais devenue négligeable et que vous ne vous souciez plus de moi comme je le pensais et comme je l'espérais car, à la suite de cette journée, vous ne vous êtes plus jamais approché de ma personne. Je sais que vous me teniez à distance en partie par sagesse et par prudence ; toutefois, si vous m'aviez aimée autant que je vous aime, votre prudence ne vous aurait pas éloigné ainsi de moi.

Elle garda la tête baissée et le silence pendant un moment. Puis elle le regarda les larmes aux yeux et poursuivit :

— Un homme n'a pas le droit de parler ainsi d'une femme dont il a accepté de petites faveurs, de lui faire ainsi regretter de lui avoir offert un cadeau pour ensuite effectuer un mouvement de recul. Ai-je bien dit « petites » ? Monsieur, savez-vous exactement ce que ce premier baiser a signifié pour moi ? Je vous aurais donné toutes les couronnes de l'univers si je les avais possédées. Maintenant vous savez ce que ce baiser représentait pour moi alors que, pour vous, il n'avait aucune valeur. Et pourtant, c'est dans le plus grand bonheur que je vous ai offert ce cadeau, n'est-ce pas ? Comment, au fond de votre cœur, trouvez-vous la force de me faire honte d'une chose dont j'étais si fière ?

Elle resta ainsi, la tête inclinée sur le côté en le regardant de façon inquisitrice. Il se tint coi et continua à regarder son livre. J'ai cependant senti qu'il changeait et j'étais certain que la beauté de Marie, qui n'avait jamais été aussi ravissante qu'à l'heure actuelle, dans l'état d'humilité où elle se trouvait, allait racheter une faute aussi importante que la sienne. Que je me trompe si sa beauté n'allait pas lui accorder le pardon! Un visage comme celui de Marie implorait l'indulgence.

Je commençais à réaliser pour la première fois que cette jeune femme possédait un pouvoir extraordinaire et j'ai arrêté de m'étonner du fait qu'elle ait toujours eu le pouvoir d'infléchir la volonté du roi, l'homme le plus têtu et le plus violent de la terre, pour qu'il satisfasse en fin de compte le bon vouloir de sa sœur. Sa façon d'être rendait ses paroles encore plus éloquentes et, grâce à des tactiques bien féminines, elle avait réussi à faire en sorte que Brandon aie tort en tout alors qu'il n'avait tort qu'en partie.

Puis, elle passa rapidement à ce dont elle m'avait déjà parlé, la grande frayeur qu'elle éprouvait advenant la possibilité que le roi apprenne la visite qu'elle avait faite à Grouche et les conséquences fatales que cela aurait pu impliquer. Cet acte ne pouvait que rendre le roi insensible à l'influence qu'elle pouvait avoir sur lui et cela précipiterait son mariage en France. Elle raconta à Brandon comment elle était allée trouver le roi le jour qui avait suivi son arrestation pour demander sa libération et sa rencontre avec Buckingham qui lui avait promis de l'aider.

Brandon ne disait toujours rien et se tenait debout comme s'il attendait poliment qu'elle se retire.

Elle demeura silencieuse pendant un certain temps, attendant qu'il prenne la parole. C'est alors que des larmes, en partie parce qu'elle était vexée, je pense, lui sont venues aux yeux.

— Dites-moi, au moins, a-t-elle ajouté, que vous savez que je dis la vérité. J'ai toujours eu confiance en vous et maintenant je vous demande la vôtre. Je ne saurais vous mentir. Il ne me viendrait jamais à l'idée de vous tromper, même si l'on me promettait le paradis en échange, même pas pour obtenir votre amour et votre pardon – et Dieu sait à quel point ils sont importants à mes yeux. Douteriez-vous de toute autre chose? Je veux tout simplement vous assurer de ma loyauté envers vous. Comme vous pouvez le constater, je m'exprime en utilisant des mots simples pour vous expliquer ce que votre amour représente pour moi. Malgré le fait que je me sois tenue loin de vous, je me suis inquiétée du fait que je vous ai prodigué mes faveurs; c'est d'ailleurs un peu la crainte de toutes les femmes. Je savais au plus profond de mon être que vous m'aimiez. Vous pouvez donc voir maintenant toute la confiance que j'ai placée en vous, vous qui êtes un homme dont l'intuition féminine peut rapidement douter. Comment cela peut-il se comparer avec la confiance que vous avez en moi, une femme dont la nature humaine la dispose à accorder crédit aux êtres? Selon une loi non écrite, il semblerait qu'un homme puisse mentir à une femme au sujet de la chose la plus importante aux yeux de celle-ci et qu'il puisse en tirer une fierté… Cependant, vous pouvez voir que même à l'heure actuelle j'ai totalement confiance en votre amour pour moi; sinon, je ne serais certainement pas en ces lieux. Vous voyez, j'ai même foi en ce que vous ne dites pas, alors que ces mots pourraient être un mensonge et je ne vous blâmerai pas pour cela. Toutefois, vous n'avez pas confiance en moi qui n'ai pas le droit de dire des faussetés. Si ce que je fais présentement me remplit de honte, car je suis coupable de mes actes passés, je ne le fais, pour autant que je sache, pour la seule raison qu'une telle démarche est inspirée par la vérité la plus pure qui sourd de mon cœur. Vos paroles ont tellement d'importance à mes yeux – bien plus, je le pense, que vous ne le réalisez – et elles sont très cruelles car elles diabolisent les sentiments les plus élevés et les plus purs qu'une femme puisse éprouver, soit la grande fierté de déposer les armes et le doux et merveilleux privilège de donner de l'amour à celui qu'elle aime. Comment pouvez-vous demeurer aussi indifférent?

Je fus conquis par son éloquence! Il me semblait que les paroles qu'elle venait de prononcer auraient pu faire fondre un iceberg, mais je pense que Brandon avait estimé que son seul espoir de s'en sortir était de continuer à témoigner son indignation.

Après avoir totalement fait fi de toutes les paroles qu'elle venait de prononcer, il a finalement ouvert la bouche.

— Vous avez bien fait d'employer Lord Buckingham. Vous allez découvrir que les choses sont encore plus intéressantes lorsque vous saurez que c'est précisément ce triste sire qui vous a attaquées et qu'il s'est coincé la jambe lorsque son cheval a été blessé. On m'a rapporté qu'il a boité pendant quelque temps après. Je l'ai surveillé dès qu'il a commencé à vous suivre à partir de la porte de Bridewell. Je l'ai reconnu instantanément lorsque son masque est tombé pendant que je me battais contre lui à côté du mur. Je vois que vous avez parfaitement réussi...

— Oh! Mon Dieu! Je frissonne rien que d'y penser! Si seulement je l'avais su à ce moment-là! Buckingham va payer de sa vie pour ce qu'il a fait. Mais comment pouvais-je savoir? Je n'étais qu'une pauvre jeune fille affolée, qui ne pouvait rien faire d'autre que des erreurs fatales. Je me trouvais dans une telle angoisse... Vos blessures – oui, croyez-moi, vos blessures – m'ont faites davantage souffrir que vous. Chaque douleur que vous ressentiez m'allait droit au cœur et ensuite cet horrible mariage! On me vendait comme une vulgaire esclave à ce vieux satyre! Personne ne peut connaître l'horreur que peut ressentir une femme, qu'elle soit bonne ou mauvaise, à une telle pensée. Le fait d'être belle et désirable devient synonyme de malédiction et revient à être mise au rang de bétail. Peu importent les manifestations que peut inspirer un tel amour, il n'en devient que plus repoussant aux yeux d'une femme et elle n'en déteste que plus son auteur. Ensuite, il y a eu quelque chose d'encore pire que tout. J'aurais même, peut-être, supporté l'idée de cette abominable union; d'autres que moi ont subi de tels outrages et y ont survécu. Toutefois, après ce jour, lorsque votre contact m'a semblé être l'étincelle qui a mis le feu à mon cœur, qui avait sommeillé pendant toutes ces années, cet embrasement a été si intense que j'ai eu du mal à le supporter. Ma gorge était douloureuse. J'avais du mal à respirer et je pensais que ma poitrine allait exploser...

À ce moment précis, elle ne put retenir ses sanglots. Elle se dirigea vers lui en tendant les bras et dit, bouleversée:

— Je vous voulais, oui, vous. Je vous voulais pour mari – oui, pour mari –, et je ne pouvais supporter l'affreuse idée de vous perdre ou d'avoir à supporter un autre homme. Il m'était impossible de renoncer à cet amour après tout cela. C'était trop tard, trop tard. Tout était allé trop loin. J'étais perdue, perdue!

Brandon s'élança vers l'endroit où elle se trouvait et l'enlaça.

Elle le repoussa légèrement pendant quelques instants en disant:

— Maintenant, vous savez pertinemment que je ne vous aurais jamais laissé vous morfondre dans cet horrible endroit si j'avais su ce qui se passait. Non, jamais, même si j'avais dû payer votre liberté de ma vie...

— Je le sais, je le sais, soyez-en sûre. Je le sais et le saurai toujours, quoiqu'il arrive. Rien ne pourra m'influencer. Je ne douterai plus jamais de vous. C'est à mon tour de vous demander pardon.

— Non. Non. Je vous demande tout simplement de me pardonner. C'est ma seule supplique.

Elle avait posé sa tête sur la poitrine de son compagnon.

— Allons dans le passage, Edwin, dit Jeanne.

Et c'est ce que nous avons fait. Il y avait des moments où Jeanne semblait vraiment inspirée.

Lorsque nous revînmes dans la pièce, Marie et Brandon se trouvaient assis sur la grande cape, devant la fenêtre. Ils se levèrent et se dirigèrent vers nous en se tenant la main, et Marie demanda en le regardant:

— Devons-nous leur dire?

— Comme vous le désirez, Madame...

Marie le voulait et levait ses yeux vers Brandon pour qu'il parle, et c'est alors qu'il dit:

— Cette jeune femme dont je tiens la main et moi-même promettons devant le Seigneur de devenir mari et femme, si les circonstances nous sont favorables.

— Non, ce n'est pas exactement cela, dit Marie en l'interrompant. Ce n'est pas «si les circonstances nous sont favorables»; ce mariage se fera, qu'il soit possible ou non. Rien ne l'empêchera.

En disant cela, elle embrassa Jeanne et lui réitéra à quel point elle l'aimait, que l'amour qu'elle ressentait dans son cœur se déversait sur toutes les personnes présentes. Elle avait toujours aimé Jeanne malgré le fait qu'il lui arrivait de la gronder et d'abuser de sa bonté. Jeanne lui était aussi chère que si elle avait été sa sœur et elle était toujours certaine de sa loyauté et de son affection.

Brandon répondit, lorsque Marie déclara qu'il n'y aurait pas de «si»:

— Très bien, Madame la devineresse…

Puis il se retourna vers nous et ajouta:

— Que ne devrais-je pas faire pour quelqu'un qui accepte de s'abaisser de si haut pour me faire l'honneur de devenir ma femme?

— Aimez-la et n'aimez qu'elle, de tout votre cœur et aussi longtemps que vous vivrez. C'est tout ce qu'elle désire, j'en suis certaine, dit Jeanne spontanément, d'une voix troublée.

— Jeanne, vous jouez au roi Salomon, dit Marie en riant. Les conseils dont vous nous gratifiez reflètent-ils le traitement que vous espérez pour votre propre personne?

Son regard passa malicieusement de Jeanne à moi alors que des rires fusaient de son cœur, joyeux et doux.

— Je ne sais vraiment pas comment j'aimerais que cela se passe pour moi, répondit Jeanne en faisant la moue. Toutefois, si vous semblez respecter mes conseils à ce point, je vais me permettre de vous en donner un de plus. Je pense qu'il est grand temps que nous quittions les lieux.

— Voilà que vous recommencez à dire des bêtises, Jeanne. Je ne suis pas encore prête à partir.

À ce moment-là, Marie manifesta son intention de s'asseoir. Il lui était impossible de renoncer au plaisir de rester, bien qu'elle sût que la situation était périlleuse. Elle ne pouvait pas non plus supporter la douleur qu'impliquerait ce départ, aussi court soit-il, maintenant qu'elle avait retrouvé Brandon. Ce temps-là allait arriver bientôt, mais une fois de plus, je vais un peu trop vite dans mon récit.

Brandon dit alors, au bout de quelque temps :

— Je pense que Jeanne continue à se montrer une personne pleine de sagesse, Marie. Il est préférable que vous ne restiez pas, même si j'ai grande envie de vous garder avec moi.

Elle lui obéit immédiatement.

Lorsqu'elle se leva, elle prit les deux mains de Brandon dans les siennes et murmura :

— « Marie »… J'aime le son de mon nom lorsque vous le prononcez…

Puis elle jeta rapidement un coup d'œil par-dessus son épaule pour voir si Jeanne et moi la regardions, offrit son visage à Brandon et courut nous rejoindre.

Nous étions alors un peu en avant de la princesse et Jeanne murmura :

— Attention aux ennuis qui ne tarderont pas à se présenter. Ils viendront vite et j'ai peur pour monsieur Brandon plus que pour n'importe qui. Il a mené un dur combat contre elle et contre lui-même. Il n'est pas étonnant qu'elle l'aime autant.

Cela m'a rendu un peu jaloux.

— Jeanne, ne l'aimeriez-vous pas aussi ? ai-je demandé.

— Peu importe que je puisse l'aimer ou non, Edwin. Je ne l'aime pas et cette réponse devrait vous satisfaire.

Sa voix et sa façon d'être étaient bien plus éloquentes que ses mots. Le hall se trouvait presque complètement plongé dans l'obscurité ; j'ai toujours su que j'avais perdu une bonne occasion et elles ne sont pas nombreuses.

Le soir suivant, Brandon et moi nous sommes rendus chez Lady Marie, y ayant été invités. Toutefois, nous ne sommes pas restés longtemps de peur que quelqu'un nous y découvre et nous cause des problèmes. Nous n'y serions même pas allés si la cour ne s'était pas trouvée absente à Londres. En effet, être découverts dans les appartements de la princesse aurait pu causer de graves ennuis, au moins à l'un d'entre nous.

Comme je vous l'ai dit auparavant, Henri se moquait totalement du fait que Brandon aimait sa sœur. Toutefois, Buckingham avait fait courir des bruits sur les histoires de cœur de Marie. Sa propre observation ainsi que la missive qu'il avait interceptée avaient alimenté ces rumeurs et c'est pourquoi la plus petite chose pouvait faire de celles-ci des certitudes.

Le roi avait pardonné à Brandon le meurtre des deux tueurs à gages à Billingsgate, car les circonstances l'avaient forcé à le faire. Toutefois, sa bonté s'arrêta là. Au bout d'un certain temps, la position à la cour de mon ami lui fut enlevée et tout ce qui lui resta des faveurs royales fut la permission de demeurer à mes côtés et de vivre au palais en attendant son départ pour la Nouvelle-Espagne.

CHAPITRE XIII

Les termes du traité ayant été acceptés sur le plan des ententes internationales, on pouvait dire que le mariage de Louis de Valois avec Marie Tudor était un fait accompli. Il ne restait qu'à obtenir le consentement de la jeune fille de seize ans, un détail insignifiant en somme lorsqu'on sait que les filles mariables de la royauté ne sont que des sujets transactionnels dans la haute politique de la Couronne. Théoriquement du moins, elles n'ont que le droit de dire « *Amen* » à ce que leur roi ordonne. Le consentement de Lady Marie était théorique, mais pour tout un chacun à la cour il équivalait à un sonore et massif « Oui! Je le veux! » Précisons toutefois que la princesse n'avait pas plus l'intention de prononcer le « oui » traditionnel que de réciter un texte en sanskrit au pilori de Smithfield.

Wolsey, dont les manières étaient aussi douces que la fourrure d'une loutre, avait été envoyé pour arracher ce « oui » à la demoiselle, mais il avait fait chou blanc. Jeanne m'en avait parlé.

Wolsey s'était rendu voir la princesse et avait commencé par la flatter en lui parlant de sa beauté. Il l'avait trouvée de fort bonne humeur.

— Bien sûr, bien sûr, Lord Lincoln, je sais combien je suis belle. Nul ne le sait mieux que moi. Je connais tout de la beauté de mes cheveux, de mes yeux, de mes dents, de mes cils et de mon teint au point d'en être lassée. Ne me parlez pas de ma beauté, car cela ne vous aidera pas à obtenir mon consentement pour épouser cette vieille ruine. C'est la raison de votre visite, bien sûr. Je m'attendais à votre venue. Et comment se fait-il que mon frère ne soit pas là aussi?

— Je pense qu'il avait peur et, pour vous dire la vérité, j'appréhendais également cette rencontre, répondit Wolsey en souriant.

Malgré la situation, Marie ne put s'empêcher de sourire aussi, ce qui l'adoucit quelque peu. Wolsey poursuivit:

— Sa Majesté n'aurait pas pu me confier tâche plus désagréable. Vous imaginez, bien sûr, que je suis en faveur de cette union, mais ce n'est pas le cas...

Il s'agissait là du pire mensonge qu'ait pu proférer l'évêque.

— J'ai été obligé de me soumettre au point de vue du roi. De toute façon, son idée était déjà faite depuis que de Longueville avait évoqué la possibilité d'un tel mariage.

— Et c'est cette momie aux yeux en boutons de culotte qui a suggéré une telle éventualité?

— Oui, et si vous épousez le roi de France, vous pourrez l'en remercier à votre manière, intérêts et capital...

— Que voilà une belle récompense, pardieu!

— Je ne crains pas de vous confier que je pense personnellement que de forcer une demoiselle comme vous à épouser un homme comme Louis de France constitue une véritable infamie. Mais qui sommes-nous pour nous opposer à un tel mariage?

En utilisant le «nous», Wolsey faisait mine de se ranger du côté de Marie, ce qui démontrait son adresse.

— Comment allons-nous nous y opposer? N'ayez crainte, Milord, je vais vous le montrer...

— Oh! Chère princesse, permettez-moi... Vous ne semblez pas connaître votre frère: vous ne pouvez aucunement vous soustraire à ce mariage. Je crois qu'il est capable de vous faire enfermer et de vous mettre au pain sec et à l'eau pour obtenir votre consentement. Je suis certain qu'il vaut mieux que vous acceptiez de bonne grâce quelque chose que vous serez forcée de faire de toute façon. De plus, j'ai pensé à autre chose... Puis-je parler ouvertement devant Lady Jeanne Bolingbroke?

— Je n'ai pas de secrets pour elle...

— Fort bien. Louis est vieux et faible. Il ne vivra pas longtemps et il est possible qu'en acceptant de bonne grâce ce que l'on vous propose vous pourrez soutirer à votre frère l'autorisation d'avoir le libre choix de votre conjoint advenant un second mariage. Vous pourriez ainsi acheter un privilège qui vous serait autrement refusé...

— À ce que je sache, qu'est-ce qui vous dit que je tienne à acheter quoi que ce soit, Maître Wolsey? Je n'ai certes pas l'intention de le faire en épousant la France.

— J'ignore si vous désirez acheter quoi que ce soit, mais le cœur d'une femme ne se contrôle pas toujours et parfois se donne à quelqu'un très loin de sa condition sociale, mais dont la grandeur d'âme et la noblesse peuvent égaler les qualités de tout autre être de haute lignée. Il se peut qu'il existe un tel homme pour lequel n'importe quelle femme accepterait de consentir à un sacrifice. Les résultats n'en seraient que doublement convaincants puisqu'il achèterait en fait le bonheur pour leur couple...

Les allusions du prélat étaient suffisamment dénuées d'ambiguïté pour qu'on puisse mal les interpréter. Les yeux de Marie brillèrent un instant et, malgré elle, elle esquissa un sourire.

Wolsey pensa avoir gagné et, pour sceller sa victoire, reprit d'un ton persuasif :

— Louis XII ne vivra pas un an. Laissez-moi transmettre au roi votre consentement et je vous garantis sa promesse de vous laisser libre de vous remarier avec celui que vous voudrez…

En un instant, les yeux de Marie lancèrent des éclairs et son visage s'assombrit comme un ciel de tempête.

— Dites au roi que je compte le voir et que ce maudit royaume risque de sombrer dans l'enfer avant que j'épouse Louis de France. Voilà ma réponse, ferme et définitive. Bonsoir, Maître Wolsey.

Elle sortit en trombe de la pièce la tête haute et les narines dilatées : l'allégorie personnifiée du défi.

Par saint Georges, qu'elle devait être merveilleuse ! Elle était en effet l'une de ces rares personnes que la colère, le mépris et les autres passions que nous qualifions habituellement de peu aimables semblaient au contraire illuminer. Elles se manifestaient fortement, mais sans violence. On aurait cru que chaque émotion ajoutait à sa beauté et l'éclairait comme le jour passant à travers les vitraux d'une église.

Après le départ de Wolsey, Jeanne demanda à Marie :

— Ne pensez-vous pas qu'il eût été préférable d'envoyer une réponse plus tempérée à votre frère ? Je crois que vous réussiriez à toucher son cœur, même maintenant, si vous faisiez un effort. Dans cette histoire, vous n'avez pas essayé comme vous l'aviez fait pour les autres possibilités de mariage.

— Vous avez peut-être raison, Jeanne. J'irai voir Henri.

Marie attendit que le roi soit seul pour lui rendre visite.

— Mon frère, je vous ai fait parvenir ce matin un message un peu trop hâtif par l'évêque de Lincoln et je viens solliciter votre pardon… dit-elle en guise d'introduction.

— Ah! petite sœur, je savais bien que vous changeriez d'avis! Que voilà une bonne petite fille!

— Oh! Ne vous méprenez pas. Je demande votre pardon pour la manière dont je vous ai fait parvenir ce message. Quant au mariage, je suis venue vous dire qu'il me tuerait et que je serais incapable de le supporter. Ô mon frère, vous n'êtes pas une femme et, par conséquent, ne pouvez pas savoir…

Henri entra dans une colère folle. Hurlant et blasphémant, il lui ordonna de quitter les lieux à moins qu'elle donne son consentement. N'ayant que deux choix, elle s'en alla le cœur rempli de haine envers celui qu'elle considérait comme le plus intraitable des potentats. En s'en allant, telle une furie elle ajouta:

— Jamais! Jamais! Vous avez entendu? Jamais!

Les préparatifs du mariage se déroulèrent comme si Marie avait donné solennellement son consentement. On commença à préparer le trousseau de la mariée et les importantes négociations pour obtenir le prêt des marchands de Londres allaient bon train. Les fidèles bourgeois affectionnaient particulièrement leurs angelots, double angelots, couronnes et livres sterling, mais la crainte du roi et une petite tape d'approbation sur la tête du bon peuple faisaient merveille, et l'or sortait des escarcelles pour disparaître, Dieu sait comment. Stimulés par le sourire royal, les citoyens étaient prêts à s'égosiller, à faire bombance jusqu'à satiété pour célébrer le mariage. Bref, ils étaient prêts à se faire presque chatouiller à mort pour avoir

l'honneur de verser à un vieux coureur de jupons le chargement d'un chariot d'or pour qu'il accepte en prime, la jeune
fille la plus malheureuse du monde. Elle aurait certes eu le cœur
brisé si son courage ne l'avait pas soutenue. Ne gaspillant
aucune énergie à se lamenter, elle la préservait pour combattre. Quelle guerrière! Si quelqu'un aurait dû remporter la
victoire, c'était bien elle. Lorsque la reine vint la trouver avec
des soies, du taffetas et d'autres fines étoffes pour la consulter
à propos du trousseau, même si ce sujet intéresse une majorité
de femmes, Marie ne voulut rien savoir. Lorsque Catherine
d'Aragon insista pour qu'elle essaye une certaine robe, la
princesse déchira le vêtement en pièces et lui demanda de partir.

Henri envoya Wolsey dire à sa sœur que le mariage avait été
fixé au treizième jour d'août. De Longueville représentait le roi
de France et Wolsey était heureux d'être présent.

Au palais, les choses ne se passaient pas de manière idéale.
Marie refusait de parler au roi et la pauvre Catherine craignait
de s'approcher de la princesse. Wolsey était heureux de ne pas
la croiser et, à la première occasion, Marie décida d'affronter
Buckingham bec et ongles. Cette confrontation fut courte mais
décisive et je vais raconter comment elle se déroula.

Il faut dire qu'il y avait déjà eu un accrochage entre le duc et
Brandon au cours duquel ce dernier avait provoqué en duel le
puissant personnage. Il s'agissait là du seul moyen de régler le
différend qui existait entre eux. Cependant Buckingham, qui
avait vu un échantillon de la façon dont Brandon maniait l'épée
et qui se souvenait de ce qui était arrivé à Judson, ne tenait pas
à une telle rencontre. Ils s'étaient croisés accidentellement et
Brandon, tout sourire, le salua avec l'exquise politesse d'un
personnage de la noblesse française.

— Milord, étant donné que vous avez croisé le fer à deux
reprises avec moi, je ne doute pas que vous me fassiez l'honneur

de m'accorder ce privilège pour la troisième fois et de me faire aimablement savoir quand mon témoin sera en mesure de rencontrer celui de Sa Grâce.

— Nul n'est besoin de nous rencontrer sur le pré pour cette petite affaire où vous avez d'ailleurs eu le dessus ; cela me satisfait et vous aussi, certainement. J'étais vraiment dans mon tort, mais je ne savais pas que la princesse vous avait invité à son bal…

— Votre Seigneurie peut simplement éluder la question, répliqua Brandon. Je ne parle pas de l'affaire du bal car, comme vous l'avez dit, si le règlement vous satisfait, il devrait également me satisfaire. Monseigneur, je parle de la façon dont vous m'avez fait arrêter au nom du roi, puis fait incarcérer à la prison de Newgate, donner l'ordre au geôlier de me jeter dans un cul-de-basse-fosse et d'interdire toute communication avec mes amis. Vous avez ensuite fait en sorte que l'on me juge en secret afin que ce forfait ne soit pas révélé aux personnes susceptibles de me venir en aide. Vous avez promis à Lady Marie de me faire libérer et, de ce fait, l'avez empêchée d'intercéder auprès du roi. Vous avez ensuite raconté à la princesse que vous aviez fait le nécessaire et que je m'étais réfugié en Nouvelle-Espagne. Voilà pourquoi, Lord Buckingham, je vous dénonce comme étant un menteur, un lâche et un chevalier parjure et j'exige de vous la seule réparation qu'un homme puisse accorder à un autre pour une offense mortelle. Si vous refusez, à notre prochaine rencontre, je vous tuerai de la même façon que j'ôterais la vie à un assassin.

— Je me moque de votre diatribe, mon jeune ami, mais pour répondre aux allégations fantaisistes, objets de votre rancœur, sachez que j'ai tout mis en œuvre pour vous libérer et que j'avais reçu du geôlier l'assurance qu'il vous permettrait de vous évader. Après cela, on découvrit une certaine lettre qui vous était adressée et elle se retrouva entre les mains du roi, un incident avec lequel je n'ai d'ailleurs rien à voir. Quant à votre incarcération et à votre mise au secret, cela est imputable à une décision de Sa Majesté après avoir vu la lettre – ce qu'elle vous confirmera certainement. Je le dis par égard pour moi et non pour contrer ce que vous pouvez dire ou penser.

L'offre de se faire confirmer les dires de Buckingham par le roi donnait un semblant de vérité à ses paroles, mais un corpuscule de vérité peut recouvrir une montagne de mensonges et Brandon dut abattre ses voiles une fois de plus. La déclaration de Buckingham le surprit et surtout la question de la lettre. Qui donc avait pu l'envoyer? Cela l'intriguait, mais il n'osait le demander. Au moment où le duc allait s'éloigner, Brandon l'arrêta:

— Un instant, Votre Grâce. Je veux bien admettre vos dires, car je ne suis pas présentement en mesure de les réfuter, mais il y a une autre question à régler. Vous m'avez attaqué à cheval et essayé de me tuer de manière à pouvoir enlever deux dames à Billingsgate. Vous ne pouvez pas nier ces faits. Je vous ai vu filer ces dames de Bridewell jusque chez Grouche. J'ai aperçu votre visage lorsque votre masque est tombé pendant la mêlée, et ce, aussi clairement que je le vois en ce moment. Si vous voulez d'autres preuves, il y a ce genou luxé par la chute de votre monture et qui vous fait encore boiter à ce moment précis. Je suis certain que Milord m'affrontera comme un homme ou préférerait-il que je me rende auprès du roi et que je lui raconte cette honteuse histoire? Je n'en ai point parlé jusqu'à maintenant, en estimant avoir le droit et le privilège de régler cela avec vous...

Buckingham pâlit un peu plus et rétorqua:

— De toute façon, je ne rencontre pas les gens de votre espèce sur le pré et ne crains pas vos calomnies...

206

Le pleutre était certain que les demoiselles ignoraient l'identité de leur agresseur et ne pourraient pas corroborer les accusations de Brandon. Si tel n'avait pas été le cas, Marie ne se serait jamais adressée à lui pour demander son aide.

Lorsque cette altercation eut lieu, je me tenais non loin des deux hommes et, après le départ de Buckingham, Brandon et moi sommes allés retrouver les demoiselles dans la forêt. Nous savions qu'elles nous attendaient, même si elles feignirent la surprise en nous apercevant. Nous les retrouvâmes donc et le bruissement des feuilles dans la ramure des arbres répondit au doux rire de joie de la princesse.

Environ une demi-heure plus tard, nous rencontrâmes Buckingham accompagné de Johnson, son avocat-chevalier. Tout en déambulant dans cette allée tranquille, ils s'étaient évidemment entretenus de la situation. Lorsqu'ils approchèrent, Marie s'adressa au duc avec un regard haineux.

— Milord Buckingham, vous paierez cela de votre tête! Souvenez-vous de mes paroles lorsque vous monterez à l'échafaud, lorsque vous poserez votre col au creux du billot!

Il s'arrêta, avec le désir évident de s'expliquer, mais Marie lui montra le chemin et lui dit:

— Allez-vous-en ou je vais demander à monsieur Brandon de vous embrocher d'un coup d'épée. À deux contre un, il aurait le beau jeu comparé aux quatre opposants qu'il a dû affronter à Billingsgate. Allez!

La bataille verbale prit fin sans riposte de l'ennemi. Je me vexai du fait que Marie avait parlé de «deux contre un» alors que j'étais présent. Il est vrai que je ne suis pas un colosse, mais j'aurais été en mesure de m'occuper de l'avocat.

Il faut dire que celui-ci brillait davantage par ses qualités juridiques que par sa lame. C'est lui qui imagina la suite des événements, un coup de maître qui se révéla un échec – et mat – pour nous. Le duc alla trouver immédiatement le roi et, clamant son innocence, lui parla des accusations faites par Brandon avec l'approbation évidente de Marie et demanda réparation de cette calomnie. Il semblait alors que la force de nos arguments risquait de se retourner contre nous. Le roi fit mander Brandon sur-le-champ et mon ami comparut devant lui en ayant hâte de confronter le duc. Le roi ne voulait rien savoir de l'incarcération de Brandon et du jugement secret qu'il avait subi. Peu lui importait. La question cruciale était la suivante : Buckingham avait-il vraiment attaqué la princesse ?

Brandon raconta l'histoire sans détour, mais Buckingham la nia en bloc et offrit de faire témoigner son aumônier qui, prétendait-il, était en mesure d'affirmer qu'à l'heure de l'attaque de Billingsgate il était sagement en train de faire ses dévotions. Ce conflit de preuves exigeait de nouveaux témoins. Henri demanda à Brandon si les jeunes filles avaient vu et reconnu le duc. Il fut, bien sûr, obligé de répondre par la négative. L'accusation ne reposait donc que sur la parole de Brandon contre celle de Buckingham qui, d'autre part, bénéficiait du témoignage de son complaisant aumônier.

Tout cela rendit pleinement public le souci qu'avait la pauvre Marie d'aider Brandon, et le duc avait adroitement monté en épingle le fait qu'il venait tout juste de rencontrer la princesse en compagnie de Brandon en un lieu discret de la forêt. Les soupçons d'Henri quant à la partialité de sa sœur se renforcèrent et il commença à considérer l'infortuné Brandon comme une des causes importantes de l'aversion que Marie manifestait envers son union avec le roi de France.

Le souverain se fâcha et ordonna à Brandon de quitter la cour, le tout accompagné d'une remarque menaçante : seuls les services rendus à la princesse lui avaient jusqu'à maintenant évité le pilori.

Ce n'était pas du tout ce que Brandon avait espéré. Depuis la visite des demoiselles au devin Grouche, il semblait être poursuivi par une sorte de fatalité. Il avait fait son devoir et voilà comment on l'avait remercié... La vertu est parfois fort mal récompensée, quoiqu'en disent les sages qui prétendent le contraire.

Mais Henri n'était pas certain que ses soupçons concernant le cœur de sa sœur soient vrais et, dans le fatras des informations dont on l'avait abreuvé, il ne pouvait vraiment étayer ses convictions. Il n'avait pas vu Marie avec Brandon depuis leurs témoignages. Si tel avait été le cas, il aurait remarqué des faits dans chaque regard, la vérité dans chaque mouvement, un aveu dans chaque coup d'œil. Et puis Marie était incapable de la moindre dissimulation. Considérant l'agréable virilité et les qualités supérieures de Brandon, le roi vit là une possibilité pour que Marie tombe amoureuse de cet homme, mais, lorsqu'une telle éventualité survient chez une jeune fille, elle ne satisfait généralement pas aux attentes. Dans le vaste champ des conjectures humaines, par rapport à d'autres sujets, je crois que l'on se trompe le plus souvent lorsqu'on s'amuse à deviner de quelle sorte d'homme une femme serait susceptible de tomber amoureuse. Le roi ne voyait pas les choses de cette façon et, comme tous les fils d'Adam, croyait tout savoir sur cette question. Il voyait en Brandon un personnage potentiellement embarrassant. Pour une fois il ne se trompait pas, mais il ne savait pas combien il pouvait avoir vu juste.

C'est ainsi que Brandon subit l'opprobre royale et, comme bien des hommes, dissimula sa fortune dans les abyssales profondeurs du cœur d'une femme et se crut riche ce faisant.

CHAPITRE XIV

Chez le roi, l'admiration tenait lieu d'affection, une erreur souvent commise par les personnes qui ne s'analysent pas. Environ un ou deux jours plus tard, une réaction vis-à-vis de Brandon a commencé à se dessiner dans la tête du souverain. Elle l'a d'abord incité à faire quelques excuses pour les durs traitements qu'il avait infligés à mon ami. Il ne pouvait toutefois pas exprimer de trop profonds regrets à cause de Buckingham… Ou du moins jusqu'à ce que l'argent du prêt soit en sécurité dans ses coffres. Cependant, étant donné que Brandon devait partir bientôt pour la Nouvelle-Espagne et qu'il serait loin des yeux de Marie et absent lors du mariage de cette dernière, le cœur d'Henri était suffisamment amadoué pour permettre à l'infortuné héros de reprendre ses anciens quartiers à mes côtés jusqu'au moment de son départ.

Brandon n'avait jamais renoncé à ce projet, et les choses étant ce qu'elles étaient en ce qui concernait Marie et le roi, il était plus que jamais décidé à partir. Mais ce projet comportait deux recommandations et une possibilité.

La première recommandation était que cela allait l'éloigner de Marie avec laquelle tout mariage était absolument impossible et la deuxième était le fait d'admettre et d'affronter cette impossibilité. Il se trouverait partiellement soulagé de sa peine de cœur au cours des événements passionnants et des aventures qui ne manqueraient pas de survenir dans les contrées lointaines où foisonnaient des bêtes sauvages et où l'on trouvait de l'or. La possibilité reposait justement sur cet or, et une fragile lueur d'espoir brillait car la chance pouvait lui sourire et lui permettre de faire tourner les événements futurs en sa faveur. Cette lueur allait peut-être le mener à une caverne pleine de ce précieux métal avec lequel on peut faire tout ce que l'on veut, même acheter un trésor qui n'a pas de prix, comme une certaine princesse de sang royal. Il ne s'est toutefois pas trop attardé à cette idée, mais conservait un espoir délicieux et bien neutralisé par la présence constante de son improbabilité, ce qui l'empêcherait de s'écrouler au moment des désillusions.

Brandon accepta immédiatement l'offre du roi de venir habiter au palais car maintenant il était sûr de ce qu'il voulait faire en ce qui concernait la Nouvelle-Espagne et sa séparation d'avec Marie. Toutefois, il désirait la voir le plus possible avant que cette lumière dans sa vie ne s'éteigne à jamais, même si cela impliquait jouer avec la mort.

Pauvre garçon! Sa douleur était tellement intense à cette époque qu'elle était contagieuse et m'affectait directement. Il ne se morfondait pas toute la journée, mais la souffrance venait tels des spasmes qui le rendaient fou. Il lui arrivait même parfois de crier, tout en faisant les cent pas dans sa chambre.

— Mon Dieu, Caskoden, que dois-je faire? Elle va devenir l'épouse du roi français et je vais me retrouver dans la jungle à imaginer ce qu'elle est en train de faire et de penser. Je trouverai la position de Paris et je regarderai dans cette direction jusqu'à ce que mes efforts pour la voir liquéfient mon cerveau. Et ensuite, j'errerai dans la forêt, tel un imbécile, et je me nourrirai de racines et de noix. Si seulement Dieu faisait mourir l'un de nous! Si je n'étais pas si égoïste, j'aimerais qu'il me choisisse.

Je ne répliquais rien à ces éclats, car j'ignorais comment le réconforter.

Nous avons pu nous réunir deux ou trois fois, bien que cela était risqué. Lors de chaque rencontre, Marie pensait que c'était la dernière fois qu'elle voyait Brandon et elle restait assise en le fixant. Elle rayonnait. Son regard s'adoucissait et ses yeux scintillaient quand il s'exprimait. Elle ne parlait guère, mais se contentait de consacrer son temps et ses énergies à le regarder de toute son âme. Je n'avais jamais vu jusque-là et je n'ai jamais vu par la suite une jeune fille aussi amoureuse qu'elle. Une jeune fille amoureuse est la plus jolie chose que l'on puisse trouver sur terre. Elle peut même être belle dans sa laideur. Imaginez donc à quel point Marie pouvait l'être !

C'est peut-être à cause de l'inaccessibilité de Brandon, car il était alors hors d'atteinte de la princesse tout comme elle se trouvait inaccessible pour lui. Cela faisait longtemps qu'elle avait commencé à le vénérer. Elle avait appris à bien le connaître et le fait qu'il l'ait si bien défendue à Billingsgate et qu'il se soit sacrifié en refusant de la compromettre pour se sauver avait fait en sorte qu'elle le considérait comme un être supérieur. Sa soumission était totale et elle y retrouvait une joie qui dépassait de beaucoup celle qu'elle pouvait imaginer à la suite d'une victoire ou d'un triomphe.

Il m'était impossible de prévoir ce qui allait résulter de tout cela. Marie était une femme tout à fait spéciale, féminine à outrance et d'une force et d'une volonté peu communes – une force que les hommes prétendaient mépriser, mais à laquelle ils finissaient tous par succomber.

Comme la plupart des femmes, la princesse ne s'adonnait pas vraiment à l'introspection et je pense qu'elle ressentait secrètement que ce moment, si important à ses yeux, allait tourner à son avantage comme cela c'était souvent passé en d'autres occasions. Elle ne voyait pas comment le tout allait se dérouler, mais elle ne doutait pas un seul instant que tout irait selon sa volonté. Le destin était son allié. Il l'avait toujours été et il le serait certainement toujours.

En ce qui concerne Brandon, les choses étaient différentes. L'expérience lui avait démontré que ce qu'il désirait vraiment devenait ce qu'il regrettait. De plus, une excellente analyse de la situation lui montrait clairement la réalité qui prévalait et il lui tardait de partir tout comme un blessé qui désire que le scalpel du chirurgien le délivre de ses douleurs. Un horizon sombre avait détruit presque toute sa combativité et amoindri sa nature, et il était devenu apathique et faible. Cela ne lui ferait certainement aucun bien de partir lutter sur une mer sans limites et insondable.

Marie ne voyait pas ce qui allait pouvoir empêcher leur séparation, mais cela ne la troublait pas autant que l'on aurait pu le supposer et elle se montrait satisfaite de laisser les événements suivre leur cours tout en espérant et en croyant que, finalement, elle aurait le dessus. Les événements, cependant, continuaient à lui prouver le contraire et, en fin de compte, elle dut faire face à la réalité et se mit à douter. Le temps s'écoula et, tels qu'apparaissent les quartiers de la lune dans le ciel, les choses empirèrent au point où elle commença graduellement à réaliser qu'il y avait vraiment quelque chose qui n'allait pas.

Les ennuis ont vraiment commencé lorsqu'ont été découvertes nos rencontres dans le salon de Lady Marie. Il n'y avait rien d'extraordinaire dans le fait qu'elle passe ses soirées en compagnie de jeunes gens, toutefois nous savions très bien que ce qui était inhabituel était qu'elle le fasse avec un nombre aussi restreint de gens. Huit ou dix personnes constituaient un nombre suffisant mais propre à créer quand même de la jalousie parmi les courtisans non invités. Cependant, quatre personnes dont deux du même sexe était une chose tout à fait différente. Tout était une question de nuances et nous allions rapidement apprendre que cela reflétait l'opinion du roi.

Il n'était pas étonnant de trouver de nombreux courtisans prêts à raconter n'importe quelle fable, d'autant plus qu'il était impossible de garder nos petits secrets pendant bien longtemps parmi la population qui vivait au palais de Greenwich.

La reine fit venir Jeanne et la questionna. La dame de compagnie estimait alors qu'il était obligatoire de dire la vérité (une erreur commise par de nombreuses personnes, car elle les mène souvent à leur perte!). En effet, la vérité est une chose dont on peut facilement abuser.

Jeanne a donc tout déballé et l'austère Catherine fut si horrifiée qu'elle manqua de s'évanouir. Les cheveux dressés sur la tête par les horreurs qu'elle venait d'entendre, elle se rendit chez le roi et lui fit part de ce récit de « débauche » et d'imprudences. Ce dernier, tout d'abord indigné devant les faits, entra vite dans une rage folle.

Marie, Jeanne, Brandon et moi avons été immédiatement priés de nous présenter devant Leurs Majestés et fortement réprimandés. Sauf la princesse, nous avons tous reçu ordre de quitter la cour avant même d'avoir pu prononcer une parole pour notre défense. Toutefois, Marie est venue à notre secours grâce à son éloquence et à sa logique typiquement féminine. Elle a rapidement convaincu Henri que la reine, dont l'opinion comptait peu aux yeux de ce dernier, avait fait une montagne d'une taupinière. La colère royale s'est donc calmée au point que l'ordre d'expulsion a été modifié, aussitôt remplacé par un autre qui interdisait les rencontres dans le petit salon de la princesse. Cette clémence royale avait été facile à obtenir parce que la princesse n'avait pas parlé au roi depuis le jour où elle était allée le voir à la suite de la visite de Wolsey.

Par la suite, après qu'elle eut refusé de lui parler, Henri s'était fâché à cause de ce qu'il nommait «l'insolence» de sa sœur. Marie, elle, avait l'air de se moquer de la situation, et la colère d'Henri ne semblait pas pouvoir changer quoi que ce soit, si bien que, bientôt, il feignit l'indifférence à son égard. C'est ainsi que s'est poursuivi le mutisme qui les séparait. Et puis, avec le temps, cela avait commencé à amuser le roi et, derniè-rement, il avait tenté à plusieurs reprises de se montrer plus amical envers elle par le truchement de bouffonneries gauches et de plaisanteries lourdes qui, la plupart du temps, n'appor-taient pas le résultat escompté – c'est-à-dire une réconciliation. Les bouffonneries du roi étaient tout de même réussies d'un point de vue comique, et Henri s'est montré vraiment heureux de pouvoir redonner la parole à sa sœur qui d'ordinaire n'avait pas la langue dans sa poche. Cela représentait également l'occa-sion de lui faire plaisir un peu alors qu'il lui demandait un si grand sacrifice, un sacrifice pour lequel il s'attendait à recevoir en prix pour la couronne impériale l'aide de Louis de France, le roi le plus puissant d'Europe.

Notre réunion avec le roi s'est donc terminée sur cette note et Brandon sut que son rêve était brisé et que toute tentative pour rencontrer la princesse se terminerait probablement dans un désastre pour tous les deux.

Le même jour, le roi fit part à Marie que la lettre qu'elle avait adressée à Brandon lorsqu'il se trouvait à Newgate avait été interceptée et il l'accusa de ce qu'il était heureux de qualifier de «sentiment déplacé envers une personne de basse extraction».

Marie communiqua immédiatement cette nouvelle à Brandon dans une lettre. Après l'avoir lue, ce dernier eut le sentiment désagréable qu'elle était le présage d'ennuis futurs.

— Il est préférable que je quitte le plus vite possible, car il se pourrait bien que je doive partir sans ma tête… dit-il, n'ayant visiblement pas le cœur à rire. Lorsque ce genre d'idée commence à entrer dans l'esprit du roi, il peut frapper à tout moment et je tomberai…

Des lettres de Marie ont commencé à parvenir à notre appartement. Au début, elle suppliait Brandon de venir la rejoindre, et puis elle s'est mise à le réprimander pour sa froideur et sa couardise. Elle lui disait que s'il l'aimait vraiment autant qu'elle l'aimait, il viendrait la voir dût-il passer à travers feu et sang. C'est précisément ce qui causait un problème. Il ne craignait ni le feu ni le sang, car il ne s'agissait pour lui que de détails qui n'auraient fait qu'ajouter un peu de piquant à la situation. Toutefois, le rire renfrogné du tyran qui pouvait le faire ligoter et le souvenir du cachot de Newgate avec, en prime, le nœud coulant ou le billot du bourreau étaient des pensées tellement désagréables qu'elles lui ôtaient toute envie de se montrer chevaleresque. Brandon n'aimait se battre que lorsque l'issue était soit une victoire possible, soit une rançon ou toute autre manière de finir en vainqueur. Le chevalier Bayard était de la même trempe.

C'est ainsi que de quelque côté qu'il retournait le problème, le bon sens de Brandon lui dictait qu'il serait pure folie que d'essayer de la rencontrer. Cependant, il était décidé à la revoir avant de partir, mais comme il s'agirait probablement de sa dernière possibilité de le faire, il réservait cet ultime face-à-face pour la dernière minute et avait écrit à Marie qu'il s'agirait de leur unique et meilleure chance.

Par conséquent, Marie réalisa brusquement que Brandon était sur le point de partir et qu'elle allait le perdre si quelque chose n'était pas fait rapidement. Ses multiples caprices ayant toujours été satisfaits, Marie ne pouvait supporter de perdre celui qu'elle désirait le plus au monde, pour lequel elle aurait volontiers tout abandonné. Cela ne pouvait pas être et ne serait pas.

Son état nerveux était trop exacerbé pour qu'elle se trouve engourdie par cette douleur atroce.

La vie lui échappait. Il lui était péremptoire d'agir. Pauvre Marie! Quelle souffrance terrible une grande âme comme la sienne, avec ses erreurs et ses faiblesses, devait-elle endurer! Quelle incroyable disproportion entre sa prédisposition à la douleur et sa capacité à la combattre! L'insoutenable pincement au cœur de l'amour la rendit presque folle.

Ne pouvant supporter de rester inactive, elle fit donc la pire chose. Elle vint un après-midi, seule, juste avant le crépuscule, pour rencontrer Brandon chez nous.

Je savais qu'il était préférable que je sois présent et j'étais certain que Brandon le préférait aussi. Lorsque j'entrai dans la pièce, ils se tenaient par la main en silence. Ils n'avaient pas encore retrouvé la parole car leurs cœurs vivaient un surcroît d'émotions. Le spectacle qu'ils offraient était d'une grande tristesse, tout spécialement la jeune fille qui, au contraire de Brandon, ne possédait pas le sentiment d'impuissance pour atténuer sa douleur.

Lorsque j'entrai, leurs mains se séparèrent et le regard de Marie se tourna vers moi. On pouvait y lire la peur, mais elle fut rassurée lorsqu'elle me reconnut. Brandon s'éloigna d'elle d'un pas mécanique et prit place sur un tabouret. Marie, d'un pas tout aussi mécanique, alla se placer à côté de lui et posa sa main sur l'épaule de son compagnon. Elle me dit, en tournant son visage vers moi:

— Sir Edwin, je sais pertinemment que vous me pardonnerez si je vous dis que nous devons discuter et que nous désirons que vous nous laissiez seuls…

J'allais sortir de la pièce lorsque Brandon m'arrêta:

— Non, non, Caskoden, veuillez rester s'il vous plaît. C'est impossible. Cela serait déjà terrible si l'on découvrait la princesse ici. Imaginez ce que cela serait si on la découvrait en ma seule compagnie. Je serais mort avant l'aube. La situation est déjà assez périlleuse comme cela, car ils vont nous surveiller.

Marie savait qu'il avait raison, toutefois elle ne put s'empêcher de m'adresser un regard narquois alors qu'en aucun cas je ne devais être blâmé pour la décision de Brandon.

Pendant que Brandon et Marie prenaient place sur une grande couverture, je m'asseyais sur un petit tabouret en face d'eux de façon à boucher le passage.

— Je ne peux plus supporter cette situation, s'exclama Marie. Dès ce soir, j'irai voir mon frère et lui dirai tout ce que j'ai à lui dire. Je lui expliquerai à quel point je souffre et comment je mourrai certainement si l'on vous laisse partir et me quitter pour toujours. Il m'aime et je peux arriver à mes fins si je le veux. Je sais que je peux obtenir son consentement à notre mariage. Il ne peut pas savoir combien je souffre, car s'il le savait, il ne me traiterait pas ainsi. Je vais lui montrer quelle est ma douleur, je vais le convaincre. Je sais exactement tout ce que je vais lui dire et tout ce que je ferai. Je vais m'asseoir sur ses genoux, lui caresserai les cheveux et l'embrasserai.

À ce moment précis, elle rit doucement car son moral s'améliorait au fur et à mesure que son espoir augmentait.

— Puis je lui dirai qu'il est beau et que je sais que toutes les femmes languissent sur son passage. Je sais qu'il m'accordera ma demande. Oh! Je sais exactement quoi faire. Je l'ai fait si souvent. Ne craignez rien! Pourquoi donc ne l'ai-je pas fait plus tôt?

Son enthousiasme et son espoir étaient tout ce qu'il y a de plus contagieux, mais Brandon, qui jouait sa vie, n'a pas permis que le danger prenne le contrôle de son intelligence.

— Marie, désirez-vous donc me retrouver à l'état de cadavre dès demain matin?

— Pourquoi donc? Bien sûr que non! Pourquoi me posez-vous une question aussi abominable?

— Parce que, si vous voulez vous assurer de ma mort, vous n'avez qu'à faire ce que vous venez de dire: vous rendre chez le roi et lui dire tout cela. Je doute qu'il attende même à demain matin pour me faire mettre à mort – au bout d'une corde ou sur le billot.

— Oh! non! Vous avez tort. Je sais très bien ce que je peux faire avec Henri.

— Si tel est le cas, je vous fais mes adieux maintenant, car je serai loin de l'Angleterre avant minuit. Vous devez me promettre que vous n'irez pas chez le roi pour parler de tout cela. Promettez-moi de garder le silence sur ce sujet et souvenez-vous que ma vie, qui vous est si chère, dépend de vous. Me le promettez-vous? Je devrai fuir si vous ne me le promettez pas. Et ainsi vous me perdrez d'une façon ou d'une autre, soit dans la mort soit dans la fuite.

— Je le promets, répondit Marie en baissant la tête.

Elle était le désespoir personnifié. Toute vie et tout espoir avaient quitté son corps.

Quelques minutes plus tard, son visage s'éclaira à nouveau et elle demanda à Brandon quel était le nom du navire sur lequel il devait embarquer pour la Nouvelle-Espagne et la date de son départ.

— Je partirai de Bristol sur le *Royal Hind*, a-t-il répondu.

— Combien de personnes y aura-t-il à bord? Y aura-t-il des femmes?

— Non! Non! a-t-il répliqué. Aucune femme ne peut faire ce voyage. Les marins sont superstitieux en ce qui concerne le beau sexe. Ils disent que les femmes attirent la malchance, des vents contraires, des tempêtes, des calmes plats, l'obscurité, des monstres venus des profondeurs de la mer…

— Quelles créatures ignares! cria Marie.

— Il y aura environ cent hommes si le capitaine arrive à les recruter, continua Brandon.

— Comment peut-on se faire engager pour la traversée? demanda Marie.

— En se faisant recruter par le capitaine, un homme qui répond au nom de Bradhurst, à Bristol, là où le navire est ancré. C'est là où je me suis engagé par lettre. Pourquoi me demandez-vous cela?

— Je voulais tout simplement le savoir.

Nous avons discuté de sujets divers pendant un certain temps, mais Marie ramenait toujours la conversation sur le *Royal Hind* et la Nouvelle-Espagne. Après avoir posé de nombreuses questions, elle resta silencieuse pendant un long moment. Et puis elle interrompit brusquement une de mes phrases – elle interrompait toujours ce que je disais comme un perroquet.

— Je viens de réfléchir. J'ai décidé ce que j'allais faire et vous n'arriverez pas à me faire changer d'idée. Je vais partir en Nouvelle-Espagne. Cela sera fantastique, bien mieux que le train-train de la cour. Et c'est ainsi que le dilemme sera résolu…

— Mais c'est impossible, Marie, dit Brandon dont le visage reflétait la preuve qu'une nouvelle lueur d'espoir l'avait frappé. Absolument impossible. Pour commencer, aucune femme ne pourrait supporter le voyage, même pas vous, aussi jeune et forte que vous soyez!

— Oh! oui, je le pourrai et je ne vous permettrai pas de m'en empêcher pour cette raison. Je peux surmonter les épreuves bien mieux que la torture de ces dernières semaines. En vérité, je ne peux pas la supporter du tout. Cela me tue, imaginez donc ce que cela sera lorsque vous serez parti et que je serai la femme de Louis? Je préfère mourir durant le voyage, si le voyage doit me tuer. Au moins je mourrai près de vous, et mourir à vos côtés sera une chose si douce...

Imaginez-vous que je devais rester assis à écouter toutes ces fadaises!

Brandon insista:

— Aucune femme ne participe au voyage; comme je vous l'ai dit, les marins ne veulent pas de femmes à bord. De plus, comment pensez-vous pouvoir fuir? Je vais répondre à cette question. Vous dites que la cour vous observe et que tous les mouvements que vous faites sont épiés. C'est donc impossible. Nous ne devons pas y penser. Cela ne peut se faire. Pourquoi se donner de fausses espérances?

— Oh! Cela peut se faire. N'en doutez jamais. Je vais partir non en tant que femme, mais déguisée en homme. J'ai prévu tous les détails. Demain, j'enverrai une certaine somme d'argent à Bristol et je demanderai une chambre individuelle sur le navire en disant que je suis un jeune noble qui désire connaître la Nouvelle-Espagne et voyager incognito. Je monterai à bord juste avant le départ du navire. J'achèterai une garde-robe complète d'homme et m'exercerai à être un homme devant vous et Sir Edwin.

À ce moment, elle rougit tellement que je pus voir son visage écarlate dans l'obscurité naissante. Elle continua :

— En ce qui concerne ma fuite, je peux aller à Windsor et ensuite peut-être au château de Berkeley pour continuer vers Reading, où personne ne pourra me surveiller. Vous pouvez partir sur-le-champ. Dès que vous aurez quitté la cour, personne n'aura plus de motif pour m'espionner, et c'est ainsi que j'arriverai facilement à m'enfuir. Ma décision est prise. Je commencerai par aller chez ma sœur au château de Berkeley, qui se trouve de l'autre côté de Reading. Cela me permettra ensuite de faire un voyage moins long pour me rendre à Bristol.

Cette pensée ne pouvait que plaire à Brandon ! L'ardeur des paroles de Marie avait commencé à distiller l'espoir dans son cœur et il plaisanta en disant :

— Je me demande bien si cela est réalisable… Si jamais cela l'était, si jamais nous pouvions atteindre sans heurts la Nouvelle-Espagne, nous pourrions nous y installer et bâtir une résidence dans les magnifiques montagnes vertes. Nous pourrions nous cacher du monde en toute sécurité, dans une jolie vallée riche en nature, où se rencontrent en abondance arbres fruitiers et fleurs, à l'abri des rayons intenses du soleil et protégés des vents adverses. Nous vivrions dans ce paradis tout à nous. Quel rêve magnifique ! Mais cela n'est qu'un rêve et nous ferions mieux de nous réveiller et d'émerger de ces songes…

Brandon devait être devenu fou !

— Non ! Non ! Ce n'est pas un rêve, interrompit Marie d'une voix décidée. Ce n'est pas un rêve. Cela va devenir une réalité. Ce sera fantastique ! J'imagine déjà notre petite maison nichée dans les collines, à l'ombre d'arbres majestueux et entourée de fleurs et de vignes. Je vois les oiseaux multicolores et les splendides papillons. Qu'il me tarde d'y être ! Qui donc accepte de vivre dans un palais lorsque l'on possède à portée de la main une telle demeure, et cela, avec vous?

Et cela recommençait. J'ai bien pensé que j'allais attraper mon coup de mort pendant leur discussion.

Brandon prit son visage entre ses mains et déclara en relevant la tête:

— Tout est question de votre bonheur. Aussi pénibles pourront être le voyage et votre vie de l'autre côté de l'océan, je pense honnêtement que votre existence en Nouvelle-Espagne sera préférable à celle que vous auriez en épousant Louis de France. Rien ne pourrait être plus terrible pour nous deux. Si vraiment vous voulez partir, je vais essayer de vous emmener, bien que l'attente me fasse mourir. Vous pouvez revenir sur votre décision, car nous avons encore beaucoup de temps jusqu'au départ.

Elle bafouilla sa réponse en prenant les mains de Brandon dans les siennes, alors que des larmes coulaient doucement le long de son visage. Cette fois-ci, il s'agissait de larmes de joie – les premières qu'elle versait depuis longtemps.

Ils s'embarquèrent à nouveau pour le pays des sirènes et en étaient déjà les prisonniers.

Oui, la résolution que Brandon avait prise, celle de ne pas rencontrer Marie, n'avait pas été suivie comme prévu. Au fil des événements, le non-respect de cette promesse intime allait le mener au bord du gouffre.

Il savait que si jamais il devait la rencontrer, ne serait-ce qu'une fois de plus, sa volonté chancelante allait perdre tout son équilibre et qu'en tentant l'impossible cela le conduirait à sa propre destruction. En tout premier lieu, ses plans me sont apparus dans leur vraie lumière, mais la subtile logique féminine de Marie avait réussi à les faire paraître comme étant ordinaires et, en conséquence, j'ai commencé à m'enthousiasmer pour leur projet, éliminant ainsi toute espèce de prudence et de bon sens.

La logique des sirènes avait toujours été irrésistible et continuera sans doute à l'être, malgré toutes les expériences.

Il m'est impossible de définir ce qui faisait que les discours de Marie étaient raisonnables, implorants et persuasifs en même temps. Les faits qu'elle présentait étaient de vraies chimères et sa logique tenait du sophisme. On n'y retrouvait aucun véritable argument ni raisonnement. Cela était sans doute attribuable à sa grande force de caractère et à sa personnalité énergique. Quelque force inconnue de la nature opérait dans ses veines et lui imposait sa volonté, et celle-ci avait quelque chose de magique, j'en suis certain. Cependant, Marie était tout à fait inconsciente de cette magie, et cela, j'en suis également certain. Elle n'aurait jamais utilisé ce pouvoir si elle avait été consciente qu'elle le possédait.

Il existait encore un obstacle auquel Marie avait administré son remède préféré, le traitement du nœud gordien.

Brandon déclara alors :

— Cela ne peut se faire. Vous n'êtes pas mon épouse et il serait dangereux de faire confiance à un prêtre pour nous unir.

— Non, répondit Marie, la tête basse, mais nous pouvons certainement en trouver un quelque part.

— Je ne sais pas comment cela pourra se faire. Nous n'en trouverons probablement pas, j'en ai bien peur. Je ne sais pas.

Après quelques hésitations, elle répondit :

— Je partirai avec vous de toute façon et je vais risquer l'aventure. J'espère que nous trouverons un prêtre.

Et là-dessus, elle rougit de la tête aux pieds.

Brandon l'embrassa et lui dit :

— Vous viendrez, courageuse enfant. Vous m'avez fait rougir de honte à cause de mon manque de courage et de ma prudence. Je ferai de vous mon épouse aussi certainement que Dieu existe.

Peu après, Brandon prit l'initiative de lui demander de partir. C'est ainsi que je sortis en même temps qu'elle, plein d'espoir et totalement aveuglé par les risques de leur projet chéri. Je pense que Brandon n'avait jamais vraiment perdu de vue les dangers et la proportion infinie de chance qu'il prenait dans cette aventure folle et imprudente, mais il était assez audacieux pour tenter le tout pour le tout au risque des conséquences mortelles qu'il s'était imaginées.

Ce qui dans le cas de Marie passait pour être du courage était souvent, en fait, un manque de perception des menaces réelles. Faire face à des dangers en pleine connaissance de cause est ce que l'on appelle le vrai courage. Marie était courageuse, mais ce courage pouvait être perçu comme de la sottise aveugle au danger. Son entêtement arrivait parfois à repousser sa vision externe et elle ne voyait tout simplement plus. Elle partageait cela avec de nombreuses personnes et avait parfois besoin de lunettes mentales pour voir.

CHAPITRE XV

Nous fîmes donc les arrangements nécessaires et je convertis une partie des bijoux de Marie en argent sonnant. Elle regretta à cette occasion de ne pas avoir accepté la rivière de diamants de de Longueville, car elle eut pu l'ajouter à son trésor. Cette liquidation de bijoux lui procura tout de même une rondelette somme à laquelle je contribuai pour la bonne mesure. À la demande de Marie, j'en envoyai une partie à Bradhurst, au port de Bristol, et gardai le reste que je confiai à Brandon.

Une réponse favorable nous parvint de Bristol. Vu que le «jeune homme de la noblesse» avait réglé les frais rubis sur l'ongle, le capitaine lui réservait une chambre séparée sur son bâtiment.

La prochaine étape consistait à procurer à Marie une garde-robe de gentilhomme, ce qui se révélait délicat puisqu'on ne pouvait prendre ses mesures. Nous avons surmonté les difficultés en demandant à Jeanne de le faire selon les instructions du tailleur. Il ne me restait plus qu'à envoyer les chiffres ainsi que l'étoffe choisie à cet homme de l'art, un fournisseur habituel.

Il prit connaissance des mesures avec des yeux pétillants et me fit la remarque suivante :

— Sir Edwin, voici un homme aux formes les plus curieuses qu'il m'ait été donné de voir. Il est certain qu'il ferait une fort ravissante jeune femme ou alors je ne connais rien aux dimensions des êtres humains...

— Ne vous occupez pas de cela. Confectionnez ces habits tel qu'on vous le demande et, dans votre intérêt, vous feriez mieux de vous taire... Compris?

— J'ai entendu. C'est compris. Je demeurerai muet comme la tombe... répondit l'homme avec un clin d'œil très étudié.

Quelques jours plus tard, j'apportai les vêtements à Marie et ils furent bientôt ajustés à son goût.

Le temps passait rapidement. Il restait moins d'une quinzaine avant la date d'appareillage du *Royal Hind* et l'aventure se présentait sous ce qui nous semblait être de bon augure.

Jeanne était affligée, car elle estimait devoir être du voyage, une éventualité qui me touchait beaucoup, et je commençais à souhaiter que ce projet infernal se retrouve au fond des océans. Si Jeanne s'en allait, Son Auguste Majesté le roi Henri VIII devrait se priver des services d'un maître à danser aussi sûrement qu'il y a des étoiles dans le ciel. On décida toutefois que Brandon aurait déjà fort à faire avec une femme et que deux compliqueraient terriblement l'entreprise. Jeanne devait rester en Angleterre, rongée de chagrin et d'indignation, convaincue qu'on la traitait très mal.

Malgré le fait qu'au début Jeanne fût violemment opposée à cette aventure, elle se laissa convaincre par l'enthousiasme communicatif de Marie. De plus, prenant en considération le bonheur de sa chère maîtresse, elle se réconcilia davantage avec l'idée de se séparer d'elle. Pour une personne de son âge, cette entreprise amoureuse se présentait comme une solution de dernier recours et était suffisamment romantique pour titiller l'imaginaire de toute jeune femme. En effet, rien ne manquait: l'exaltation d'au moins un des amoureux, le chemin ardu que leur amour devait parcourir, leur fugue et, par-dessus tout, une fuite vers le Nouveau Monde, vers une chaumière nichée à l'ombre d'une végétation odorante et entourée du chant de milliers d'oiseaux. Que pouvait-il y avoir de plus romantique? Au fur et à mesure que le temps passait, et à ma plus grande surprise, Jeanne accepta cette séparation, et son sens de l'anticipation ainsi que sa fièvre du départ se mirent rapidement au diapason de Marie.

Marie était ravie du trousseau qu'elle avait choisi pour sa fugue. Il était, bien sûr, de la plus grande classe. Non seulement sa qualité était-elle supérieure à celle des vêtements courants, mais le justaucorps et les chausses avaient une autre allure sur la princesse. Elle parada pendant environ une heure en s'habituant à cette nouvelle tenue. Alors que le miroir lui renvoyait la plus belle image qui soit, elle accorda à Brandon et à moi l'autorisation de la voir ainsi accoutrée. Elle précisa que, voulant s'accoutumer à porter ces nouveaux habits, elle voulait connaître notre opinion sur la question. Elle pensait que, faute de pouvoir supporter notre regard, elle échouerait lamentablement à bord lorsqu'elle serait entourée d'une foule d'étrangers.

Ce raisonnement l'emporta sur sa modestie et l'incita à venir nous trouver dans son rôle de jeune noble. Jeanne protesta avec une véhémence hors de proportion pour son état de petite lady, mais la princesse, volontaire et déterminée, se moqua de ces réticences, jeta une longue cape sur ses épaules et se dirigea vers notre appartement avec sa dame de compagnie colérique et en pleurs sur ses talons.

Lorsque j'entendis frapper, je fus persuadé qu'il s'agissait des demoiselles, même si Marie avait juré que, peu importaient les circonstances, elle ne se rendrait pas chez nous. Je connaissais trop bien son incapacité à combattre ses désirs et sa témérité

229

lorsqu'elle jugeait que cela en valait la peine. J'étais donc certain qu'elle essaierait encore de venir cogner à notre huis.

J'ai déjà parlé des attributs du courage. Qu'est-ce, en fait, et, après tout, comment peut-on l'analyser? Certains disent que les femmes sont peureuses, mais j'ai vu une femme capable de prendre des risques qu'aucun homme n'oserait braver. Serait-il possible qu'elles soient plus braves que nous? Que notre bravoure ne soit que vantardise? Après une longue observation de la nature humaine, je puis répondre: «Certes, dans certaines conditions les femmes sont les plus braves créatures sur terre!» Il faut toutefois dire qu'elles sont parfois follement timides.

Je fis entrer les demoiselles. Une fois la porte close, Marie détacha la fibule de sa cape et celle-ci tomba sur ses talons. Elle avança avec un petit rire de satisfaction et se présenta en justaucorps, en chausses et dans une certaine confusion. Il s'agissait du plus charmant spectacle qu'un mortel puisse imaginer. Son chapeau, large et plat, avec une plume blanche autour de la couronne, était de velours cramoisi orné de galon doré avec, çà et là, quelques pierres précieuses. Son justaucorps, assorti au chapeau, était orné de dentelle et d'une ganse dorée. Ses chausses étaient de lourde soie noire, ajourées avec des appliques de satin et ornées de soie lavande. Ses fines chaussures françaises étaient de cuir brun-roux. Un tel étalage de couleurs était digne d'évoquer celles de l'arc-en-ciel, mais quel arc-en-ciel!

Brandon et moi étions muets d'admiration et nous ne pûmes la dissimuler, ce qui déconcerta la princesse et augmenta sa gêne. Nous ne pouvions en effet lui dire ce qui nous semblait le plus joli: les vêtements, la personne ou la confusion. Une chose était certaine: le spectacle était le plus beau que l'œil d'un homme puisse contempler.

Les belles plumes ne font pas forcément les plus beaux oiseaux et les habits masculins de Marie ne parvenaient pas plus à la faire ressembler à un homme qu'une gracieuse gazelle que l'on harnacherait ressemblerait à un palefroi. Rien ne pouvait dissimuler sa féminité exquise et intense. Devant nos airs étonnés et admiratifs, Marie se mit à rougir intensément.

— Qu'y a-t-il? Quelque chose ne va pas? demanda-t-elle.

— Absolument pas, répondit Brandon en s'efforçant de sourire. Rien ne va de travers avec vous, voilà qui est certain. Vous êtes parfaite… en tant que femme, et quiconque y trouverait à redire serait bien difficile à satisfaire. Mais si vous pensez un tant soit peu que vous ressemblez à un homme ou que votre habillement dissimule le moins du monde votre sexe, vous vous trompez car, au contraire, il fait davantage ressortir votre féminité…

— Comment cela se peut-il? demanda Marie, passablement amusée. Ne me dites pas que le justaucorps, les chausses et le chapeau que je porte ne sont pas des vêtements d'homme. Pourquoi alors ne ressemblerais-je pas à un homme? Dites-moi ce qui ne va pas. Oh! Je pensais vraiment ressembler à un homme, je pensais que ce déguisement était parfait…

— Eh bien! répliqua Brandon, si vous me permettez, votre silhouette est trop bien proportionnée et harmonieuse pour être celle d'un homme…

La princesse rougit alors que Brandon poursuivait.

— Vos pieds sont trop menus, même pour un jeune garçon. Je ne pense pas que vous puissiez ressembler à un homme, même si vous vous y efforciez jusqu'à la fin des temps…

Il s'adressait à Marie d'une voix émue, car il voyait dans sa féminité exubérante et parfaite un formidable obstacle pour leurs projets.

— Pour vos pieds, il y aurait moyen de trouver de plus grandes chaussures ou mieux, des bottes militaires. Pour ce qui est des chausses, vous pourriez en porter de plus longues. Quant au justaucorps, je ne saurais dire…

Marie semblait désorientée et désespérée et, commençant à prendre conscience de la situation, enfouit son visage rougissant au creux de son bras.

— Combien eussé-je préféré ne point venir ici! Mais je voulais m'habituer à me présenter ainsi devant les gens. Je croyais pouvoir supporter facilement le regard des autres et ne me voyais pas sous ce jour…

Elle ramassa rapidement la cape tombée sur le sol lors de son arrivée et s'en enveloppa.

— Que faire, Marie? demanda gentiment Brandon qui ne reçut aucune réponse. Si vous me suivez, vous devrez constamment supporter mon regard…

— Je ne crois pas que cela soit possible…

— Non, non, reprit-il en tentant bravement de feindre la gaieté. Nous devons abandonner cette idée. J'avais des appréhensions dès le début. Je savais que c'était impossible et que nous ne devrions même pas essayer. J'ai été fou et même criminel de penser à vous laisser tenter cette expérience.

La gaieté de commande de Brandon diminuait avec chaque mot et il se laissa choir dans un fauteuil, les coudes sur les genoux, le visage dans les mains. Marie vint le retrouver. Elle avait eu un moment d'hésitation, mais elle n'avait pas l'intention de rendre les armes. S'agenouillant devant lui, elle lui demanda d'un air implorant :

— N'abandonnez pas ! Vous êtes un homme, vous ne devez pas être défaitiste et me laisser, moi, une femme, vous faire la leçon ! Vous devriez avoir honte de me laisser avoir de si hautes attentes envers vous et de compter sur votre personne pour me donner du courage ! Je m'en vais et m'arrangerai d'une façon ou d'une autre. Oh ! Pourquoi suis-je si différente ? Je souhaiterais être aussi ordinaire que la reine…

Pour la première fois, elle se lamentait sur sa beauté, car celle-ci s'interposait entre Brandon et elle. Elle ne tarda pas aider notre ami à sortir de son découragement et nous recommençâmes à penser à notre projet.

Marie était occupée à essayer de se draper dans sa cape, ce qui semblait signifier qu'elle ne prenait pas notre opinion à la légère et se montrait attentive à nos suggestions qui, en bref, étaient les suivantes : elle devrait modifier sa mise en changeant de chausses et en troquant ses fins souliers pour des bottes militaires. Quant au pourpoint, Marie se mit à rire et, en rougissant, déclara qu'elle avait une idée dont elle ferait part secrètement à Jeanne mais qu'elle ne tenait pas à nous divulguer. Se penchant vers sa dame de compagnie, elle chuchota quelques mots. Jeanne, aussi grave que le Lord Chancelier, nous communiqua ses remarques en nous disant qu'elle pensait que « l'idée était bonne ». Nous l'espérions aussi, mais n'en étions pas convaincus.

Écrire ou lire de tels détails peut sembler insipide mais je puis vous assurer que la situation était passionnante à cette époque. Au moins trois d'entre nous jouions avec cette vieille et comique compagne – la mort – et cela donnait au jeu un intérêt des plus palpitants.

Après toutes ces années, je peux encore revoir notre groupe assis dans ce grenier. Les personnages sont encore présents, dans le halo de ma vision embuée de larmes. Je revois ces jeunes gens si pleins de vie et pourtant si pathétiques dans leur gravité et ressens encore une grande pitié pour ces âmes s'exposant à un tel danger, souffrant et, de plus, si téméraires et si confiants dans le pouvoir de l'amour et dans l'omnipotence de la jeunesse. Ah! si seulement Dieu, dans son infinie sagesse, avait jugé bon de préserver un seul trésor de la catastrophe du jardin d'Éden, la jeunesse, combien de cœurs reconnaissants il y aurait sur terre et combien cela compenserait pour nos autres infortunes!

En ce qui concerne la fugue amoureuse, nous avions convenu que Brandon devait quitter Londres le jour suivant pour Bristol et s'occuper des arrangements pendant qu'il était en route. Il devait transporter avec lui deux ensembles de bagages, ses affaires et celles de Marie, et s'assurer qu'ils se rendent bien à bord. Huit chevaux étaient nécessaires, dont quatre se trouvaient au relais d'une auberge sise entre le château de Berkeley et Bristol, et quatre autres au lieu de rendez-vous, à deux lieues environ de Berkeley, pour l'usage de Brandon, de Marie et de deux hommes, citoyens de Bristol, devant accompagner la princesse la fameuse nuit. Un petit détail désagréable subsistait que nous ne pouvions supprimer entièrement : Jeanne et moi pouvions être suspectés de complicité dans la fugue de Marie. Comme vous le savez, faciliter un tel acte est une trahison pour laquelle il n'y a pas de pitié. Je pensais avoir un plan permettant de nous éviter un tel danger si seulement je pouvais réfréner pour une fois la lamentable habitude que Jeanne avait de raconter sa vie en toute franchise à n'importe qui, sur tous les sujets, n'importe quand et n'importe où. Elle promit de ne rapporter que les paroles que je lui avais inculquées mais je savais que la vérité risquait de surgir par une multitude d'interstices, car elle était aussi incapable de tenir sa langue qu'un panier de garder l'eau. Nous jouions avec des enjeux majeurs que bien des chevaliers n'auraient pas osé risquer. Après tout, il s'agissait de permettre la fuite de la première princesse de sang royal du monde... Une telle perspective me fait encore frissonner. La découverte de ce complot signifiait la mort pour au moins une personne, c'est-à-dire Brandon, et peut-être le même traitement pour deux autres, Jeanne et moi. Si la naïve franchise de Jeanne ne pouvait être jugulée, notre tête était déjà sur le billot.

Après avoir réglé les derniers détails, les demoiselles prirent congé de nous. Marie embrassa furtivement Brandon sur le seuil de la porte. J'essayais d'inciter Jeanne à suivre l'exemple de sa maîtresse, mais elle se montra aussi distante et froide que la pleine lune.

Je revis Jeanne ce soir-là et lui expliquai en termes non ambigus ce que je pensais de la manière dont elle me traitait et combien il était égoïste de sa part et peu gentil de prendre avantage de mon amour pour me réserver un sort si cruel. Je lui dis que si elle avait une seule goutte de générosité, elle n'hésiterait pas à me déclarer son amour. Si elle m'aimait, il fallait qu'elle me le fasse savoir d'une manière ou d'une autre ; dans le cas contraire, mieux valait me le dire avant de perdre mon temps et mon énergie à poursuivre un impossible objectif. Je me trouvais particulièrement astucieux de la forcer dans une position où son refus de me dire qu'elle ne tenait pas à moi la conduirait à une sorte de demi-aveu de sa flamme. Bien sûr, je ne craignais pas le pire ou peut-être que je n'aurais pas dû être aussi pressé de précipiter les choses.

Elle ne me répondit pas directement, mais me dit :

— De la manière dont vous regardiez Marie aujourd'hui, j'avais l'impression que vous vous moquiez de l'opinion de toute autre jeune fille...

— Ah! Jeanne! criai-je tout joyeux. Je vous retrouve enfin, car vous êtes jalouse, ma parole!

— Monsieur, je crois comprendre que votre vanité vous a conduit à commettre de grosses erreurs...

— Entre votre bienveillance à mon égard et la jalousie, que dois-je choisir? lui demandai-je sérieusement en me pensant malin.

— En ce qui concerne la jalousie, Edwin, voici: je pense que cela signifie beaucoup de choses, trop de choses, répondit-t-elle d'un ton implorant.

J'obtins pourtant quelque chose de plus avant son départ, et ce, malgré elle. Cette bonne nouvelle me plaça pratiquement dans un état de lévitation.

Jeanne fit la moue, me donna une petite tape puis s'en alla mais, rendue à la porte, se retourna et me gratifia de l'un de ses rares sourires, inestimable pour moi, car cela signifiait qu'elle n'était pas fâchée. Cela jetait en outre un rayon de soleil sur un fait que je n'avais pas remarqué dans mon aveuglement: Jeanne était une femme qui devait être conquise *vi et armis* – par la force et les armes...

Certaines femmes ne peuvent être conquises et doivent se donner. Marie était l'archétype de cette catégorie; certaines vous rencontrent à mi-chemin et vous tendent aimablement la main; d'autres, comme Jeanne, sont toujours évasives et ne peuvent être séduites qu'après une course d'obstacles. Elles en valent généralement le jeu et font de douces captives. Ce sourire lancé sur le seuil de ma porte signifiait que Jeanne était mienne. Tout ce que j'avais à faire était de me garder de mes ennemis extérieurs, forcer ses défenses le temps venu et n'accepter rien de moins que son cœur en guise de rançon.

Le jour suivant, Brandon alla offrir ses respects au roi et à la reine, fit ses adieux à ses amis et chevaucha seul en direction de Bristol. Inutile de dire que son départ ne chagrina guère Henri VIII...

CHAPITRE XVI

Quelques jours après le départ de Brandon, et avec le consentement du roi, Marie réunit un petit groupe de personnes qui devait se rendre à Windsor pendant quelques semaines afin de fuir la canicule.

Nous étions une douzaine comprenant deux chaperons, le vieux comte de Hereford et la duchesse douairière de Kent. Henri aurait mieux fait d'envoyer une paire d'épagneuls pour garder Marie, car une armée n'aurait pas suffi à la surveiller et, pour dire vrai, les vieux chaperons avaient davantage besoin de surveillance que nous. Un vrai scandale! Chacune de ces personnes était atteinte de la goutte et lorsqu'elles se faisaient des grimaces, nous nous demandions toujours si elles s'amusaient à s'envoyer des piques ou si leur cœur ou leurs pieds leur causaient des ennuis.

Marie leur assurait la belle vie en tout temps, même au palais, et je sais qu'ils auraient préféré fréquenter une bande de petits démons plutôt que nous. Mais cela leur donnait l'occasion d'être ensemble, un arrangement combiné par la reine, je crois, et cela les satisfaisait. Le comte était marié, mais avait un faible pour la douairière, et sa femme fréquentait probablement quelqu'un, ce qui fait que tout le monde y trouvait son compte. Cela amusait grandement les jeunes et Marie disait, probablement sans adhérer à la stricte vérité, que chaque soir elle priait Dieu d'avoir pitié de leur laideur. Un jour, la princesse s'inquiéta de ce que la hideur de cet étrange couple ne devienne contagieuse au point d'en devenir épidémique. Elle ajouta :

— Mon Dieu, Sir Edwin. Qu'arriverait-il si j'attrapais leur maladie ? Monsieur Charles ne voudrait plus de moi...

— N'ayez crainte, Milady, il est trop fidèle pour ne voir en vous que de la beauté, peu importe combien vous pourriez changer...

— Le pensez-vous vraiment ? Il en parle si peu que j'ai parfois des doutes...

C'est ainsi qu'elle évoqua le secret du succès que Brandon avait avec elle, du moins au début, ce qui prouve la puissance stimulante que peut avoir un soupçon de doute dans une relation.

Nous gagnâmes Windsor à un agréable petit galop. Je chevauchais avec Marie la plupart du temps. Ce n'était pas une mauvaise idée, car cet arrangement permettait non seulement d'entretenir la joie et la gaieté de la princesse, qui étaient à leur maximum, mais il permettait de piquer la jalousie de ma petite Lady Jeanne en espérant que ce genre de taquinerie entretiendrait les tendres sentiments qu'elle pouvait avoir envers moi.

Marie riait et chantait, car son âme était comme une fontaine de joie qui noyait les pressions qu'elle subissait. Elle parlait peu, sinon de notre dernière chevauchée sur la même route et, tandis que nous passions par ces lieux familiers, elle ne manquait pas de me rappeler ce que Brandon lui avait dit à tel ou tel endroit. En riant, elle faisait de charmants effets de fossette en racontant comment elle lui avait délibérément fourni des occasions de la flatter jusqu'à ce qu'il sourie et lui dise qu'elle était la plus jolie créature vivante.

— Cela m'a choquée, a-t-elle dit. J'ai fait la moue un moment et, à deux ou trois reprises, j'ai manqué de l'éconduire. Puis j'ai décidé de prendre la chose du bon côté et lui ai demandé s'il pensait que j'avais dit quelque chose qu'il ne fallait pas. Et vous savez ce que ce garçon impudent m'a répondu?

— Je ne peux le deviner…

— Il m'a dit: «Trop de choses. Cela prendrait une vie à raconter.» J'étais encore plus furieuse mais je ne pouvais pas répondre car un moment plus tard il a ajouté: «Néanmoins, je serais très heureux de m'atteler à cette tâche…» Aucun de nous deux n'avait l'idée de le prendre au mot. Effronté? Je pense qu'il l'était. Je n'ai jamais rien entendu de tel. Je ne vous ai pas raconté un dixième de ce qu'il m'a dit. Il m'a relaté tout ce qui lui passait par la tête et il me semblait que j'étais incapable de l'interrompre ou de rétorquer. J'étais à la fois outrée et amusée mais, d'ici à ce que nous ayons atteint Windsor, il n'y avait pas de fille plus désespérément amoureuse que Marie Tudor.

Elle se mit à rire comme s'il s'agissait d'une blague dont elle assumait les frais et poursuivit:

— C'est ce jour-là que tout s'est décidé pour moi… Je ne sais comment il s'y est pris ou plutôt oui, je le sais…

Elle se lança alors dans une énumération de toutes les perfections dont la nature avait pu doter Brandon – une énumération dont je vous ferai grâce et qui, personnellement, m'ennuya prodigieusement.

Nous demeurâmes un jour ou deux à Windsor puis, après avoir tenu compte des objections de nos deux chaperons, nous rendîmes au château de Berkeley où Marguerite d'Écosse passait l'été.

Nous avons donc effectué une charmante chevauchée le long de cette bonne vieille Tamise jusqu'à Berkeley, mais Marie était devenue grave et n'appréciait pas le paysage.

L'après-midi du jour fatidique, la princesse suggéra que l'on organise une chasse au faucon et nous nous dirigeâmes vers le lieu de rendez-vous. Le groupe se composait de trois gentils-hommes, de trois dames, de Marie et de moi-même. Jeanne ne vint pas, car je ne pouvais lui faire confiance. Elle pleura et, non sans difficulté, prétexta un mal de tête. Bien entendu, les autres invités ne pouvaient se douter qu'ils voyaient Marie Tudor pour la dernière fois.

Il suffit de penser au rang de la jeune fille dont nous facilitions la fugue amoureuse! Quels fous étions-nous pour ne pas réaliser combien cette entreprise était désespérée, vouée à l'échec et truffée de risques mortels, car il s'agissait purement et simplement d'une trahison aussi noire que Pluton, le dieu des enfers. Cependant, il semble qu'il existe une providence pour les fous alors que les gens sensés sont laissés à eux-mêmes. La sécurité des écervelés semble résider dans leur propre démence.

Nous continuions d'avancer et, bien qu'à deux occasions, en présence d'autres chasseurs, je priais Marie de rebrousser chemin, car la noirceur tombait et que des averses menaçaient, elle n'en fit qu'à sa tête, ce à quoi tout le monde s'attendait, et continua sa chasse.

Juste avant la tombée de la nuit, alors que nous nous approchions du lieu de rendez-vous, Marie et moi fimes en sorte de devancer le groupe sur une bonne distance. Nous vîmes un héron s'envoler et la princesse enleva le capuchon de son faucon.

— C'est l'heure! dit-elle. Je vais m'éloigner de vous et me perdre. Tâchez de les empêcher de me suivre pendant cinq minutes et je devrais me trouver en lieu sûr. Adieu, Edwin.

Vous et Jeanne êtes les deux seules personnes qui me manqueront. Je vous aime d'un amour fraternel. Lorsque Brandon et moi serons en Nouvelle-Espagne, je ferai en sorte que vous veniez tous deux nous retrouver. Maintenant, Edwin, je dois vous dire quelque chose: ne laissez pas Jeanne vous laisser jouer la comédie plus longtemps: elle vous aime. Elle me l'a confié. Au revoir, mon ami. Embrassez-la mille fois de ma part... conclut-elle, en suivant son oiseau à toute vitesse.

Tandis que je voyais l'évanescente jeune fille s'éloigner, peut-être pour toujours, je ne pus m'empêcher d'avoir les larmes aux yeux en pensant à ce brave petit cœur qui acceptait si courageusement d'affronter de tels dangers à cette femme, qui était si loyale envers elle-même en prenant tant de risques pour son amour. Elle avait manifesté une excitation fébrile une journée ou deux, mais cette fièvre était causée par l'impatience et non par la peur ou l'hésitation.

Bientôt, la princesse fut hors de vue et j'attendis que les autres me rejoignent. Lorsqu'ils arrivèrent, ils me demandèrent à l'unisson où elle était. Je répondis qu'elle poursuivait son faucon et qu'elle m'avait laissé là pour que je demande au groupe de la rattraper. Je les soûlais de paroles et, lorsque je conduisis les cavaliers, je les menai sur une fausse piste. Cela ne tarda pas à apparaître au bout d'un moment. Je me couvris volontairement de ridicule, car j'allais à l'encontre de leur jugement. Je passais pour un idiot, alors qu'en fait c'était eux qui étaient dupes.

Nous sommes alors retournés à notre point de départ. Nos trompes sonnaient sans réserve, mais mon objectif avait été atteint et je savais que dans les vingt minutes suivant nos adieux elle serait avec Brandon en route pour Bristol, nous devançant largement. Nous avons fouillé la forêt avec application mais, bien sûr, nous ne trouvâmes pas trace de la princesse. Après un certain temps, la pluie se mit à tomber et l'un des gentilshommes raccompagna les dames chez elles, tandis que trois d'entre nous continuâmes à battre les taillis et les routes le reste de la nuit, sous un crachin persistant. Cette corvée se révélait des plus éprouvantes pour moi, d'autant plus qu'elle était sans objet. Au lever du jour, lorsque nous arrivâmes au château de Berkeley, on put voir défiler une troupe de chevaliers découragés, détrempés et couverts de boue. Le château était en effervescence et les gens y allaient de différentes conjectures. Nous ne tardâmes pas à conclure à l'unanimité que c'était là l'œuvre de bandits de grand chemin, qui pullulaient dans la région et avaient dû enlever la princesse.

Les chaperons en oublièrent leur goutte et leur idylle, et Jeanne, qui semblait la plus affectée, eut une bonne excuse pour exprimer son chagrin en allant se coucher. Sa chambre constituait en tel cas son refuge le plus sûr.

Que restait-il à faire? Nous avons d'abord envoyé un message au roi, qui probablement nous ferait écorcher vifs, une crainte que les chaperons, horrifiés, partageaient. Puis un groupe armé retourna dans la forêt pour essayer de retrouver Marie.

Le fait d'avoir déjà passé toute la nuit dehors, allié à la modeste réputation que j'avais pour d'anciens faits d'armes, me dispensa de participer à cette recherche – infructueuse d'avance. Je profitai donc de l'estime relative dont je jouissais. « Profiter » est une façon de parler, car je demeurai au château avec Jeanne, espérant trouver l'occasion de discuter avec elle en privé. Toutes les dames, sauf Jeanne, étaient en train de caracoler et les chevaliers en compagnie de qui j'avais fouillé la forêt se reposaient. Ils n'avaient certes pas ma motivation pour demeurer éveillés. Ils n'avaient pas de message à transmettre et pas de tâche à accomplir pour un ami absent.

Et puis, Jeanne m'aimait! Je n'étais plus un simple être humain déambulant sur cette bonne vieille Terre. À partir de maintenant, je pouvais voler comme un oiseau! Marie m'avait dit: «Elle me l'a confié...» Cela pouvait-il être réel? Vous verrez plus loin l'avantage que cette bribe d'information pouvait avoir pour moi.

J'espérais que Jeanne accepterait de me voir pour commenter la fuite de Marie. Aussi lui fis-je parvenir un mot lui disant que je l'attendais. Ayant pris du mieux, elle descendit me retrouver. Je lui suggérai de nous rendre vers une petite maison d'été sise au bord de la rivière et elle accepta. L'occasion était enfin arrivée pour moi de mettre les choses au point.

Elle mit son bonnet et nous partîmes. Quelle promenade mémorable! Que de souvenirs impérissables, supérieurs à l'espoir, car ils durent davantage que nos réalisations. Ils subsistent lorsque celles-ci se sont évanouies et que l'espoir est réduit à néant. Combien chérissons-nous ces souvenirs dans nos âmes! Ils sont toujours à notre disposition pour nous émouvoir, et ce, autant de fois que nous voulons bien les évoquer. Ils nous permettent de remercier Dieu de nous avoir permis de vivre et, au fond du cœur, nous nous demandons comment il se fait que les indignes pécheurs que nous sommes aient pu bénéficier de tant de grâces.

Une fois arrivés à la maison d'été, Jeanne, bouleversée, m'écouta lui raconter la fuite de sa maîtresse.

Je n'oublierai jamais ce jour d'été. Un plant de bruyère enlaçait la tonnelle et l'arôme des fleurs réussit encore à franchir le passé et me ramène en ce temps béni. Les années me semblent des jours et je les revois comme je revois la lumière de ce milieu de journée estivale en présence de Jeanne, qui illuminait ces lieux. La petite rivière qui babillait avant de se diriger vers la mer chantait les mérites de ma bien-aimée. Le vent du sud me chuchotait son nom dans la ramure, chaque fée et chaque hôte de ces bois le répercutaient. Jeanne! Jeanne! Jeanne! J'ai entendu des hommes dire qu'ils ne voudraient plus revivre, même pour savourer les chiches moments de bonheur que la vie nous réserve, car ces joies sont disproportionnées par rapport aux chagrins et aux douleurs que nous éprouvons. En ce qui me concerne, grâce à une femme, je puis presque compter, minute par minute, les heures de bonheur qui ont parsemé mon existence et je suis en mesure de les départager. Lorsque je me prends à rêver et à me remémorer les moments heureux de mon passé, j'ai du mal à m'attarder sur une journée en particulier tant elles sont nombreuses. Serais-je prêt à revivre ma vie? Sans nul doute, chaque instant de celle-ci sauf, peut-être, lorsque Jeanne était souffrante, et encore, nous trouvions des moments de bonheur malgré la maladie et j'exultais lorsqu'elle prenait du mieux. Je ne regrette même pas que tout cela ait une fin. Ce serait faire preuve d'ingratitude, car j'ai eu dans la vie plus que ma part. Je me contente de tomber à genoux et de remercier Dieu des bienfaits dont il m'a comblé.

Toute l'attitude de Jeanne envers moi avait changé et elle semblait s'attacher inconsciemment à moi d'une manière timide, avec une douceur incroyable qui la consolait apparemment de son chagrin.

Après avoir répondu à toutes ses questions et lui avoir fourni à maintes reprises des détails sur la fuite de Marie, lui avoir assuré qu'à l'heure qu'il était elle naviguait en pleine mer avec Brandon, en route vers leur paradis, je crus bon à mon tour d'aborder le sujet qui nous concernait. Je lui parlai donc très librement, en lui faisant part de mes sentiments et de mes désirs.

— Oh! Sir Edwin, me répondit-elle. Ne pensons à rien d'autre qu'à ma maîtresse. Imaginez un peu les difficultés qu'elle doive affronter…

— Non! Non! Jeanne. Lady Marie est hors de danger maintenant et joyeuse comme un pinson, vous pouvez me croire. N'a-t-elle pas obtenu ce à quoi son cœur aspirait? Pensons à notre propre paradis, puisque nous avons réussi à leur permettre d'atteindre le leur. Vous en avez la clef, Jeanne, grâce à une seule parole de votre part. Il vous suffit de la prononcer et cela changera tout... à condition que vous m'aimiez – et je sais que c'est le cas...

Elle pencha la tête et demeura silencieuse.

Je lui fis alors part du message de Lady Marie et la supplia, advenant le cas où elle refuserait de dire les paroles que mon cœur attendait avec tant d'impatience, de se prononcer au moins sur une fraction infime du contenu de celles-ci. Mais elle se renferma et me fit savoir que si je continuais à me comporter de cette façon elle rentrerait précipitamment au château. Je continuais à la supplier mais la logique semble perdre de sa force en telle situation et tout ce que je pouvais dire était inutile. Jeanne s'obstinait et voulait rentrer sur-le-champ. Cette persistance ressemblant à de l'entêtement chronique, je ne tardai pas à me fâcher. Sans lui en demander la permission, je lui livrai la plus importante partie du message de Marie, que cela lui plaise ou non. Puis je me calmai et lui demandai ce qu'elle comptait faire.

La pauvre petite Jeanne se pensa piégée. Elle faisait la moue en pleurnichant et me dit qu'elle n'y pouvait rien, qu'elle se trouvait dorénavant seule et que si son unique ami la traitait de cette manière elle ne savait plus où chercher.

— Où chercher? lui demandai-je. Mais regardez donc ici même! Vous devriez comprendre en premier que je n'ai pas l'intention de me laisser plus longtemps traiter à la légère et que je continuerai à insister aussi longtemps que nous vivrons. Je suis résolu à ne pas vous laisser vous conduire avec moi comme vous le faites depuis longtemps, car je sais que vous m'aimez. Vous me l'avez presque dit une douzaine de fois, et même lorsque vous parlez à demi-mot, vous dites la vérité, car il n'y a chez vous nulle ombre de duplicité. En outre, Marie m'a dit que vous lui aviez confié que vous m'aimiez.

— Elle ne vous a pas dit cela?

— Oui, je vous le jure, sur mon honneur de chevalier.

Cette réponse provoqua des larmes chez ma belle que je poussais dans ses derniers retranchements. Lui prenant la taille, je lui demandai:

— Ne lui avez-vous pas confié que vous m'aimiez? Je sais que vous ne savez dire que la vérité. Le lui avez-vous dit, oui ou non, Jeanne?

Elle fit un signe affirmatif de sa jolie tête et me confirma le fait en chuchotant entre ses mains qui recouvraient son visage. Je lui délivrai alors le reste du message de Marie sans que Jeanne ne proteste le moins du monde.

Après tout, la véracité a des avantages.

Jeanne était enfin conquise et je poussai un soupir à la fin de cet affrontement amoureux qui s'était révélé long et ardu.

Finalement, je demandai à Jeanne quand nous devrions nous marier. Elle me dit qu'elle n'était pas d'humeur à penser à cela, du moins pas avant qu'elle ne soit rassurée sur le sort de Marie. Elle promit toutefois d'être un jour ma femme et je lui répondis que sa parole avait pour moi valeur d'or fin, une parole qui s'est toujours confirmée par la suite. Je lui promis de ne plus la harceler sur cette question, que j'étais sûr de ses sentiments, qu'il lui suffirait de me dire quand elle jugerait le moment opportun afin de rendre mon bonheur complet. Elle accepta ces conditions, je lui réitérai ma confiance et elle s'estima satisfaite. Je lui suggérai cependant de ne pas perdre inutilement du temps en repoussant exagérément notre bonheur, ce qui serait un outrage envers la Providence. Elle approuva cette idée.

Nous rentrâmes au château, et alors que nous nous séparions, Jeanne m'avoua timidement:

— Je suis heureuse de vous l'avoir dit, heureuse que toutes ces disputes appartiennent au passé.

Elle craignait évidemment de dévoiler son doux aveu, mais j'étais heureux également de la tournure des événements. Très heureux!

Et sur ce, j'allai enfin me reposer.

CHAPITRE XVII

Peu importe ce que le roi pouvait en penser, je savais que Lord Wolsey devinerait rapidement la raison de la disparition de la princesse et lancerait des limiers à sa poursuite. Les fugitifs avaient cependant vingt-quatre heures d'avance et un navire ne laisse pas de traces. Lorsque Marie m'avait quitté, elle se trouvait peut-être à deux tiers de lieue de l'endroit où elle devait rencontrer Brandon et la nuit tombait rapidement. La route parcourait une forêt très dense sur une grande partie de son parcours. Pendant un certain temps, Marie devait donc chevaucher dans l'obscurité et la solitude la plus complète. Il avait été convenu que, si le rendez-vous s'effectuait normalement, Marie devait libérer son cheval qui, ayant constamment été soigné dans les étables de Berkeley, devait par habitude les réintégrer au petit trot. Pour signaler qu'elle était en sécurité, elle devait attacher un fil sur la partie antérieure de la crinière de sa monture. La bête ne revint au château que le second matin suivant la fugue. Lorsqu'elle arriva, je trouvai le fil et l'enlevai discrètement pour le confier à Jeanne qui l'a toujours conservé. Il constituait pour elle un message muet qui la rassurait sur le sort de sa maîtresse. Au cas où le cheval ne devait pas revenir, je devais trouver dans un arbre creux, près du lieu de rendez-vous, la preuve que nos amis s'étaient enfin retrouvés.

Lorsque nous avions quitté le château, Marie portait sous sa tenue de cheval des habits masculins et, tandis que nous chevauchions, elle haussait les épaules et riait de bon cœur comme s'il s'agissait d'une gigantesque blague. Elle faisait des pitreries pour attirer mon attention sur son singulier accoutrement. Lorsqu'elle retrouverait Brandon, tout ce qui resterait à faire pour la transformer en homme était de se débarrasser de sa tenue de cheval, de chausser les bottes militaires et de coiffer le chapeau à larges bords que Brandon aurait apportés.

Ils ne perdirent guère de temps, on s'en doute, et se remirent rapidement en route. Quelques minutes plus tard, ils rencontrèrent les deux hommes de Bristol qui devaient les accompagner et, une fois la nuit tombée, quittèrent les petits chemins pour prendre la route principale se rendant de Londres à Bath, puis à Bristol. Cette route était bien balisée et on ne craignait pas de s'y perdre. Ce qu'il y avait à craindre étaient les gigantesques fondrières et ornières dans lesquelles on pouvait s'enfoncer. Brandon avait parcouru deux fois le chemin pour répertorier mentalement les endroits les plus problématiques et les éviter.

Bientôt la pluie commença à tomber sous forme de bruine, puis les lueurs du crépuscule s'atténuèrent et se mêlèrent à la noirceur de la nuit pour ramener une obscurité propice au déplacement des sorcières. On aurait cru que toutes les jeteuses de sort du pays s'étaient lancées sur les routes. Les sabots des chevaux s'enlisaient dans la boue avec un bruit sinistre dont Marie se souviendra toujours et le hululement des chouettes prenait pour elle des proportions effrayantes.

Brandon portait la cape qui recouvrirait la princesse. L'idée était bonne, car les vêtements de gentleman de Marie se révélaient peu appropriés pour un voyage sous la pluie. Le vent, qui avait gagné suffisamment de force pour gémir de façon lugubre, provoquait une pluie oblique qui s'insinuait par tous les interstices des vêtements. Les pans de la confortable cape de la cavalière s'ouvraient à la hauteur des genoux et laissaient entrer l'eau glaciale dans les chausses de soie que Marie aurait préféré être de bougran, un tissu plus rude et plus résistant à l'humidité. L'eau ne tarda pas à lui couler le long des jambes et à s'insinuer dans ses bottes. Et voilà que la boue lui giclait dans la figure, surtout dans les yeux et sur la bouche, et que son cheval, en trébuchant dans quelque imprévisible fondrière, risquait de la faire passer par-dessus l'encolure. Avec tous ces inconvénients alliés aux mille bruits qui perçaient le silence de cette nuit d'encre, il y avait de quoi mettre à vif les nerfs de la voyageuse. Mis à part les risques de s'y rompre le cou, cette route était pleine de dangers potentiels, car nombreuses étaient les histoires de meurtres et de vols de grand chemin qui circulaient à son propos. Quoiqu'ils fussent accompagnés par deux robustes bretteurs bien armés, qu'auraient-ils pu faire contre des malandrins supérieurs en nombre? La princesse se disait qu'on ne pouvait prévoir de telles éventualités. Et puis, il y avait cette maudite obscurité à travers laquelle on ne pouvait même pas distinguer la tête de son cheval, une obscurité porteuse de maléfices. On n'aurait jamais pu convaincre une femme normalement constituée qu'il s'agissait-là simplement d'une absence de clarté et non d'une conspiration propice à la manifestation des forces du mal. Très tôt, il y avait eu ces hululements, ces lueurs soudaines dans les flaques d'eau, semblables aux visages retournés et livides des trépassés. Peut-être n'était-ce que de l'eau. Peut-être pas... Marie avait pleinement confiance en Brandon, mais les éléments semblaient être contre eux. Cette confiance lui permettait de ne pas dépenser inutilement son énergie pour faire preuve de bravoure, si bien qu'elle gardait son calme et pouvait satisfaire son désir bien féminin de se laisser effrayer pour la forme.

On se demande si face aux aspects terrifiants de la nuit le vaillant moral de Marie n'avait pas fléchi à certains moments. Non. Elle le maintint, encouragée à l'occasion par un tapotement occasionnel de Brandon sur son bras en faveur de l'obscurité. Jamais elle n'envisagea de faire demi-tour, ce qui en dit long sur sa détermination. Ainsi poursuivirent-ils leur chemin, allant au trot lorsque le galop était impossible, marchant lorsque cela s'avérait nécessaire.

À un moment donné, ils pensèrent avoir entendu un galop de chevaux derrière eux. Ils se hâtèrent, firent halte et, n'entendant plus rien, conclurent qu'ils s'étaient trompés. Toutefois, vers onze heures, ils perçurent devant eux un bruit de succion occasionné par les sabots d'autres chevaux que les leurs dans la boue. Cette fois-ci, ce n'était pas leur imagination. Le bruit cessa un instant et un silence se fit, plus inquiétant que le tumulte. «Ohé!» cria quelqu'un. Ils s'arrêtèrent et Marie crut sa dernière heure venue.

On entendit un «Qui va là?» prononcé par chacun des groupes puis, simultanément: «Un ami...» Les groupes se croisèrent en poursuivant discrètement leur chemin, trop contents de ne pas avoir à donner d'explications. Le soupir de soulagement de Marie put s'entendre malgré le hurlement du vent et les cris des oiseaux de nuit. Son cœur battait très fort, comme s'il avait une tâche à exécuter dans un temps bien déterminé.

Ces frayeurs passées, ils se hâtèrent aussi rapidement qu'ils le purent et arrivèrent à l'auberge où ils devaient changer de monture.

Cette auberge, construite de travers et plutôt crasseuse, était enduite de terre et recouverte de chaume. Il existe en Angleterre des auberges autrement plus accueillantes, mais celle-ci était à l'écart de la route principale et avait été choisie pour cette raison. La propreté douteuse de ces lieux affecta Marie. Comme elle n'avait rien consommé depuis midi, après douze heures de jeûne et huit heures de route, l'appétit de sa jeunesse eut raison de sa répugnance et elle mangea avec avidité les plus humbles des aliments qu'elle eut jamais goûtés. Lorsqu'on est trop choyé par la vie, on en oublie ses avantages, car l'être humain doit pouvoir désirer quelque chose avant de pouvoir l'apprécier.

Une rude chevauchée de cinq heures amena par la suite nos voyageurs à Bath, qu'ils franchirent au moment où le soleil commençait à dorer les toits de tuile et les clochers et, une heure plus tard, ils atteignirent Bristol.

Le navire devait lever l'ancre au lever du soleil, et comme le vent avait diminué, il n'y avait aucun danger qu'il parte sans attendre ses passagers de dernière minute. Les portes de la ville ne tardèrent pas à s'ouvrir et les voyageurs se rendirent au Bow and String, où Brandon avait laissé leurs bagages. Les gardes du corps furent payés et les chevaux prestement vendus. Après avoir pris un petit-déjeuner, le couple accompagné de quatre portefaix et des bagages se rendirent au port.

Une chaloupe les amena à bord du *Royal Hind* et maintenant il semblait que leur projet insensé était du domaine de la réalité.

Je pense que Marie n'avait jamais douté de sa réussite. En aucun moment elle ne fit allusion à un possible échec, sauf le soir où, poussée par sa modestie, elle nous avait dit qu'elle ne supportait pas que nous la regardions dans ses chausses. Maintenant que ses espoirs s'étaient apparemment réalisés, elle était pleinement heureuse et, une fois seule, se mit à pleurer de joie. Il ne fallait guère s'en surprendre : à part Jeanne, elle ne laissait derrière elle personne envers qui elle pouvait témoigner quelque attachement. Pas de père, pas de mère, seulement une sœur qu'elle connaissait à peine et un frère qui la traitait si mal qu'elle l'exécrait. Elle s'enfuyait aussi avec le seul homme qui comptait pour elle afin d'éviter un mariage qui lui était pire que la mort.

D'un autre côté, Brandon avait toujours manifesté davantage de désir que d'espoir. Les nombreux aléas qu'il avait eu à subir jusqu'à maintenant avaient laissé chez lui un certain sentiment d'échec qui, on le supposait du moins, aurait dû l'avoir quitté. Ce n'était toutefois pas le cas, même à bord du bâtiment, avec une bande d'hommes virant le guindeau pour remonter l'ancre, prêts à profiter de la moindre brise. L'appréhension subsistait toujours chez lui en arrière-pensée, comme lorsqu'il avait proposé à Marie de s'enfuir alors qu'ils étaient assis chez nous, près de la fenêtre, sur la cape de campagne. Telles étaient les positions opposées des deux protagonistes. Ils n'avaient tous deux aucun doute, mais de manière différente : Marie n'avait jamais douté un instant du succès de l'entreprise et Brandon de son échec. Il possédait en effet une faculté d'analyse particulièrement aiguë lui permettant de peser le pour et le contre. Hélas ! Dans leur cas, leurs chances étaient majoritairement défavorables. Tout l'espoir que son désir avait suscité était étouffé par un pressentiment d'échec dont il ne pouvait entièrement se débarrasser. Être trop sensibilisé à la réalité des faits peut s'interposer dans les actions d'un homme et une vue trop claire d'un obstacle peut paralyser ses projets.

Nos voyageurs ayant grand besoin de repos, Marie se rendit à sa cabine tandis que Brandon se retira dans le quartier des hommes.

Ils avaient tous deux payé leur voyage mais faisaient en quelque sorte partie de l'équipage du navire sans avoir à accomplir les travaux des gens de mer, sauf en cas d'attaque, où ils devraient prêter main-forte aux marins. Marie était sûrement une vaillante combattante à sa manière, ce qu'elle aurait à prouver au cours d'un si long voyage, mais Brandon ignorait sa valeur à l'épée et au bouclier. Il se disait cependant qu'il traverserait le pont lorsque le moment serait venu.

Ils étaient montés à bord vers sept heures et Brandon espérait que le navire serait bien engagé dans le chenal de Bristol avant de quitter sa couchette. Mais le vent qui avait rempli d'eau les bottes de Marie et soufflé si lugubrement pendant toute la nuit était maintenant absent alors qu'on en avait besoin. Midi arriva et il n'y avait toujours pas de vent. Le soleil brillait placidement, tandis que le capitaine Charles Brandon fulminait d'impatience sur la dunette. Trois heures sonnèrent, sans vent. Le capitaine espérait qu'il viendrait avec la tombée de la nuit, ce qui ne se produisit pas. Brandon savait que si la situation se poursuivait cela serait synonyme d'échec, car il était persuadé que le roi, ainsi que Wolsey, avaient deviné depuis longtemps ce qui s'était passé.

Brandon n'avait pas vu la princesse depuis le matin et avait des scrupules à se rendre à sa cabine. Après avoir remis sa visite d'heure en heure et espéré que Marie se montrerait sur le pont, il frappa à sa porte et trouva une jeune fille dont la situation était délicate.

Il réalisa sur-le-champ qu'il n'était pas question que la princesse se montrât sur le pont, car il lui était presque impossible de dissimuler son identité. En effet, il ne l'avait pas encore vu sous son nouveau déguisement, car lorsqu'elle avait revêtu sa tenue de cheval la nuit précédente il s'occupait discrètement de leurs montures et ne l'avait observée que recouverte d'une cape. Il avait alors pensé que ce vêtement parviendrait à dissimuler sa silhouette féminine. De plus, nul homme sur terre n'avait les yeux, les joues et les lèvres de Marie. Ses espoirs s'évanouirent. Elle serait capable de donner le change pendant quelques minutes, mais il lui suffisait de sourire pour que toute sa personne affiche son état véritable. Aussi bien lui accrocher un écriteau au cou disant: «Non, je ne suis pas une femme!» Et puis, ces adorables fossettes qui trahissaient une provocante candeur comme celles de Jeanne lorsqu'elle voulait, envers et contre tous, dire la vérité.

En entrant dans la cabine, Brandon trouva Marie en train de se dépêtrer avec le problème insoluble de ses vêtements masculins. Le visage de la plus charmante détresse que l'on puisse imaginer! Le sabord étant ouvert, il vit sa frimousse fraîche comme la rosée, les bottes militaires dans un coin et ses pieds menus semblant se révolter à l'idée de réintégrer d'aussi grossières chaussures. Elle regarda Brandon avec un sourire mi-figue mi-raisin, se jeta à son cou et sanglota comme une enfant.

— Regrettez-vous d'être partie, Lady Marie? demanda Brandon qui, maintenant qu'il était seul avec elle, ne voulait pas profiter de la situation pour se permettre des familiarités.

— Non! Non! Pas un seul instant. Je suis heureuse, trop heureuse, mais pourquoi m'appelez-vous «Lady» alors que vous m'appeliez Marie?

— Je ne sais pas, peut-être parce que vous êtes seule...

— C'est très délicat de votre part mais vous n'avez pas besoin de vous montrer aussi protocolaire...

La question se régla par un arbitrage mutuellement silencieux et Brandon poursuivit:

— Vous devez vous préparer à monter sur le pont. Ce sera difficile, mais il le faut.

Il l'aida à chausser les lourdes bottes militaires et lui passa le chapeau à larges bords afin de la préparer à jouer, de façon bien improbable, son rôle de jeune aristocrate.

Lorsque Brandon la regarda à nouveau, tout espoir s'envola. Il semblait que chaque modification de mise ne faisait qu'intensifier l'ensorcelante féminité de Marie en la présentant sous un nouveau jour.

— Jamais cela ne fonctionnera. Il n'y a pas moyen de vous déguiser correctement. Qu'y a-t-il en vous pour qu'en dépit de tout vous demeuriez aussi féminine? Que devons-nous faire? Ça y est: vous devez demeurer ici en prétextant être malade jusqu'à ce que nous naviguions en haute mer. Ensuite, j'avouerai tout au capitaine. C'est dommage et, pourtant, je ne vous voudrais pas moins féminine que vous ne l'êtes déjà. C'est ainsi qu'un homme doit aimer une femme dont rien ne peut dissimuler l'état.

Marie apprécia la flatterie, mais regretta de n'avoir pu mieux dissimuler sa grâce. Elle pensait que ces vêtements feraient d'elle un homme et que personne ne serait capable de détecter la supercherie.

Ils étaient en train de discuter de la situation lorsqu'on cogna à la porte. Il y eut un cri:

— Tous les hommes d'équipage sur le pont pour l'inspection!

L'inspection, Grand Dieu! Marie ne pourrait la supporter une seule minute… Brandon la laissa à l'intérieur et alla voir le capitaine.

— Milord est malade et demande à être exempté d'inspection, lui dit-il.

— Malade? En tel cas, il ferait mieux de retourner à terre par les moyens les plus rapides! Je le rembourserai. Nous n'avons pas les loisirs de faire un hôpital de ce vaisseau, par la malepeste! Si Sa Seigneurie est trop malade pour passer à l'inspection, débrouillez-vous pour qu'elle mette pied à terre… riposta Bradhurst, un vieux loup de mer un peu corsaire, un peu flibustier.

Cette dernière remarque s'adressait à l'un de ses quartiers-maîtres qui lui répondit par le traditionnel «Oui, capitaine!» en se dirigeant vers la cabine de Marie. La situation se compliquait. Brandon leur assura qu'il s'occuperait de «Sa Seigneurie». Il alla trouver Marie et, après lui avoir bouclé son ceinturon et y avoir suspendu son épée, ils se rendirent sur le pont en empruntant l'échelle de poupe pour prendre place avec les hommes servant à l'arrière du bâtiment.

Depuis, Brandon m'a souvent raconté combien il avait eu du mal à retenir ses larmes en constatant les efforts à la fois surhumains et futiles de Marie pour tenter de passer pour un homme. C'était à la fois comique et triste. Sa qualité de princesse devant laquelle tout le monde s'inclinait lui était là de bien piètre utilité. Elle n'était qu'une frêle jeune fille, timide et effrayée, sur les talons de Brandon, entourée d'individus taillés à coups de serpe, souhaitant de tout cœur s'appuyer sur les bras de l'élu de son cœur pour y trouver courage et réconfort. Pour rajouter au malaise, sa maudite épée entravait tous ses mouvements et ses bottes militaires, beaucoup trop grandes, avaient tendance à la faire glisser à chaque pas sur les planches du pont. Ne pas avoir prévu de tels inconvénients relevait de la douce folie. Le spectacle qu'elle offrait à la suite de Brandon avait dû, en effet, être assez singulier, si bizarre en fait que les matelots qui travaillaient au milieu du navire s'arrêtèrent, médusés. Les hommes de poupe ne firent aucun effort pour dissimuler leur amusement. Le vieux Bradhurst s'approcha d'elle.

— J'espère que Votre Seigneurie va mieux, dit-il en la détaillant de la tête aux pieds avec une grimace interrogative. Je puis affirmer que vous semblez être l'image même de la santé… Quel âge avez-vous donc?

— Quatorze ans, répondit Marie.

— Quatorze ans, hein? répliqua Bradhurst. Eh bien! Je doute que vous soyez capable de faire couler beaucoup de sang... Vous m'avez l'air davantage d'une satanée jolie demoiselle plutôt que d'un garçon...

À ces mots, tous les hommes se mirent à s'esclaffer et à émettre des commentaires grossiers, courants chez des gens qui n'étaient au fond que des aventuriers professionnels, endurcis par des années de luttes impitoyables et avilis par une existence faite d'expédients et d'actes douteux.

Ces personnages, dont la moitié avait fortement bu, se rassemblèrent alors autour de Marie pour l'observer et y aller de leurs commentaires. Leur comportement, quoique déconcertant, n'avait rien de répréhensible, du moins jusqu'à ce que l'un des hommes donne une tape dans le dos de la princesse, le tout accompagné d'une remarque déplacée. Brandon, qui n'avait d'abord accordé que peu d'importance à ces âneries, se décida à intervenir. Il leva le bras et fit choir l'homme, qui se retrouva au centre du navire. Les épées ne tardèrent pas à être dégainées et on entendit le cliquetis des armes. L'homme n'était pas de taille à affronter un soldat professionnel tel que Brandon; en un tournemain, son épée vola et se retrouva à l'eau. C'est alors que les autres firent un conciliabule et qu'à un moment donné une brute avinée se mit à hurler:

— Hé! Ce n'est pas un homme, c'est une bonne femme... Allons voir ça de plus près...

Avant que Brandon puisse intervenir, l'homme avait dégrafé le haut du pourpoint de Marie à la hauteur de la gorge et, d'un coup sec, en avait déchiré la moitié, qu'il exposait comme un trophée. Marie, l'épaule dénudée, avait failli trébucher. Le triomphe de l'agresseur fut de courte durée, car le morceau d'étoffe tomba sur le pont, accompagné de la main coupable, sectionnée au poignet par l'épée de Brandon. Trois ou quatre comparses du mutilé se ruèrent sur Brandon. Marie se mit à hurler puis à pleurer, ce qui vendit définitivement la mèche.

Quelques secondes plus tard, ce fut la mêlée générale, chacun se rangeant dans un camp ou dans l'autre. Cela illustre comment une femme, sans autre provocation de sa part que de souhaiter simplement qu'on la laisse en paix, avait réussi à semer le trouble chez ces gens qui maintenant s'évertuaient à se disputer mortellement comme des diables surexcités. Le beau sexe peut engendrer bien des problèmes, aussi sûrement que le soleil nous éclaire. Je dirais que Jeanne est une exception à la règle, si toutefois il existe une règle.

Les seconds mirent bon ordre au tumulte et emmenèrent Marie et Brandon pour une rencontre avec le capitaine.

Invoquant tous les saints du paradis, Bradhurst s'exclama:

— Il est suffisamment clair que vous avez fait monter une femme à bord sous de fausses représentations et vous feriez mieux de vous apprêter à la renvoyer à terre. Constatez les résultats: un marin avec une main en moins et des blessures pour une vingtaine d'autres. Il a suffi qu'elle se montre sur le pont moins de cinq minutes. Morbleu! À cette cadence, mon navire ne tarderait pas à se retrouver chez les démons des profondeurs avant que nous ne soyons sortis du chenal!

— Ce n'est pas de ma faute, sanglota Marie, dont les yeux lançaient des éclairs. Je n'ai rien fait. Tout ce que je demandais, c'est qu'on me laisse en paix mais ces brutes ont... Vous le payerez cher... Souvenez-vous de ce que je vous dis! Vous attendiez-vous à ce que le capitaine Brandon demeure impassible alors que ce misérable m'arrachait mes vêtements?

— Vous avez bien dit le capitaine Brandon? demanda Bradhurst qui se découvrit précipitamment.

— Oui, répondit Brandon. J'ai embarqué sous un nom d'emprunt pour plusieurs raisons, car je ne désire pas qu'on me reconnaisse, et vous feriez mieux de garder cela pour vous…

— Dois-je comprendre que vous êtes Maître Charles Brandon, l'ami du roi?

— C'est bien moi.

— Par conséquent, Monsieur, je dois vous demander pardon pour la manière dont vous avez été traité car, bien entendu, nous ne pouvions savoir… Cela dit, un homme ne devrait pas s'encombrer d'une femme…

Les yeux de Marie lançaient suffisamment d'éclairs pour foudroyer le vieux loup de mer, mais il ne s'en aperçut point et poursuivit:

— Nous sommes plus qu'honorés qu'un chevalier aussi vaillant que Sir Charles Brandon daigne prendre place à bord, mais pour ce qui est de la dame… Vous avez vu ce que sa présence a occasionné… Autant nous désirons vous avoir avec nous, autant nous ne voulons pas d'elle. Mis à part les inconvénients qu'une femme peut causer à bord, il existe une objection plus importante, ajouta-t-il tandis que Marie n'osait même plus fulminer. Les marins disent qu'une femme à bord attire le mauvais sort sur certains bateaux et bien de mes hommes seraient prêts à déserter avant que nous ne levions l'ancre s'ils savaient que cette dame avait l'intention de faire la traversée avec nous. Et s'ils la découvraient au milieu de l'océan, une mutinerie ne tarderait pas à survenir et Dieu seul sait ce qui arriverait. Si ce n'est pour d'autre raison que le bien de cette jeune personne, je vous demande de la ramener à terre immédiatement…

Brandon se rendit à l'évidence qu'il avait pressentie depuis longtemps, mais devant laquelle il avait fermé les yeux. Il mit une cape sur les épaules de Marie et ils se préparèrent à descendre à terre. Alors qu'ils prenaient place dans la chaloupe et s'éloignaient, un grand cri s'éleva du bateau, ressemblant davantage à un acte de dérision qu'à un hourra. Les rameurs se regardaient en dessous d'un œil réprobateur et souriaient en coin. Quelle situation fâcheuse pour une princesse ! Brandon se fustigea pour avoir été un fripon inconscient en permettant que ce drame survienne. Il connaissait les dangers de cette entreprise de longue date et ces événements n'étaient pas imputables à l'ignorance ou à une absence de sens prévisionnel. La tentation et l'égoïsme avaient remplacé le jugement par la témérité et il avait entrepris une opération que seul un dément aurait tenté sans même avoir l'excuse pitoyable d'être aliéné. Il l'avait bien pressenti dès le début. En toute connaissance de cause, cette aventure provoquerait sa disgrâce, sa ruine et peut-être sa mort s'il ne se sauvait pas. De plus, elle apportait l'humiliation de la princesse alors que son amour aurait dû l'inciter à la protéger à tout prix. Si Marie avait pu réussir à se déguiser en homme, cela aurait été différent, mais ce petit «si» était plus vaste que la cathédrale Saint-Paul et bloquait aussi définitivement la route qu'un mot de vingt syllabes.

Lorsque la princesse mit pied à terre, il lui sembla que son cœur n'était plus le même que lorsqu'elle avait embarqué sur ce funeste bateau. Quand la chaloupe repartit vers le navire, les rameurs crurent bon de faire les fanfarons avec force cris et remarques salaces. Brandon aurait volontiers embroché ces coquins un par un, mais il lui fallut ravaler son chagrin et sa rage et ne blâmer que lui, même s'il souffrait de voir sa bien-aimée insultée et qu'il n'y avait pas moyen de se venger. La nouvelle s'était déjà répandue dans le quartier du port comme un feu de broussailles et, lorsqu'ils approchèrent du Bow and String, on pouvait entendre les voix de galopins et de personnages moins courageux dire: «Regardez-moi cette femme déguisée en homme...» Ou encore: «Ah! Le bel homme...»

Ou bien: «Regardez-le donc rougir…» Je vous épargnerai les autres remarques, trop vulgaires pour qu'on les cite ici. Il suffit d'imaginer l'humiliation des amoureux et de penser qu'ils ne pouvaient échapper à ces quolibets.

Ils atteignirent l'auberge et leurs bagages ne tardèrent pas à arriver grâce aux bons soins de Bradhurst, qui leur remboursa intégralement leur passage avec grande honnêteté.

Marie se changea pour s'habiller en femme et quitter les horribles bottes militaires. Elle avait tout ce qu'il fallait dans ses malles. N'ayant pas de dames d'honneur pour l'aider, elle dut, pour la première fois de sa vie, se débrouiller pour faire sa toilette seule. Alors qu'elle s'habillait, des larmes coulaient sur ses joues, car elle était complètement prise au dépourvu et avait l'impression qu'on lui avait arraché le cœur. Ses espoirs ayant plané jusqu'au firmament, la chute était d'autant plus brutale. Pire, le projet avait failli réussir. Ils étaient à bord, à deux doigts du succès. Cela rendait la défaite encore plus intolérable. La princesse se sentait écrasée. Ce qui constituait auparavant de l'espoir et de la confiance s'était mué en désespoir. Comme toutes les personnes capables d'enthousiasme, elle pouvait rapidement atteindre le fond du baril. Hélas! Marie, qui ne s'avouait jamais vaincue, devait rendre les armes…

Cet échec signifiait pour elle beaucoup de choses. D'abord, elle ne serait jamais l'épouse de Brandon, mais serait livrée à ce vieux barbon de Français et devrait se soumettre à lui. À cette seule idée, elle eut un mouvement de recul, frappa du pied et jura que jamais, au grand jamais, elle donnerait son accord à cette union. L'idée de cette alliance ainsi que la perte de Brandon la tenaillaient suffisamment, mais quelque chose d'autre la torturait.

Elle arrangea sa mise à la hâte, puis se mit à la recherche de Brandon qu'elle retrouva et ramena dans sa chambre. Après avoir fermé la porte, elle lui dit:

— Lorsque je me suis trouvée forcée de quitter le navire, je pensais avoir atteint le summum de la déception et de la douleur, car cela signifiait que j'allais vous perdre et me voir forcée d'épouser Louis de France. J'ai toutefois découvert qu'il y avait quelque chose de plus douloureux que ces deux catastrophes et je ne peux me faire à cette idée. Voilà pourquoi je me confie à vous, à vous qui êtes le meilleur remède à mes maux. Oh! Que j'aimerais pouvoir compter sur votre personne toute ma vie pour m'en délivrer...

Sur ce, elle oublia ce qu'elle voulait lui dire et posa sa tête sur la poitrine de Brandon.

— Et quelle est cette crainte, Marie?

— Oh! certes, il y a ce mariage et le fait de vous perdre, mais aussi, Sainte Mère de Dieu, la crainte qu'une autre femme puisse prendre votre cœur. Je pouvais l'imaginer avec vous et j'étais jalouse d'elle... C'est ainsi que les gens disent, n'est-ce pas? J'ai déjà entendu parler des affres de la jalousie. Si la crainte d'une rivale est si douloureuse, je me demande ce que cela serait en réalité. J'en mourrai, c'est sûr, car je ne pourrais pas le supporter. J'ai déjà du mal à évoquer cette possibilité et je veux que vous me juriez...

Brandon la prit dans ses bras et elle se mit à pleurer.

— Je puis vous jurer sur tout ce que j'ai de plus cher que je n'aurai jamais d'autre épouse que vous. Si vous ne pouvez être mienne, nulle femme ne sera assez digne de prendre votre place. Il n'y a qu'une place dans mon cœur: la vôtre! Voilà de quoi vous rassurer à ce chapitre.

Elle se haussa sur la pointe des pieds pour poser ses lèvres sur celles de son compagnon et lui dit:

— Je vous fais solennellement la même promesse. Ô combien avez-vous dû souffrir en pensant qu'on allait me marier à un autre… Il y avait cependant quelque chose de plus grave, soit la perspective de vous voir entre les bras d'une autre femme. Mais cela est réglé maintenant et je me sens plus sereine. Dire que j'aurais pu être unie à ce vieux roi français… mais cette question aussi est réglée. Nous pouvons donc tolérer les douleurs d'une séparation. Il y a toujours moyen de se consoler en pensant que cela aurait pu être pire…

Sa foi en Brandon était admirable et elle ne doutait pas un seul instant qu'il disait la stricte vérité en affirmant qu'il n'épouserait jamais quelqu'un d'autre. Elle avait également foi en elle et en sa promesse. Pour elle, le refus de son mariage avec le roi de France était une question sur laquelle elle ne reviendrait jamais.

Brandon, quant à lui, savait qu'il respecterait sa part du contrat. Il savait que nulle femme n'égalerait l'inimitable perfection de la princesse et il avait suffisamment mis son propre amour à l'épreuve pour savoir qu'il ne reculerait jamais. Il était conscient d'avoir fait une promesse qu'il était incapable de briser, fait qu'il avait clairement expliqué à Marie. Tous deux se tenaient maintenant près de la fenêtre et regardaient tomber la pluie qui était revenue.

Quant aux promesses mutuelles qu'ils s'étaient faites, Brandon ne fit aucune comparaison, tout en étant conscient que la sienne était incomparablement plus forte que celle de la princesse. Il ne tenta pas non plus de diminuer l'enthousiasme de cette dernière en lui soulignant qu'un fait extérieur l'aiderait sans nul doute à respecter sa parole et à épargner à Marie les affres de la jalousie qu'elle redoutait tant. Il se marierait, peut-être, mais avec la hache et le billot du bourreau dès que le roi l'aurait interpellé. Il aurait pu s'échapper sur le *Royal Hind*, car le vent s'était levé peu après leur départ du navire et ils pouvaient maintenant l'apercevoir dans le chenal, toutes les voiles gonflées dans le lointain brumeux. Il avait décidé de ne pas abandonner Marie à son sort et de la raccompagner à Londres. Ce faisant, en supposant que les sbires du roi ne soient pas déjà sur leurs traces, il se jetait dans la gueule du loup.

Il ne se faisait aucune illusion. Les dettes que l'on contracte en vertu d'un acte de folie ne comportent pas de délai de grâce et il était prêt à en faire les frais – capital et intérêts.

CHAPITRE XVIII

Je ne saurais dire si Brandon aurait trouvé le moyen de raccompagner la princesse chez elle en toute sécurité et s'il aurait pu ensuite s'enfuir, car aucun choix ne lui fut accordé. À minuit, un détachement de hallebardiers de la Garde royale de la Tour de Londres investit l'auberge Bow and String, appréhenda Brandon et l'emmena sans qu'il ne puisse communiquer avec Marie. Ce n'est que le lendemain matin qu'elle apprit la nouvelle de la bouche des cavaliers. Son cœur faillit éclater.

Elle n'était pas au bout de ses peines. Elle estimait cependant que les deux grandes questions qui la préoccupaient, soit son mariage avec Louis de France et la garantie que Brandon n'épouserait personne d'autre, étaient des affaires «réglées» comme du papier à musique. Elle était presque contente d'endurer de tels soucis qui, dans son esprit, ne faisaient que surseoir à ses désirs et ne se manifestaient que comme d'ennuyeuses et impertinentes fantaisies des Parques, ces maîtresses du destin qui, lorsqu'elles sauraient à qui elles avaient affaire, ne tarderaient pas à se montrer favorables envers les amoureux, simples mortels.

Dans sa naïveté, elle ne comprenait pas que, pour Brandon, les Parques devaient agir rapidement si l'on ne voulait pas que le pire survienne. Et il ne s'agissait plus de son union, très aléatoire, avec une autre femme…

Le surlendemain, Brandon se retrouva, tel qu'il l'avait craint, à la Tour de Londres. Marie ne revint qu'en soirée et fut amenée à Greenwich.

La réputation de la princesse en souffrit, bien sûr, car personne ne voulut croire que Brandon l'avait protégée contre lui-même aussi bien que contre des brutes qui l'avaient agressée. Marie étant moins délurée que les courtisans l'auraient voulu, elle jugea bon de ne pas protester de sa vertu et de son innocence – des qualités que, de toute façon, ils n'étaient pas prêts à reconnaître. On l'accusa donc d'office.

Jeanne rencontra Marie à Windsor et, bien sûr, les larmes coulèrent à flots.

En arrivant au palais, la princesse et sa dame de compagnie furent laissées à elles-mêmes, mais on fit promettre à Marie de ne pas quitter sa chambre. L'après-midi suivant, dans l'impossibilité d'avoir des nouvelles de Brandon, elle faillit à sa parole et s'en alla trouver le roi.

Il n'était jamais venu à l'idée de Marie que Brandon risquait la mort en tentant de s'enfuir en sa compagnie. Elle savait simplement qu'elle était la seule à blâmer, non seulement pour la fugue mais pour tout ce qui s'était passé auparavant entre eux. Advenant qu'elle admette que quelqu'un fût coupable – ce qui était loin d'être le cas –, jamais elle ne pouvait imaginer qu'on puisse punir Brandon pour ses fautes à elle.

Le trouble de son esprit grandissait avec l'absence de nouvelles de Brandon. Pendant ce temps, pour la deuxième fois, Brandon était condamné à mort à cause d'elle et le cachet du roi se trouvait sur l'ordre d'exécution. Le bourreau avait affûté sa hache et comptait déjà le salaire de sa sale besogne.

Marie trouva le roi en train de jouer aux cartes avec de Longueville. Ils étaient entourés d'une foule de courtisans et, dès qu'elle arriva, tous les yeux se tournèrent vers elle. Elle se trouvait néanmoins en terrain familier et se moquait royalement des regards torves de ces gens, dont elle méprisait la grande majorité. Elle était redevenue la princesse, remplie de confiance en elle, et elle se rendit droit vers l'objet de sa visite, c'est-à-dire son frère. Elle n'avait pas réfléchi au sujet qu'elle devait aborder en premier, car il existait trop de litiges entre elle et Henri, mais il lui épargna cette peine. Tout d'abord, il laissa exploser sa colère en dénonçant sa conduite « malsaine » et « entachée de trahison », cette dernière accusation étant pour lui plus grave que les manquements à tous les commandements de Dieu mis ensemble. Le roi avait d'ailleurs fait savoir son point de vue à Marie par la voix de Wolsey, le soir précédent. Marie avait reçu ces remontrances avec un mépris si évident que tout autre évêque que celui de York se serait retiré penaud. Comme je l'ai dit, lorsque Marie interpella le roi, ce dernier lui épargna tout préambule en exprimant sa pensée en conformité avec sa nature – violente, cruelle et vulgaire. Il n'hésita pas à la qualifier de toutes sortes de noms sortis des ruelles de Billingsgate. La reine assistait à l'altercation et soutenait son mari, ajoutant un mot ici et là. Finalement, avec l'aide de son épouse, Henri se déchaîna et déversa sur Marie un torrent d'injures que je me garderai de rapporter dans ces lignes. Ce genre de langage eut le don d'exacerber l'antagonisme de la jeune fille. Elle ne craignait pas plus son frère qu'elle ne m'aurait craint. Ses yeux lancèrent de tels éclairs que le roi eut un mouvement de recul lorsqu'elle déclara :

— Vous m'affublez de qualificatifs ignobles et vous vous attendez à ce que je vous considère comme mon frère ? Il y a des mots pour lesquels une mère serait capable de renier son premier-né et ceux-ci en sont. Pourriez-vous me dire ce que j'ai fait au juste pour mériter un tel traitement ? Je m'attendais à répondre à des accusations d'ingratitude, de désobéissance et autres et croyais que vous ressentiez envers moi quelque trace de sentiment fraternel… Après tout, les liens du sang sont difficiles à rompre, même si dernièrement vous semblez avoir perdu toute ressemblance avec ce que l'on peut appeler un homme ou un roi…

De telles accusations étaient des plus blessantes pour Henri, car on commençait à murmurer dans son entourage qu'il avait abandonné toutes les affaires du royaume à Wolsey et qu'il perdait son temps dans des amusements futiles. «L'espoir d'un feu nouveau perçant chez le jeune Roy», comme on disait, se révélait en fin de compte n'être qu'un de ces traditionnels bûchers royaux destinés à consumer le pays et non à le réchauffer.

Henri regarda Marie comme un taureau acculé dans un coin d'enclos.

— Si se déguiser en homme, traîner dans des auberges et monter à bord d'un vaisseau en compagnie d'un vulgaire capitaine de ma garde ne justifie pas ma colère et ne vous mérite pas ces noms, alors je ne sais pas ce qui pourrait le faire…

Mais Henri perçut tout de même l'innocence de sa sœur dans la surprise qu'elle manifesta. Elle demeura silencieuse pendant quelques instants. J'étais près d'elle et pouvais nettement voir que cet aspect de la question ne l'avait jamais effleurée. Elle baissa la tête un moment, puis reprit la parole.

— Il est peut-être exact, comme vous le dites, que mes actes puissent porter préjudice à ma réputation. Je n'avais jamais envisagé cette affaire sous cet angle, mais il n'en est pas moins vrai que je suis innocente et que je n'ai rien fait de répréhensible. Vous ne me croirez peut-être pas, mais vous pouvez le demander à Monsieur Brandon…

Le roi s'esclaffa et, bien sûr, les courtisans l'imitèrent servilement.

— Riez si ça vous plaît, mais monsieur Brandon ne vous mentirait point en échange de votre couronne! Je vous dis la stricte vérité. J'avais pleinement confiance en lui et je n'ai jamais craint qu'il puisse me déshonorer. Je savais qu'il me protégerait et me respecterait. Je comptais sur lui et il ne m'a jamais déçue. Pourrait-on en dire autant de la majorité de ces créatures qui rient niaisement lorsque le roi rit?

Henri savait pertinemment qu'elle disait la vérité, non seulement en ce qui la concernait, mais aussi à propos de l'attitude de son entourage.

Elle poursuivit:

— Après tout, vous avez partiellement raison en ce qui me concerne, car c'est sa conduite honorable qui m'a sauvée et non la mienne, et si je ne suis pas celle que vous voudriez que je sois, vous pouvez le remercier vivement...

— Mais nous le remercierons publiquement, après-demain, à midi, à Tower Hill, reprit le roi en annonçant crûment que Brandon allait être exécuté.

— Quoi? Charles Brandon? Tower Hill? hurla Marie, les yeux fous de terreur.

— Je pense que nous le ferons, répondit Henri. Cela a généralement pour effet de séparer la tête du tronc de l'intéressé et de disposer les autres parties de son corps pour décorer les quatre portes de la ville. Dans un jour ou deux, nous vous emmènerons à Londres pour contempler sa tête exposée sur le pont...

— Décapité... Démembré... Sur le pont... Seigneur Jésus... sont les seuls mots qu'elle put prononcer.

Puis elle recouvra ses esprits, redevint plus cohérente et reprit un discours aussi impétueux que la marée assaillant les arches du fameux pont de Londres.

— Vous ne pouvez pas ainsi le tuer, car il n'a rien à se reprocher, et vous n'êtes pas vraiment au courant de toute l'histoire. Demandez à cette horde d'empotés béats qui vous entourent de prendre la porte et je vous raconterai tout...

Le roi fit signe aux courtisans de sortir. À la demande de Marie, seuls Wolsey, Jeanne et moi demeurâmes sur place. Après leur départ, Marie s'expliqua :

— Mon frère, cet homme ne peut aucunement être blâmé, car tout est de ma faute s'il m'aime et s'il a tenté de fuir avec moi. Il se peut, en effet, que ma conduite ait été indigne de celle d'une princesse, mais je n'y pouvais rien. Depuis la première fois où j'ai remarqué son nom sur vos listes à Windsor, j'ai ressenti pour lui une irrépressible attirance. Vous me direz peut-être que, cette fameuse journée, il s'est arrangé pour m'être présenté...

— Est-ce le cas ?

— Oui, mais il n'a pas insisté et, lorsqu'il m'a vue, il m'a traitée comme on traite toute demoiselle.

— Est-ce donc ainsi que cela s'est passé ?

— Absolument.

— C'est affreux...

Marie était trop prise par son récit pour relever le sarcasme et poursuivit :

— Cela me le rendit d'autant plus intéressant, car il était si différent de tous ces lamentables gandins qui nous prodiguent

– à vous comme à moi – de viles flatteries et il est vrai que j'ai recherché sa compagnie le plus souvent possible. On me dira que ce comportement n'est peut-être pas digne d'une princesse, je sais, mais c'est le mien et je tiens à ce qu'on le sache. Au début, je me contentais de sa présence dans la même pièce que moi. J'étais heureuse de le voir et d'entendre sa voix. L'air qu'il respirait était pour moi un élixir. Je trouvais toutes les excuses possibles pour le rencontrer. J'ai demandé à ce qu'il vienne dans mes appartements. Vous le savez d'ailleurs... Au début, il s'est montré gentil et courtois mais, bientôt, il a pressenti le danger que nos fréquentations pouvaient provoquer. Il était le plus sage et c'est moi qui suis la cause de sa perte. Mon frère, laissez-moi mourir à sa place, car je suis la seule à blâmer! Prenez ma vie et épargnez la sienne! Oui, il était le plus sage de nous deux, mais je doute que toute la sagesse de la terre ait pu nous sauver... Un jour, dans le parc, il m'a presque insultée en me demandant de le laisser en paix alors que cela lui causait encore plus de peine qu'à moi. Maintenant, j'en suis certaine: il faisait cela afin que les choses n'empirent pas entre nous. J'ai tenté de me souvenir de cet affront, mais ne le pouvais pas. Je crois que même s'il m'avait frappée, je serais retournée près de lui tôt ou tard. Oui, je suis fautive, car je ne l'ai pas laissé se protéger. Mes sentiments à son égard étaient si forts que je ne pouvais tolérer son silence plus longtemps. Un jour, j'ai été le retrouver dans l'antichambre de vos appartements et lui ai franchement déclaré mon amour. Puis, lorsqu'il a été libéré de Newgate, ne pouvant l'inciter à me revoir, je suis allée le trouver et l'ai supplié de m'aimer. C'est ensuite moi qui l'ai encouragé à m'emmener en Nouvelle-Espagne, malgré ses exhortations à ne pas le faire. Existe-t-il un seul homme capable de résister à de telles cajoleries?

— Ciel! Que non! Votre Majesté! répondit Wolsey qui avait un faible pour Brandon et voulait bien lui sauver la vie, à condition que cela ne contrecarre pas ses ambitions et ses projets.

Le cœur de l'évêque était naturellement bon... à condition que cela ne lui coûte rien. De nombreuses choses ont été dites à ce propos et elles ont révélé notamment que l'ingratitude engendre toujours des retours de flammes dans le visage de l'ingrat, car lorsque Henri provoqua la chute de Wolsey, il perdit davantage que le prélat déchu.

Henri aimait vraiment Brandon ou plutôt admirait l'homme, car le roi ne savait pas tout à fait ce qu'était la véritable affection. Par contre, il était capable d'admiration, parfois de manière extravagante et sur un court laps de temps. S'il éprouvait quelque affection, c'était bien pour Marie et il ne pouvait que lui rendre justice. Il n'avait toutefois pas l'intention que justice soit rendue pour l'amour du bien si celle-ci devait causer du tort à sa volonté royale.

— Par vos machinations diaboliques, vous avez désobéi à votre frère et roi et vous vous êtes déshonorée. Vous avez probablement causé de la mésentente entre nous et la France, car si Louis vous refuse, il me faudra le forcer vigoureusement à vous accepter pour femme. En outre, de votre propre aveu, vous avez poussé un vaillant homme à risquer sa tête. Voilà ce dont une seule femme est capable ; je suis conscient du fait que tout le trouble qu'une femme peut causer est proportionnel à sa beauté et je ne suis pas surpris que ma sœurette ait pu causer de telles perturbations... Je suis toutefois surpris que tout cela puisse vous affecter à ce point... Monseigneur Wolsey, je pressens quelque sorcellerie en cette affaire. Cet homme a dû y recourir largement pour jeter ainsi un tel sort à ma sœur...

Puis, se tournant vers la princesse, il continua :

— A-t-il été possible, à un moment donné, que cet homme vous ait fait boire quelque philtre ou vous ait envoûtée par quelque tour de passe-passe ?

— Rien de la sorte! Je n'ai jamais consommé quoi que ce soit qu'il ait touché et il n'a jamais fait de gestes pouvant laisser suspecter quelque sortilège. Je le sais. Sir Edwin, vous qui avez toujours été présent lorsque j'étais avec lui, du moins jusqu'à ce que je me rende à Bristol, avez-vous remarqué chez lui de telles pratiques occultes?

Je répondis bien sûr que non et elle poursuivit.

— De plus, je ne crois guère aux signes cabalistiques et aux tours de passe-passe. Personne ne peut en influencer une autre à moins de lui faire consommer quelque philtre d'amour ou une potion quelconque. Je dois, de plus, rappeler que monsieur Brandon ne m'a jamais fait d'avances et n'aurait jamais recouru à un stratagème de la sorte afin d'obtenir quelque chose que, de toute façon, il aurait pu obtenir sans le demander.

Je remarquai alors que le regard d'Henri allait de Marie à moi. Puis il me fixa d'un air inquisiteur et mauvais que je n'appréciai guère. Me demandant ce qui allait suivre, ma curiosité fut plus que satisfaite lorsque le roi continua son interrogatoire:

— Ainsi Caskoden était toujours présent lors de vos rencontres avec Brandon?

Sainte Mère de Dieu! Je ne savais que trop bien quelle allait être la prochaine question et cela me donna la chair de poule.

— Et je suppose qu'il vous a aidée à fuguer? reprit Henri.

J'ai pensé ma dernière heure arrivée mais Marie, le regard innocent comme l'enfant qui vient de naître, s'empressa de lui répondre:

— Jamais de la vie! Je n'aurais jamais confié un tel secret à Sir Edwin ou à Jeanne de peur qu'ils ne le divulguent!

Par saint Ananie et Saphire!

Un mensonge peut parfois se révéler une bonne chose et l'homme, petit ou grand, qui viendra me dire que ce que Marie a dit n'était pas un mensonge béni me trouvera sur son chemin pour l'affronter à la lance, à l'épée ou à la masse d'armes jusqu'à ce que mort s'ensuive!

— Je suis heureux d'apprendre que vous ne connaissiez rien de ce projet, dit le roi en s'adressant à moi.

Et moi donc! J'étais heureux qu'il le prenne ainsi. C'est alors que Wolsey prit la parole.

— Si Votre Majesté me le permet, je dirais que je suis entièrement d'accord avec vous. Il y a eu sorcellerie dans cette affaire, un sortilège des plus puissants où interviennent les charmes d'admirables yeux, l'incarnat du teint et le rose des lèvres, l'envoûtement de tout ce qui est doux et enivrant dans la féminité. Oui, monsieur Brandon a été victime de ce sort, mais il n'en est pas l'instigateur. Il me suffit de regarder votre sœur, ici présente, pour que Votre Majesté soit d'accord pour dire que Brandon n'était pas de taille à lutter contre la beauté de la princesse…

— Vous avez peut-être raison… répliqua Henri.

Puis Marie parla, sans être consciente de son culte personnel de jeune fille.

— Bien sûr que monsieur Brandon n'y était pour rien…

Ce en quoi elle avait parfaitement raison.

Henri se mit à rire de sa candeur. Wolsey esquissa un sourire alors qu'il attirait le souverain loin des oreilles indiscrètes, vers la fenêtre, en le tirant par la manche.

Marie se mit à pleurer en montrant des signes d'agitation.

Après un court conciliabule, le roi et Wolsey se rapprochèrent et Henri déclara :

— Ma chère sœur, si je vous promettais de laisser la vie sauve à Brandon, consentiriez-vous à vous montrer raisonnable et, comme une princesse digne de ce nom, d'épouser Louis de France ?

Marie se mit presque à crier.

— Oui ! Oui ! Avec plaisir. Je ferai tout ce que vous voudrez ! répondit-elle en tombant à ses genoux et en lui enlaçant les jambes de manière presque hystérique.

Tandis que le roi se baissait et la priait de se relever, il l'embrassa.

— Sa vie sera épargnée, ma chère petite sœur…

Cela dit, Henri estima avoir accompli un acte d'une incroyable bienveillance et se prit pour le monarque le plus compréhensif de la chrétienté.

Pauvre Marie… Deux puissants rois et leurs influents ministres des affaires étrangères avaient finalement eu raison d'elle. Ils avaient dû lui porter le coup de grâce en attaquant son amour, le point le plus vulnérable chez toute femme…

Jeanne et moi avons reconduit Marie en passant par une porte dérobée tandis que le roi faisait mander de Longueville pour terminer sa partie de cartes interrompue. Avant que celle-ci ne reprenne, Wolsey interpella doucement le roi et lui demanda :

— Dois-je apposer le sceau de Votre Majesté sur la lettre de grâce de Brandon ?

— Oui, mais laissez-le dans la Tour jusqu'à ce que Marie soit partie en France…

Wolsey s'était certes montré un ami pour Brandon à un moment où le malheureux en avait le plus besoin mais, comme d'habitude, le prélat avait été discrètement récompensé pour son geste. Nonobstant le fait qu'afin de faire plaisir à la princesse il ait fait mine de s'opposer à son mariage avec le roi de France, il était, au fond, un ardent défenseur de cette union politique et s'était, de toute évidence, fait soudoyer par le rusé Louis XII.

Grâce au concours de de Longueville, l'évêque avait fait secrètement parvenir à la cour de France une miniature de Marie de manière à ce que ce portrait se retrouvât sous les yeux du roi. Dès lors, le valeureux mais vieillissant cœur du descendant des Valois-Orléans se mit à battre la chamade et à prétendre retrouver ses vingt ans.

Louis fit savoir à de Longueville, alors en Angleterre, combien il admirait la beauté de la princesse. L'émissaire français se montra si volubile sur le sujet que Sa Majesté le roi de France autorisa immédiatement que l'on entreprenne des négociations.

Alors que les rapports se succédaient, Louis devenait de plus en plus impatient sans toutefois ne pas quitter des yeux les colonnes de chiffres relatives au douaire de la princesse. Le roi, qu'on appelait le «Père du peuple», possédait en effet des caractéristiques bien françaises : un cœur inflammable, mais un indéniable sens pratique. Il ne perdait certes pas la dot de vue, mais pouvait-on lui reprocher cet avantage collatéral à une union déjà prometteuse ?

Malheureusement, Louis XII ne semblait guère savoir que, sous leurs pétales veloutés, les roses dissimulent des épines. Assujettie à un homme qu'elle n'aimait pas, la princesse devait se révéler une véritable mégère. Si le Père du peuple l'avait su, il aurait volontiers redonné les quatre cent mille couronnes à Henri pour qu'il garde la belle Marie en Angleterre...

CHAPITRE XIX

L'amitié que Wolsey manifestait envers Brandon avait été rétribuée par la promesse qu'avait faite Marie d'épouser le roi de France. C'était ainsi.

Marie voulut faire parvenir immédiatement un message à Brandon pour lui apprendre qu'il aurait la vie sauve et que, cette fois-ci, elle n'avait pas tardé à intervenir – un fait dont elle était très fière. Malheureusement, les portes de la Tour n'ouvraient pas avant le lendemain matin et il lui fallut donc attendre. Elle remédia à cette attente aussi bien qu'elle le put en lui écrivant une lettre dont j'aimerais vous communiquer le contenu ici, mais sa longueur me force à m'en abstenir. Elle lui apprenait qu'il était gracié, mais n'y faisait pas l'ombre d'une allusion à sa promesse de ne jamais épouser un autre homme. Marie ne racontait pas comment elle avait dû finalement déposer les armes et accepter l'idée d'être reine de France, car elle craignait de lui faire du mal et qu'en retour il refuse ce sacrifice.

— Cela risque de le tuer, je le sais, déclara-t-elle à Jeanne ce soir-là, et j'ai peur que ce soit une fausse gentillesse que je lui fasse. Il préférerait certainement que je meure plutôt que d'épouser quelqu'un d'autre. Je sais pour ma part que je souhaiterais mourir ou qu'il m'arrive quelque chose de terrible plutôt que de le voir dans les bras d'une autre femme. Il m'a promis de ne jamais appartenir à quelqu'un d'autre, mais supposons qu'il manque à sa parole comme moi j'ai manqué à la mienne… Cette seule idée me brûle intolérablement…

Elle se jeta dans les bras de Jeanne et cela la réconforta quelque peu.

— Oh! Mais supposons qu'il ne tienne pas parole… reprit-elle.

— Inutile de vous tracasser. Vous m'avez dit qu'il vous avait fait une promesse et vous savez combien c'est un homme d'honneur…

— Moi aussi j'ai promis, et regardez ce que je m'apprête à faire… Marie qui êtes aux cieux venez-moi en aide! Il est d'une autre étoffe que la mienne. Je peux croire en sa parole et j'y crois. Lorsque je passe en revue tous mes malheurs et que je me crois incapable de les affronter, la seule consolation qui me reste est de savoir que nulle autre femme ne le possédera jamais, et je suis heureuse que mon seul réconfort puisse venir de la résolution qu'il a prise…

— Je pensais que j'avais réussi à quelque peu vous réconforter, dit Jeanne, passablement jalouse.

— Oh! mais si… Ma douce Jeanne. Vous êtes pour moi un réconfort, comme un baume apaisant sur mes blessures… lui dit-elle en lui embrassant les mains.

Cette seule marque d'affection était tout ce que la modeste petite Jeanne demandait. Faute d'être un élixir, elle se contentait d'être pour sa maîtresse un simple baume.

Les deux demoiselles récitèrent leurs prières et Marie s'endormit doucement en pleurant. Après un sommeil agité, Marie continua d'ajouter des pages à son interminable lettre jusqu'à ce que je me présente pour la transmettre à son destinataire.

J'étais à l'ouverture des portes de la Tour et l'on me permit de voir Brandon immédiatement. Il lut la lettre de Marie et agit comme tout autre amoureux réagi en lisant un message de sa bien-aimée. Il ne tarda pas à remarquer que Marie n'y avait pas réitéré sa promesse et alla droit au but.

— Elle a promis d'épouser le roi de France en échange de ma vie, n'est-ce pas ?

— J'espère bien que non, répondis-je de manière évasive. Je ne l'ai pas vue longtemps et elle ne m'a rien dit en ce sens…

— Vous êtes en train d'éluder ma question. Êtes-vous au courant de quelque chose ?

— Non, répliquai-je en mentant effrontément.

— Caskoden, vous êtes soit un imbécile ou alors un fieffé menteur…

— Disons plutôt un menteur, Brandon, lui répondis-je en riant, car j'étais sûr de la place que j'occupais dans son cœur et savais pertinemment qu'il ne cherchait pas à m'insulter.

Je ne doute jamais d'un ami. Mieux vaut faire confiance à quatre-vingt-dix-neuf amis qui se révéleront être des faux jetons que de douter d'un ami parfaitement fiable. La méfiance et l'hypersensibilité sont à la fois la marque distinctive et le fléau des esprits timorés.

Je ne quittai pas la Tour avant midi et la grâce de Brandon lui avait été signifiée avant mon départ. Il se montra heureux d'avoir appris la bonne nouvelle par Marie.

S'attendant à être libéré sur-le-champ mais ayant appris qu'il serait maintenu en détention honorable pendant un certain temps, il me fit remarquer :

— Je suppose qu'ils ont peur de me relâcher avant qu'elle ne s'embarque pour la France. Décidément, le roi Henri me fait trop d'honneurs…

Je regardai par la fenêtre la rue de la Tour et m'abstins de tout commentaire.

En partant, j'apportai une lettre à Marie dans laquelle Brandon lui disait avoir tout deviné ; elle lui répondit par un mot aux lignes brouillées par les larmes lui demandant de lui pardonner pour lui avoir sauvé la vie à un prix plus considérable que si elle avait renoncé elle-même à la sienne.

C'est ainsi que pendant plusieurs jours je fis office de courrier entre Greenwich et la Tour de Londres jusqu'à ce que Marie se lasse du jeu et insiste pour voir Brandon. Elle insista vraiment sur ce point. Rien ne semblait pouvoir l'arrêter une journée de plus. Jeanne et moi tentâmes au maximum de l'en dissuader mais le mieux que nous réussîmes à faire fut de la persuader de s'abstenir de toute démarche pour le bien de Brandon, car elle commençait à réaliser que ce dernier en ferait malheureusement les frais. Elle pourrait toujours demander la permission au roi et, s'il refusait, essayer autre chose. Avec Marie, établir un fait et agir constituaient le même verbe. Voilà pourquoi elle se mit à la recherche du roi en nous entraînant, Jeanne et moi, à sa suite. C'est ainsi que notre trio parcourut les couloirs du palais en parlant fort tous en même temps. Lorsque nous faisions quelque chose, Marie se présentait flanquée de nos deux personnes.

Nous finîmes par retrouver le roi et, sans préambule, Marie formula sa requête, qui fut bien sûr refusée. Elle fit la moue et s'apprêtait à faire une crise de nerfs lorsque Wolsey prit la parole.

— Avec la permission de Votre Majesté, je serais enclin à accepter la requête de la princesse. Elle s'est montrée des plus coopératives en nous donnant sa parole dans une affaire de la plus haute importance pour le royaume. En lui accordant la petite faveur qu'elle sollicite, je crois que vous favoriserez l'esprit de conciliation qui règne entre vous deux. Cette rencontre sera la dernière et lui permettra de mieux accomplir ses devoirs de princesse…

Marie jeta un regard lumineux au cardinal, qui s'exprimait comme un livre. Il exprimait la surprise et la gratitude. Henri nous regarda et explosa d'un rire homérique.

— Je m'en moque comme de l'an quarante! Il suffit de garder le secret. Le vieux roi ne le saura jamais et nous pouvons devancer la date du mariage. De toute façon, ce vieux grigou de Louis ramasse le pactole. Quatre cent mille couronnes et une pucelle telle que vous, de quoi peut-il se plaindre? Surtout s'il se retrouve avec un héritier! Ce serait une bonne blague à faire à ce gros radin à moitié mort…

Marie s'extirpa de son fauteuil en poussant un cri de rage.

— Espèce de brute! Pensez-vous que je sois aussi dépravée que vous simplement parce que j'ai le malheur d'être votre sœur? Pensez-vous que Charles Brandon soit comme vous parce qu'il est simplement un homme?

Henri se mit à rire de bon cœur. Il avait réussi à soutirer tout ce qu'il avait voulu de sa sœur, si bien que les éclats de voix de cette dernière l'amusaient.

Marie s'en alla et, remplie de honte et de rage, réintégra ses appartements. Soutenant sa maîtresse, Jeanne était également indignée.

Ayant remarqué le visage renfermé de Jeanne, Henri s'était moqué d'elle. Il avait tenté de l'attraper et de l'embrasser, mais elle s'était dégagée et avait filé avec l'énergie du désespoir.

Plus que tout refus catégorique, cette rencontre décevante mit un terme aux velléités qu'entretenait Marie pour rendre visite à Brandon à la Tour de Londres et elle exprima son indignation dans une lettre.

Elle resta chez elle mais parvint à voir Brandon plus tard, pour de bonnes raisons, je pense. Je n'en suis toutefois pas vraiment sûr à ce jour.

J'ai donc fait parvenir cette nouvelle lettre à Brandon, accompagnée d'une miniature de Marie, celle qui avait été peinte pour Charles Quint mais que ce dernier n'avait jamais reçue, ainsi que d'une boucle de cheveux, et il lui sembla que c'est tout ce qu'il pourrait jamais posséder d'elle.

De Longueville entendit parler du brutal consentement du roi pour que Marie puisse voir Brandon. Avec une méfiance très française concernant la constance des femmes, jusqu'à la fin il insista pour qu'un membre de sa suite fût placé près de Brandon, une demande à laquelle le roi acquiesça volontiers. Cela coupa court à toute correspondance. Les bonnes occasions augmentant doublement de valeur lorsqu'elles nous échappent, maintenant que la princesse se trouvait dans l'impossibilité de voir Brandon ou même de lui écrire, elle regrettait de ne point s'être rendue à la Tour lorsqu'elle en avait eu l'occasion, en dépit des qu'en-dira-t-on.

Si Marie était autoritaire et impatiente de nature, elle savait recourir à la plus subtile des finesses pour parvenir à ses fins lorsqu'il le fallait.

Sa promesse d'accepter Louis de France pour époux avait été donnée sous le coup d'une terrible frayeur, celle de voir Brandon se faire exécuter. Sans la moindre réserve, elle aurait donné pour lui ses mains, ses yeux, sa vie, son âme pour le sauver. Toutefois, maintenant que le danger imminent était écarté, elle commençait à penser à des stratagèmes pour ne pas respecter sa promesse tout en sauvant tout de même Brandon. Elle savait fort bien que, pour l'instant, la vie de son amoureux dépendait de son mariage, mais elle n'avait jamais perdu foi en ses possibilités de manipuler son frère. Il lui suffisait d'un peu de temps. Elle regrettait maintenant cette fugue inopportune alors qu'elle aurait pu, à la place, convaincre Henri VIII à force de diplomatie féminine, et ce, dès le début.

Henri manquant totalement de finesse, alors que Marie possédait un esprit des plus alertes et en était consciente, il ne faut pas se surprendre qu'elle ait eu une telle confiance en ses moyens. Lorsqu'elle entendit d'abord parler de la condamnation de Brandon, elle fit tout pour lui éviter ce triste sort. Ne pouvant finasser, elle avait accepté le remède amer que le roi lui avait imposé. Maintenant qu'elle pouvait souffler et disposait d'un peu de temps, elle pensait pouvoir, à force de persuasion et de cajoleries, ébranler la détermination et les défenses de son abominable frère.

L'égoïsme brutal d'Henri la forçant pratiquement à subir un rapt, comme la mythologique Proserpine, enlevée par Pluton, le dieu des enfers, la condamnation de Brandon et les insinuations malveillantes du monarque à son endroit avaient endurci le cœur de la princesse Marie au point où l'on n'y trouvait plus la moindre trace d'affection pour son frère. Cela ne devait cependant pas l'empêcher de feindre des sentiments qu'elle ne ressentait pas pour parvenir à ses fins. Voilà qui était peu cher payer. Peu cher? Peut-être, mais au prix de son âme immortelle. Peu cher? Tout ce qu'elle désirait était d'avoir pour elle l'homme qu'elle aimait et d'éviter de s'unir à quelqu'un qu'elle méprisait d'avance. Il y avait de quoi causer des tourments à toute femme normalement constituée. Je suivis cette affaire du début à la fin. Marie commença à soupirer lamentablement et à pleurer et elle réconforta le roi en lui disant combien il était merveilleux et combien elle était heureuse de contribuer à la mise en œuvre de sa politique. Elle précisa toutefois que même si vivre avec le vieux roi Louis serait pour elle un véritable calvaire, elle n'en était pas moins prête à aider Henri malgré les inconvénients que cela pouvait lui causer.

Le roi se mit à rire et dit :

— Pauvre vieux Louis ! Et alors ? Pensez-vous à ses propres souffrances ? Il pense faire une bonne affaire, mais que le Seigneur aie pitié de lui car, avec ma douce petite sœur, il va avoir une sacrée épine plantée quelque part ! S'il aimait les embêtements du genre, il lui suffisait de recourir aux services d'une âme charitable et de lui demander de planter des épingles à cheveux dans son fessier ! Ah ! Ah ! Il ne sait pas qu'il y a dans cette frêle personne plus de perturbations qu'on n'en retrouve dans la nature. Vous lui en donnerez pour son argent, n'est-ce pas, chère sœurette ?

— Je ferai de mon mieux, répondit modestement la princesse, soucieuse de jouer les petites filles soumises.

— Et que le diable m'emporte si vous n'y parvenez pas. Vous réussirez, ma chère, ou que ma couronne se transforme en bloc de pierre ! ajouta-t-il en s'esclaffant, songeant au bon tour qu'il allait jouer à son vieux satyre de futur beau-frère.

On aurait cru que la flatterie que Marie déversait à plein tombereau sur son frère n'aurait pas manqué de soulever chez lui quelques soupçons quant à la sincérité de ces propos, mais Henri était si avide de compliments qu'il faisait preuve d'une affabilité surprenante envers sa sœur rebelle.

Marie déploya ses marques d'affection et de docilité pendant une bonne semaine, du moins jusqu'à ce qu'elle eut estimé avoir dissipé les soupçons d'Henri. Lorsqu'elle fut sûre d'elle, elle passa directement à l'attaque en prenant le roi par le cou et en le suppliant de ne pas sacrifier sa vie en l'envoyant en France.

Cette imploration aurait suffi à attendrir le cœur de Caligula lui-même, mais Henri n'était pas si cruel. Ce n'était qu'un individu imbu de sa personne et qui se moquait royalement des sentiments des autres.

— Tiens, tiens... dit-il en riant, je me doutais bien que toute cette gentillesse ne m'était pas prodiguée en vain... Ainsi Milady veut son Brandon, mais ne veut rien savoir de Louis? Et pourtant, elle accepte d'obéir à son vénéré frérot? Eh bien! Celui-ci la prendra au mot et la laissera obéir. Mieux vaut que vous compreniez une fois pour toutes qu'il est impératif que vous vous rendiez en France. Vous m'avez promis de le faire sans esclandre si je me gardais de faire trancher la tête de ce citoyen. Maintenant, je vous le dis pour la dernière fois: si j'entends encore la moindre jérémiade de votre part, non seulement sa tête sautera, mais vous n'en partirez pas moins en France!

Marie avait eu son compte, car ces mots avaient touché un point vulnérable: son amour pour Brandon.

— Oui, je me rendrai en France, je le répète. Vous n'entendrez plus une seule plainte de ma part si vous me donnez votre parole de roi qu'il ne lui sera fait aucun mal... répondit-elle en pleurant doucement et en se cachant le visage dans les mains.

— Le jour où vous partirez pour la France, Brandon sera libéré et pourra retrouver sa situation à la cour. Personnellement, j'apprécie sa compagnie et je pense que vous êtes davantage à blâmer qu'il ne l'est...

— Oui, je suis la seule coupable et je suis prête à payer pour mes actes. Je demeure à votre disposition pour que vous m'envoyiez où bon vous semble au moment qu'il vous plaira, répondit Marie d'un air pathétique.

Le sol allait bientôt céder sous ses pieds.

Cet après-midi là, Cavendish me prit à part et me fit savoir que son maître Wolsey désirait me parler à un moment opportun. C'est ainsi que lorsque le prélat quitta une heure plus tard sa partie de cartes je me mis en travers de son chemin. Il semblait très enjoué et m'entraîna bras dessus, bras dessous dans le couloir. Je ne savais pas au juste où il voulait en venir, mais ne devait pas tarder à l'apprendre.

— Mon cher Caskoden... commença-t-il.

Si j'avais été quelqu'un dont il aurait pu avoir besoin, je me serais méfié, mais ce n'était apparemment pas le cas.

— Mon cher Caskoden, je sais que je peux vous faire confiance, d'autant plus que ce que j'ai à vous dire a quelque chose à voir avec le bonheur de vos amis. Je compte sur vous pour ne jamais mentionner mon nom en relation avec la suggestion que je vais vous faire et que vous garderez pour vous...

Je ne savais trop ce qu'il concoctait, mais lui donnais l'assurance de ma loyauté la plus indéfectible.

— Voici de quoi il s'agit, me dit-il. Louis de France est pratiquement un cadavre ambulant. Le roi Henri ne semble guère avoir été informé de cette situation et, s'il l'est, il n'a jamais pris en considération la possibilité du départ prématuré pour un monde meilleur de celui que les Français appellent le Père du peuple. J'ai pensé que, même si la princesse ne parvient pas à dissuader son frère de faire d'elle la reine de France, il lui serait peut-être possible, étant donné la bonne volonté dont elle fait preuve pour tirer quelque vertu de la pénible nécessité qui lui incombe, de persuader le roi qu'advenant la mort de Louis elle devrait avoir la liberté de choisir son second mari...

— Monseigneur, lui répondis-je, on ne s'étonnera point de vous voir vous occuper des plus hautes affaires du royaume, car votre compassion égale votre intelligence.

— Je vous remercie, Sir Edwin, et j'espère que ces deux qualités vous serviront bien ainsi que vos amis...

Je suggérai personnellement à Marie de solliciter cette autorisation royale en présence de Wolsey et, malgré le fait qu'elle n'entretînt que peu d'espoir à ce propos, elle se montra déterminée à essayer coûte que coûte.

Dans les deux jours qui suivirent, une occasion se présenta et elle déclara au roi :

— En conformité avec vos désirs, de mon bon gré et selon les usages, je suis prête à me rendre en France n'importe quand. Mais puisque je me plie à votre volonté, j'aimerais au moins que vous me promettiez qu'à la mort de Louis il me sera possible de convoler en justes noces avec qui bon me semblera. Je sais, Louis vivra probablement très longtemps, mais donnez-moi, je vous en supplie, cet espoir qui sera pour moi comme une consolation.

Wolsey, qui se trouvait évidemment là et qui entendait la requête de la princesse, s'interposa :

—Permettez, Majesté, d'ajouter ma prière à la demande de Son Altesse. Je crois qu'elle doit avoir une certaine liberté d'action dans quelques domaines.

Marie offrait l'image d'une jeune fille si affligée que je pense qu'à ce moment-là elle parvint à toucher le cœur de son terrible frère, puisqu'il lui promit ce qu'elle demandait. Depuis lors, j'ai appris – comme vous le verrez plus loin – que cette autorisation n'avait été donnée que pour tranquilliser la jeune fille et que le roi n'avait aucune intention de la respecter car, advenant le décès du roi Louis, Henri caressait le projet de continuer à utiliser sa sœur à son avantage personnel.

La vie d'une jolie princesse est bien éloignée de celle des contes de fées que certaines personnes s'imaginent. La terre peut constamment s'ouvrir sous les pieds de l'infortunée et, parfois, Pluton peut l'entraîner aux enfers.

Marie confia ses états d'âme dans des lettres qu'elle destinait à Brandon. Elle essaya une douzaine de fois de les lui faire parvenir mais sans succès. De Longueville gardait un œil de lynx sur le rival de son maître et mouchardait en informant Henri de toute tentative de communication. Henri riait et se contentait de dire qu'il verrait à ce que cela cesse, puis ne prêtait plus attention à ces vétilles.

Autant Marie s'était montrée hostile à l'idée de se marier au roi de France, autant elle semblait maintenant pressée de se sacrifier de manière à ce que Brandon retrouve sa liberté. Si ce dernier s'objectait avec véhémence à ce sacrifice, son gros bon sens lui disait – d'ailleurs depuis le début de son idylle – que de toute façon Marie serait forcée d'épouser le vieux Louis et qu'au fond il n'y avait rien de mal à ce que sa vie fût épargnée par la même occasion. De plus, il était ravi de savoir que sa bien-aimée lui avait sauvé la vie.

Face à des montagnes d'adversité, la foi réciproque que se témoignaient les amoureux était exemplaire, exempte du moindre doute.

Malgré l'impossibilité dans laquelle je me trouvais de pouvoir livrer ses lettres, Marie continuait d'écrire. Alors qu'elle devait se marier dans quelques jours par procuration – de Longueville représentant son roi —, elle passait le plus clair de son temps à écrire des mots tendres, page après page, qu'elle me confia pour être livrés après ce qu'elle appelait «sa mort», c'est-à-dire son mariage forcé.

Vers cette époque, je dus m'absenter de la cour pour quelques jours. Lorsque je revins et me rendis à la Tour pour voir Brandon, je le trouvai en train de chanter et de siffloter, apparemment gai comme un pinson. J'ai tout d'abord pensé : «Quel ingrat...» Puis je découvris que son attitude reflétait beaucoup plus que du bonheur. Je dirais de l'exaltation.

— L'avez-vous vue? lui demandai-je.

— Qui ça? me répondit-il comme s'il parlait de n'importe qui.

— Mais, la princesse...

— Non, pas depuis que j'ai quitté Bristol...

J'étais persuadé – et je le suis encore – qu'il s'agissait là d'un grossier mensonge, ce qui était bien loin de la nature de Brandon. Je me doutais toutefois qu'il y avait de bonnes raisons à cela.

Je remarquai sur son visage une expression que je ne sus interpréter, puis, mine de rien, il se mit à griffonner sur un bout de papier les mots «Prenez garde!» De toute évidence, on nous surveillait. J'en avais la désagréable impression. Aussi, je poursuivis la conversation en parlant de choses et d'autres et pris le bateau pour Greenwich.

Lorsque j'arrivai au palais et que je vis Marie, quelle ne fut pas ma surprise de la trouver d'humeur aussi joyeuse et exubérante que Brandon. Elle chantait, riait et égayait son entourage et je me demandais ce que tout cela signifiait. Il n'y avait qu'une explication: ils avaient dû se rencontrer et avaient probablement machiné quelque projet qui ne pouvait que mal se terminer. Un échec signifierait la mort pour Brandon, aussi sûrement que le soleil se lève à l'orient. Quels étaient leurs plans? Je n'aurais pu le dire. Une chose était certaine: Brandon était sous bonne garde, nuit et jour, et Marie était constamment épiée dans son palais. Je ne voyais pas comment ils pourraient fuguer à nouveau ou même parvenir à se rejoindre.

Brandon ne m'avait rien dit, sans doute par crainte d'oreilles indiscrètes, et Marie, qui aurait pu me révéler son secret, s'en garda bien. Je dus donc me rabattre sur Jeanne à la première occasion. Je remarquai que cette dernière arborait une mine triste, voire sinistre. Je lui demandai donc si Brandon et Marie avaient pu se rencontrer.

— Je ne sais pas, me répondit-elle. Nous sommes allées à Londres hier et, à notre retour, avons fait halte à Bridewell House où se trouvaient le roi et Wolsey. La princesse a quitté la pièce en disant qu'elle reviendrait dans peu de temps. Wolsey est également sorti, ce qui me laissait seule avec le roi. Marie n'est pas revenue avant une demi-heure et il est possible qu'elle ait rencontré Brandon pendant ce temps. Par contre, je ne vois pas comment, car c'est la seule fois où je ne l'ai pas suivie de près...

Jeanne posa sa tête sur mon épaule et commença à pleurer de manière pitoyable.

— Qu'y a-t-il donc? lui demandai-je.

— Je n'ose pas vous le dire, me répondit-elle en hochant la tête.

— Vous devez parler, je vous en prie... lui dis-je en insistant.

— Le roi! lâcha-t-elle.

— Le roi? Dieu du ciel! Expliquez-moi...

Il est vrai que j'avais remarqué dernièrement qu'Henri jetait des regards équivoques sur ma belle Jeanne et, comme je vous l'ai déjà mentionné, je l'avais surprise à essayer de l'embrasser quelques jours plus tôt. Cela m'ennuyait beaucoup mais je n'y prêtais guère attention, car il avait coutume de dévisager avec insistance tous les jolis minois qu'il croisait. Pressée de questions, Jeanne m'avoua :

— Oui, le roi a essayé de m'embrasser et... de me violenter lorsque Wolsey a quitté la pièce pour s'en aller à Bridewell House. On m'a peut-être utilisée pour occuper le roi pendant que Marie rencontrait Brandon, mais je suis certaine qu'elle n'en savait rien...

— Et qu'avez-vous fait ?

— Je me suis débattue, ai tiré cette dague de mon corsage en lui disant que s'il faisait un pas de plus vers moi j'allais me la plonger dans le cœur. Il m'a traitée de folle...

— Que Dieu vous garde aussi folle que vous l'êtes, lui répondis-je d'un air implorant. Depuis quand êtes-vous l'objet de ses assiduités ?

— Depuis un mois ou deux, mais j'ai toujours réussi à lui échapper. Ces derniers temps, comme il se montrait de plus en plus insistant, je me suis procuré une dague. Il était temps... dit-elle en me montrant une sournoise petite lame qui se mit à briller dans la lueur des chandelles.

Cela signifiait pour moi de sérieux ennuis et je ne pouvais dissimuler mes inquiétudes. Pour la première fois de sa vie, Jeanne mit timidement sa main dans la mienne et murmura :

— Avant que nous revenions de France, marions-nous, Edwin...

Elle était heureuse de se précipiter vers moi pour échapper à Henri et j'étais heureux qu'entre deux maux elle choisisse le moindre.

Je ne saurais affirmer que mes deux amis se sont rencontrés ce jour-là à Bridewell, mais je pense que oui. Ils ont dû en arriver à un arrangement permettant d'alléger le cœur de Marie avant son départ pour la France et ce fut sans doute la seule occasion où ils purent s'entendre. Jeanne et moi avons toujours été dans leurs secrets, mais en ce qui concerne cette mystérieuse rencontre – pour peu qu'elle se soit vraiment déroulée –, ils ne jugèrent jamais bon de nous en toucher mot. Je crois personnellement que cette réunion fut organisée par Wolsey qui a dû faire promettre solennellement à Brandon et à Marie de ne jamais en parler. Si tel est le cas, ils ont strictement respecté leur parole.

Le 13 août 1514, Marie Tudor, ses cheveux blonds répandus sur ses épaules – seules les vierges pouvant défaire leurs tresses lorsqu'elles se mariaient, selon la coutume – , se mariait à Greenwich avec Louis de Valois. De Longueville représentait le roi par procuration. Le rapt de Proserpine était consommé.

CHAPITRE XX

Ainsi, Marie épousa Louis et devint reine de France. Lorsque toutes les choses furent réglées, le quinzième jour du mois d'août, le roi Henri VIII, la reine Catherine et Marie ainsi que la cour arrivèrent à Douvres, mais furent retardés par le mauvais temps.

Lorsque le ciel s'éclaircit, les bagages de Marie d'Angleterre furent chargés à bord du bateau et elle reçut aide et assistance du duc de Norfolk, du marquis de Dorset, de l'évêque de Durham, du comte de Surrey, de Lord Delaware, de Sir Thomas Boleyn et de bien d'autres chevaliers, écuyers, gentilshommes et gentes dames. Le matin, elle monta à bord avec toute sa noble compagnie. Le vent se leva et la traversée se révéla difficultueuse ainsi que l'entrée dans le havre de la nef qui s'ensabla. Mais des esquifs étaient prêts à recevoir la noble princesse. Sir Christopher Garnisha n'hésita pas à se mouiller pour la porter au sec où la reçurent, ainsi que ses dames de parage, le duc de Vendôme et un cardinal possédant maintes propriétés dans la région, dont certaines à trois milles d'Abbeville.

Mais Marie prenait son temps, même si une fiancée ne devait pas faire attendre son promis. Elle passait des larmes à la colère et, n'ayant jamais été malade, se mit toutefois au lit à deux occasions pour cause de nervosité. Elle posait sa tête sur la poitrine de Jeanne, pleurait un peu et priait confusément le

Seigneur de ne pas la laisser tuer l'homme qui serait son mari lorsqu'ils allaient faire connaissance.

Lorsque nous rencontrâmes le roi à environ une lieue d'Abbeville et que Marie le regarda d'un œil mortifère, elle reprit espoir, car elle comprit qu'il ne serait que cire dans ses mains, tant il semblait faible autant sur le plan physique que sur le plan moral. Alors qu'il approchait, elle fouetta son cheval et le dépassa au galop, faisant savoir qu'il ne devait pas être très vigoureux et que pour la jeune et timide créature qu'elle était il n'était qu'un épouvantail. Les courtisans français n'apprécièrent guère. Ils pensèrent que Louis s'en formaliserait, ce qui n'était pas le cas. Il se contenta de grimacer d'une oreille à l'autre, exposant de longues dents jaunâtres et se contenta de dire plaintivement:

— Oh! Le jeu en vaut la chandelle. Dites à Sa Majesté que je l'attendrai à Abbeville.

Le vieux monarque s'était présenté à cheval pour rencontrer sa jeune épouse de manière à avoir l'air plus fringant, mais une litière l'attendait pour le ramener à Abbeville par un raccourci, et Marie et lui se marièrent enfin de manière plus officielle.

Ainsi Marie se trouvait doublement mariée à Louis, mais même si elle était véritablement la reine, elle n'était pas encore sa femme.

On racontera ce que l'on veut mais, personnellement, j'aime une femme décidée, une femme qui sait se montrer un peu sauvage à l'occasion, qui sait se battre de tout cœur pour ce qu'elle aime autant que contre ce qu'elle exècre.

Marie portait donc la couronne, elle était reine, c'est-à dire à la limite de la divinité que lui conférait cet état.

On eut pu croire qu'avec un tel titre elle s'éloignerait de plus en plus de Brandon mais, dans son cœur, chaque jour elle se rapprochait de son bien-aimé.

Une chose ne cessait de la troubler. Henri avait donné sa parole que Brandon serait libéré dès que Marie aurait quitté les côtes d'Angleterre, mais elle n'avait pas reçu de nouvelles en ce sens, même si on lui avait fait parvenir des lettres de chez elle. Elle commença à douter de son frère, en qui elle n'avait qu'une confiance limitée. Une nuit, elle rêva avoir assisté à l'exécution de Brandon. Henri se réjouissait grassement en pensant au bon tour qu'il avait joué à sa chère sœurette. Elle en fut malade. Enfin je reçus une lettre de Brandon, qui avait traîné aux hasards de la poste. Elle contenait un mot destiné à Marie. Il lui exprimait son pardon inconditionnel et son amour, plus grand qu'il ne l'avait jamais été. La joie de Marie fut si grande que je ne pus m'empêcher d'avoir la larme à l'œil.

Contrairement à ce que je m'attendais, le mariage de Marie ne semblait pas affecter cette dernière outre mesure, car elle donnait l'impression d'avoir retrouvé sa gaieté et sa joie de vivre. Je pensais aux souffrances de Brandon et cela me blessait. Le cœur de la nouvelle reine n'était-il qu'un objet insignifiant virevoltant au gré de la brise? En la voyant agir, on aurait été porté à le croire.

Je me confiai à Jeanne, mais elle se gaussa de mes inquiétudes.

— Marie va bien, m'assura-t-elle. N'ayez crainte. Tout s'arrangera probablement mieux que vous le pensez. Comme vous le savez, elle fait toujours en sorte que les choses s'infléchissent dans le sens où elle le veut.

— Si vous pouvez me rassurer, Jeanne, faites-le car je m'inquiète pour Brandon, dont le cœur est prisonnier d'une créature aussi entêtée et inconstante que Marie…

— Sir Edwin Caskoden, je vous prierais d'employer un langage plus respectueux lorsque vous parlez de ma maîtresse. La reine sait fort bien qui elle est, mais il me semble que vous n'en soyez pas conscient. Bien que je n'en aie jamais parlé avec elle, je peux fort bien voir ce qui se passe. Et lorsque vous me parlez de l'attachement que Brandon lui porte, j'aurais tendance à dire que c'est elle qui est sa prisonnière et lui qui est maître des liens. Il serait capable de lui faire traverser un océan de feu.

— Pensez-vous?

— Absolument.

Je demeurai pensif et en conclus qu'elle avait raison. En vérité, le temps était venu où j'étais en mesure de croire que Jeanne, avec son bon sens et sa circonspection, ne pouvait faire erreur dans quelque matière que ce soit et j'en suis toujours persuadé. Cette idée me réconforta. Aussi demandai-je:

— Vous souvenez-vous de ce que vous aviez dit qui devait arriver avant que nous rentrions en Angleterre?

— Je m'en souviens, dit Jeanne.

— Alors?

— Je suis prête lorsque vous le voudrez, murmura-t-elle en glissant sa main dans la mienne.

Grand Dieu! J'ai pensé défaillir. J'aurais préféré qu'elle m'annonce la chose graduellement. Pour exprimer ma joie, je m'approchai d'une statue en bronze de Bacchus, d'une taille semblable à la mienne, pris mon chapeau que je gardai sous le bras et en coiffa le mythique dieu du vin en faisant toutes sortes de folies qui eurent pour effet de faire tomber l'œuvre d'art. Jeanne crut que je délirais et elle en écarquilla les yeux. Après ma «victoire» sur Bacchus, je m'approchai d'elle et lui transmis d'autres messages destinés à Marie, que j'avais gardés en réserve, je le confesse. Puis, nous prîmes nos dispositions pour nous marier dès le lendemain matin.

Accompagnés de la reine Marie et d'un couple d'amis intimes, nous nous rendîmes à une petite église où un curé nous unit enfin pour le meilleur et pour le pire. Tout était gentillet et je crois que nous n'aurions jamais retrouvé des conditions si propices. Marie se mit à rire, puis à pleurer, puis à rire à nouveau et ne cessa d'applaudir. Elle déclara qu'il s'agissait d'un mariage «ressemblant à quelque jeu». Tandis qu'elle embrassait Jeanne, elle en profita pour lui passer au cou un superbe collier de brillants qui devait bien valoir dix mille livres. Il n'en était que plus précieux pour Jeanne qu'il lui venait de sa chère maîtresse. Ce mariage était peut-être ludique, mais ma vie avec Jeanne s'est déroulée comme un jeu perpétuel.

À peine étions-nous installés à la cour de France que Marie commença à mettre les choses en branle et à semer le trouble. Je ne peux m'empêcher de me souvenir qu'Henri prenait Louis en pitié, car sa jeune épouse s'était chargée de lui compliquer singulièrement la vie.

Je détestais profondément le roi Louis, sans doute à cause de ce qu'il avait imposé à Marie, mais c'était en fait un brave bonhomme et, à certaines occasions, je ne pouvais qu'avoir pitié de lui. Il avait un cœur sensible et sa tête ne semblait pas toujours là, surtout lorsqu'il était question de femmes. Il suffit de penser à sa ridicule tentative de séduction de la comtesse de Croÿ alors qu'il n'était que duc d'Orléans et à son amour obsessionnel pour cette Italienne pour qui il fit construire un caveau princier – ce qui faisait une belle jambe à la dame. Et puis il y avait eu son mariage avec cette chipie d'Anne de Bretagne, pour qui il avait sollicité du pape Alexandre VI l'autorisation de divorcer de cette petite chouette infirme de

Jeanne, la seconde fille de Louis XI. En échange de cette faveur, il avait récompensé le fils d'Alexandre, César Borgia, en le nommant duc de Valentinois. Je pense que Louis a regretté Jeanne car Anne était une véritable harpie qui le menait à la baguette... de fer. Mais cette dernière passion pour Marie, cette petite flamme vacillante de sa vieillesse, s'avérait la pire de toutes sur les plans objectif comme subjectif, à cause de son attirance sénile pour la princesse anglaise et la façon malicieuse que celle-ci avait de lui faire la vie dure. Au début, il manifestait le plus grand émerveillement devant elle, qui le lui rendait bien mal et le tenait à l'écart de sa vie. Elle ne tarda pas à tant l'éviter que, parfois, il ne pouvait la voir pendant des jours alors qu'elle en profitait peut-être pour se promener à cheval ou à pied, fréquentant des courtisans qui l'encourageaient dans ces occupations futiles. Le roi poursuivait avec acharnement sa fuyante jeune femme et lui faisait des remontrances, lorsqu'il parvenait à la rejoindre. Il souriait alors d'un air malheureux comme un homme victime d'une mauvaise farce dont il ne saisissait pas le sens ou l'ampleur.

En de telles occasions, elle se moquait ouvertement de lui puis se mettait en colère, ce qui ne lui était guère difficile. Aussi, je déplore de le dire ici, elle l'insultait en des termes si blasphématoires que les pieuses dames de la cour en frissonnaient d'horreur. Parfois, elle déchaînait contre lui son ardeur juvénile en lui disant ouvertement qu'il se comportait comme un grossier personnage en effrayant la frêle et timide jeune fille qu'elle était par ses propos désobligeants. Puis elle lui faussait compagnie. Alors il se contentait d'une partie de patiences aux cartes, fermement convaincu que la nature des femmes comportait une facette diabolique. Faisant preuve de compréhension et d'une grande gentillesse envers la jeune mégère, cela n'empêchait pas cette dernière d'accuser le roi de la maltraiter cruellement, elle, une pauvre femme égarée en pays étranger ; elle le menaçait alors de rentrer chez elle, dans sa chère Angleterre, et de tout raconter à son frère Henri VIII afin qu'il mette bon ordre à tout cela. En fait, elle jouait si parfaitement l'innocente bafouée que le pauvre Louis s'excusait des torts imaginaires que Marie avait inventés et qu'il essayait de la distraire et de la faire sourire. Alors elle se mettait à pleurer de plus belle, devenait hystérique et était emmenée par ses dames de parage. Elle reprenait ses esprits avec une rapidité déconcertante. D'ailleurs, les courtisans ne tardèrent pas à colporter au roi des histoires où il était question des rétablissements instantanés de Marie. Elle prit un air insulté, se mit en rage et vitupéra le roi pour avoir accordé foi à de telles calomnies, elle qui était si bonne et aimait tant son royal époux...

Je puis vous assurer que l'on perd irrémédiablement son temps en tentant de lutter contre la présomption d'innocence blessée – une imprenable redoute féminine – et que l'assiégeant n'a rien d'autre de mieux à faire que de lever le siège. Dans tout l'art de la tendre guerre, il s'agit de la plus amusante, de la plus exaspérante défense et contre-attaque à laquelle une femme puisse recourir. Chacune d'entre elles la maîtrise fort bien et sait y recourir le temps venu.

Marie était capable de bouder pendant des jours en prétextant quelque maladie. Un certain matin, elle fit attendre le roi une demi-journée à sa porte après s'être sauvée par la fenêtre pour aller faire du cheval dans la forêt en compagnie de jeunes gens. Lorsqu'elle revint, en réintégrant ses pénates, toujours par la fenêtre, elle se rendit à la porte et semonça le pauvre vieux roi pour l'avoir laissée se morfondre dans sa chambre toute la matinée. Et Louis s'excusa platement.

Elle changea ses habitudes alimentaires selon la coutume anglaise, ne mangeant que légèrement à midi et se faisant servir des soupers substantiels. Elle forçait le pauvre roi en le gavant de nourritures lourdes et le poussait à boire «avec autant d'ardeur que son frère Henri», et l'on finissait par retrouver Louis de Valois sous la table. Cela amusait fort la cour, sauf de vieux amis du monarque ainsi que ses médecins qui étaient scandalisés. Elle l'entraînait dans de longues randonnées les jours de froidure par des chemins cahoteux jusqu'à ce qu'il soit complètement épuisé et qu'il se retrouve transi de froid.

Le soir, elle tenait à ce qu'il assiste aux bals qu'il donnait. Elle le gardait éveillé jusqu'au petit matin, le forçant à boire et à danser – ou plutôt à essayer de le faire – jusqu'à ce qu'il en trébuche. Ensuite, elle allait se claquemurer dans sa chambre. Si elle ne parvenait pas à envoyer son époux *ad patres* en décembre, elle le ferait en mai. Le roi se croyait une exception malgré son âge, ce qui, chez un fou, est détestable.

Marie tuait Louis aussi sûrement et délibérément que si elle lui avait fait absorber un insidieux poison. Disons qu'au mieux il était faible et dépérissait. Lors d'événements publics, comme lors du tournoi du couronnement, il avait été obligé de s'étendre sur une couchette.

Oui, Marie se montrait cruelle mais il faut se rappeler comment on lui avait imposé ce mariage et elle considérait son comportement comme de la légitime défense. Cette tâche lui était facilitée par la faiblesse croissante du roi. Tous les visages étaient en effet tournés vers celui que l'on considérait comme l'étoile montante de la royauté, le jeune François, duc d'Angoulême, le cousin du roi pressenti pour prendre la place de ce dernier. Très amoureux de Marie, François l'encourageait dans ses entreprises et les courtisans emboîtaient le pas. Le vieux roi se retrouvait donc entouré d'une cour toujours prête à se laisser amuser à ses dépens par une jeune reine plutôt dissipée.

Marie accueillit favorablement cette situation et faisait la belle auprès du jeune duc qui répondait avec un peu trop de véhémence à ces agaceries, ce qui effrayait la jeune reine. Ce François d'Angoulême, le dauphin, était tombé follement amoureux de Marie au premier regard malgré qu'il fût marié à Claude, la fille de Louis. En fait, il était un lointain cousin du roi. Cela remontait à saint Louis et il pouvait ainsi prétendre à la couronne. Le roi avait plein de filles mais, comme vous le savez peut-être, en vertu de l'antique loi salique «le royaume de France est un héritage si grand et si glorieux qu'on ne saurait le confier à une femme». En vérité, la France se serait beaucoup mieux portée si elle avait à l'occasion été gouvernée par une femme, car un pays prospère toujours sous la gouvernance d'une souveraine.

François avait, pendant de longues années, vécu à la cour comme l'héritier présomptif et, comme le veut la coutume, appelait son lointain cousin «Mon oncle». Cet oncle appelait à son tour François «Ce gros garçon» et la reine Marie l'appelait «Monsieur mon beau-fils» d'un faux air maternel qui provoquait des sourires. En effet, une mère de seize ans s'occupant d'un gros garçon de vingt-deux ans et de six pieds et cinq pouces pouvait porter à controverses. Cette relation aurait pu être particulièrement dangereuse si la jeune femme n'avait été aussi vertueuse qu'elle était emportée et obstinée. Pour François, le terme «Mon beau-fils», pas plus que son état d'homme marié ou le respect qu'il devait au roi, ne l'empêchaient d'accorder une vive attention à la jeune reine. Sa position d'héritier et son long séjour dans l'entourage de Louis XII l'encourageaient à poursuivre son inconvenante cour auprès de Marie. Il avait été le premier à rencontrer la reine au lieu de rencontre près d'Abbeville et, à toute occasion, représentait le roi.

Le «beau-fils» justifiait bien son nom, car c'était un fort bel homme qui, cependant, se pensait beaucoup plus séduisant qu'il ne l'était en réalité. Il possédait également certains talents qui, s'imaginait-il, étaient bien supérieurs à leur valeur réelle. Les femmes en étaient folles et, par conséquent, il se pensait irrésistible. Très sensible au charme féminin, libertin consacré, en vieillissant il se lança dans des débordements dont l'histoire de France se souviendra longtemps.

Aveuglée par sa propre innocence, Marie comprit très bien où se situaient les faiblesses du gendre du roi sans avoir la maturité nécessaire pour détecter sa malice libidineuse. Elle se contentait de le laisser lui conter fleurette et passait beaucoup de temps en sa compagnie, tant de temps en fait que je commençais à être jaloux par procuration pour mon ami Brandon et, je dois le confesser, pour la première fois à douter de la fidélité de la princesse. Je craignais sérieusement qu'une fois Louis passé de vie à trépas, Brandon se retrouverait avec un rival beaucoup plus dangereux.

J'étais persuadé qu'advenant le cas où Marie se serait montrée infidèle et serait demeurée en France, soit en qualité d'épouse légitime ou de maîtresse de François, Brandon aurait trouvé le moyen de lui prendre la vie et, le pire, j'aurais souhaité qu'il le fît. J'en touchai un mot à mon épouse Jeanne et elle admit finalement qu'elle n'appréciait guère les flirts de sa maîtresse. Incapable de garder le silence et décidé à mettre Marie en garde, j'abordai franchement le sujet avec elle.

— Que vous êtes bête! me dit-elle en riant. François est presque aussi fou qu'Henri!

Puis elle se mit à pleurer et, nettement en colère, me saisit le bas et me le secoua de manière presque hystérique.

— Ne le savez-vous point? Ne pouvez-vous pas voir que je sacrifierais cette main, mes yeux, voire ma vie même pour pouvoir m'agenouiller à ce moment précis devant Charles Brandon? Ne savez-vous donc point qu'une femme qui porte en son cœur un amour comme le mien est à l'abri de toute tentation? Cet amour est comme une ancre pour moi. N'avez-vous pas suffisamment d'esprit pour vous en douter?

— Oui, je le sais, répondis-je.

Elle avait réussi à me faire taire, mais je ne tardai pas à revenir à la charge:

— Seulement voilà, François est si dévoyé que je me chagrine de vous voir constamment avec lui...

— Je suppose qu'il est loin d'être un ange, mais il n'est pas pire que les gens qui fréquentent cette cour où je me suis retrouvée malgré moi et il ne peut aucunement me causer du tort.

— Mais si, il le peut. On ne se frotte pas à des varioliques sans finir par contracter la maladie. La contagion morale, toute aussi dangereuse quoique moins perceptible, doit également être évitée à tout prix. Il faut être d'une chasteté surhumaine pour ne pas en être victime.

Elle pencha pensivement la tête et leva les yeux de manière implorante.

— Ne suis-je pas précisément cela, Edwin? Dites-moi. Dites-moi franchement. Ne suis-je pas cette personne surhumaine? C'est d'ailleurs ce pourquoi j'ai toujours lutté. Je sais, j'ai beaucoup d'autres défauts, mais on ne m'accusera pas de dévergondage.

Alors qu'elle était en pleurs, la voix chevrotante, je réalisai qu'effectivement la princesse, quoique naïvement frivole à ses heures, avait une âme d'enfant.

— Vous êtes sans aucun doute une personne fort au-dessus de la moyenne, Votre Majesté, et vous représentez tout ce qui permet à l'humanité de s'agenouiller devant la féminité.

Joignant le geste à la parole, je fis une génuflexion et lui baisai la main en hommage, par signe de foi et de confiance. Mes prévisions sur la manière dont François d'Angoulême se mit à agir à la mort de Louis se révélèrent malheureusement justes. Nous en reparlerons.

Peu après ces événements, Lady Caskoden et moi avons reçu la permission de rentrer en Angleterre et nous nous préparâmes pour ce voyage de retour. Voir Jeanne s'affairer et surveiller les préparatifs de notre déménagement fut un plaisir et elle s'acquitta fort bien de sa tâche. Je n'ai jamais autant apprécié mon indépendance financière, car elle permit à Jeanne de se procurer ce qu'elle désirait dans les charmantes boutiques de Paris. Une fois les bagages faits, et Marie nous ayant tous deux embrassés, nous avons rassemblé notre petite escorte et, passant par Saint-Denis, avons pris le chemin de notre bonne vieille patrie.

À notre départ, Marie me remit une lettre destinée à Brandon. Elle était si volumineuse que je fus rassuré : il était toujours l'homme de ses pensées. En regardant cette rame de papier, je ne pus m'empêcher de lui dire le plus sérieusement du monde :

— Votre Majesté, n'aurais-je pas dû prévoir une malle supplémentaire pour votre courrier ?

Elle eut un petit rire nerveux et chuchota d'une voix rauque :

— J'aime à croire qu'il y a quelqu'un qui ne pensera pas que ma lettre est trop longue. Au revoir ! Au revoir !

Nous partîmes donc en laissant Marie, la reine enfant, parmi les redoutables personnages de la cour de France. Elle avait notamment pour compagne une très jeune fille d'honneur ayant atteint l'âge de raison. Cette demoiselle avait pour nom Anne Boleyn.

CHAPITRE XXI

À notre retour en Angleterre, je laissai Jeanne dans le Suffolk aux bons soins de son oncle Lord Bolingbroke, après avoir décidé qu'elle ne se trouvera plus jamais à portée de vue du roi Henri. Puis, je partis pour Londres avec deux buts précis. Le premier étant de donner ma démission en tant que maître de danse au roi et le second de rencontrer Brandon.

Le roi entra dans une grande colère lorsque je me présentai à lui et que je lui fis part de mon mariage pour lequel je ne lui avais pas demandé son consentement. Un de ses diktats était que personne ne pouvait rien faire sans avoir sa permission: que ce soit dormir, manger, faire ses prières et, bien entendu, se marier, tout spécialement si la jeune personne faisait partie de la suite royale. Jeanne était heureusement sans fortune depuis que le père du roi lui avait volé son héritage alors qu'elle n'était encore qu'un bébé. La seule chose que le roi pouvait faire au sujet de notre union était de grommeler, ce que je lui laissai faire à loisir.

— Je désirerais également remercier Votre Majesté pour toutes les gentilles attentions dont elle m'a gratifié, ai-je dit, et bien que cela me coûte énormément de me séparer de vous, les circonstances m'obligent à vous donner ma démission en tant que maître de danse.

Sur ce, il se montra assez gentil pour exprimer ses regrets de me voir partir et il me demanda de reconsidérer ma décision. Je restai toutefois inébranlable et c'est à ce moment précis que mes relations officielles avec Henri Tudor prirent fin à tout jamais.

Mes adieux faits au roi, je partis à la recherche de Brandon. Je le retrouvai confortablement installé dans nos anciens appartements. Il les avait préférés à des logis plus somptueux ailleurs dans le palais. Le roi lui avait donné des meubles neufs et je restai donc chez lui pendant quelques jours en attendant de régler certaines affaires.

Ces jours passés en sa compagnie ont représenté mes adieux à ma vie de célibataire. Après cela, j'allais être totalement engagé avec Jeanne, car j'étais une partie de nous deux – une bien petite partie, j'en ai peur. Je ne regrettais pas le changement, bien entendu, étant donné qu'il s'agissait de la seule chose que je désirais. Toutefois, cette période de mon existence a été teintée d'un vague sentiment de pathos étant donné que je quittais pour toujours une vie qui avait été si bonne pour moi. Je n'avais aucun regret et bien qu'abandonnant tous mes vieux repaires, mes compagnons et mes amis qui m'étaient si chers, je les retrouverais tous réunis en Jeanne qui était ma compagne, mon amie et ma femme.

Lorsque je parlai de la lettre de Marie à Brandon, je mis l'accent sur son aspect volumineux et il se montra à la fois enchanté et pressé de la lire. Malheureusement, il allait devoir attendre en raison du retard d'une de mes boîtes. Mis à part la lettre, il y avait autre chose que Marie lui faisait parvenir et que j'avais emporté avec moi. Il s'agissait d'une somme d'argent suffisante pour payer les dettes qui avaient été contractées sur le domaine de son père et pour acheter des terrains avoisinants. Brandon n'a pas hésité un seul instant à accepter ce don et a paru content de savoir que cet argent provenait de Marie, qui était la seule personne de qui il pouvait recevoir quoi que ce soit.

Une des sœurs de Brandon avait épousé un riche marchand d'Ipswich et une autre allait se marier sous peu avec un gentilhomme anglais. Son frère allant probablement demeurer célibataire, il incombait donc à Brandon de s'occuper du domaine. Il y a en fait vécu pendant de nombreuses années par la suite et, comme Jeanne et moi avions acheté une petite propriété à proximité, grâce à la générosité de son oncle, nous nous sommes beaucoup fréquentés. Mais j'anticipe, une fois de plus.

Je me suis beaucoup inquiété au sujet du duc d'Angoulême et des complications qui pourraient survenir de ses manigances. Même si j'avais une grande foi en Marie, et bien que je me sois décidé à ne rien dire à Brandon, je lui ai cependant fait part de mes pensées et de mes craintes.

Il me répondit avec un petit rire de satisfaction :

— Ne soyez pas inquiet pour Marie. Moi, je ne le suis pas. Ce jeune homme est d'un autre acabit. Je le sais par le vieux roi et j'ai toute confiance en l'intégrité de Marie et en sa capacité à prendre soin d'elle-même. Elle a promis de m'être fidèle avant de partir quoiqu'il arrive et j'ai totalement confiance en sa parole. Je ne suis pas aussi malheureux que l'on pourrait croire. Ai-je l'air d'un homme malheureux ?

Force était d'admettre que ce n'était absolument pas le cas. Marie et lui s'étaient donc rencontrés, comme Jeanne et moi l'avions soupçonné. Toutefois, il m'est impossible de dire comment Marie avait réussi à s'extirper de ce guêpier. Il n'y en a pas deux comme elle pour se sortir des situations difficiles. Puis un matin l'épaisse missive arriva enfin. Brandon sauta dessus et la dévora. Je laisse de côté tous les passages sentimentaux qui, comme tout champagne, perdent rapidement leur arôme lorsque les bulles ont disparu. En résumé, en voici la teneur :

«Pour Monsieur Brandon,

«Monsieur et cher ami, salutations respectueuses.

«Mon cœur a été envahi par une telle souffrance et une tristesse si intense après votre départ que j'avais l'impression qu'il allait se briser. Me séparer de vous a été beaucoup plus difficile à supporter que je ne l'avais pensé et j'ai même eu des doutes sur ma possibilité de vivre à Paris. Le sommeil ne m'était d'aucun secours et il m'était impossible d'ingurgiter quelque nourriture ou quelque boisson que ce soit sans être prise de nausées. Le vin m'étouffait. Cet état a duré pendant tout mon voyage que j'ai prolongé sous divers prétextes. Toutefois, lorsque mes yeux se sont posés pour la première fois sur le visage du roi Louis, j'ai immédiatement su que je pourrais le dominer et, finalement, lorsque je suis arrivée à Paris et que je me suis habituée au rythme de la ville, j'ai découvert que cela était tellement facile que mon cœur a sauté de joie. La beauté a ses limites en ce qui concerne ce peuple explosif. Cela m'a permis d'avoir le contrôle beaucoup plus facilement et de sujet servile je suis devenue un tyran capricieux et malin. C'est ainsi que mon infortune est devenue beaucoup moins terrible et il semble qu'elle n'aura qu'une courte durée. Je suis donc presque heureuse, si ce n'est de votre absence, et il m'arrive de penser que cette situation est peut-être un mal pour un bien.

«Ce nouvel aspect inattendu de nos ennuis a tellement aiguisé la douleur qui rongeait mon cœur que je préférais me retrouver seule pour rêver éveillée d'une époque, certainement proche, où je me retrouverais avec vous… L'attente me paraît souvent difficile, moi qui n'ai jamais langui, qui n'ai jamais eu besoin d'attendre, que je ne suis pas en vérité, et que je ne veux pas être. Toutefois, j'essaie de me contenter de la pensée que, certainement, cette attente ne durera guère et que lorsque cette période de temps pénible se sera finalement écoulée nous la considérerons comme étant l'école de la vie et nous nous réjouirons de n'avoir pas acheté notre paradis à bas prix.

« Je dis que je trouve facile de vivre ici comme je le désire et j'ai commencé à vous raconter certains détails, lorsque j'ai pris une tangente pour vous dire à quel point vous me manquiez. Je vais donc réessayer. Pour commencer, ce Louis n'est rien d'autre que la pâle ombre d'un homme dont vous ne devez pas être jaloux. Il est alité, car il est malade la plupart du temps et, si par un coup heureux du sort il se trouve assez bien pour se lever un jour, je fais en sorte qu'il retombe malade d'une façon ou d'une autre. De plus, il n'en plaise à Dieu que je réussisse à l'épuiser pendant un assez long moment. Mon frère le roi Henri avait raison. Il aurait été préférable pour Louis d'épouser le diable en personne plutôt que moi, car vous savez très bien à quel point je peux me transformer en un petit démon. Si vous ne le savez pas, Henri, lui, le sait. Tout cela me fait de la peine, toutefois je ne possède pas de remède à ma tristesse et je n'en veux point. Il m'arrive parfois de ressentir de la compassion pour le vieux monarque, mais je ne peux pas m'empêcher de la cacher car il me fait tourner les sangs et il doit supporter les conséquences de sa sénilité. Il est vraiment fou d'amour pour moi, le pauvre vieil homme, et plus je le garde à distance, plus il se montre gâteux. Je crois fermement que si j'insistais pour qu'il se mette sur la tête il le ferait. Je devrais essayer de lui faire prendre cette pose. Il fait déjà suffisamment de choses absurdes et insensées comme cela. Les courtisans sourient à toutes les extravagances du roi et s'en gaussent également. Ils vont même jusqu'à me provoquer pour que je lui fasse faire encore plus d'idioties.

« Quelques-uns des courtisans les plus vieux ne font que secouer la tête, mais n'osent rien dire à cause du dauphin, qui sera bientôt roi et qui est le premier à me pousser et à m'encourager. Il m'est donc facile de faire tout ce que je veux et surtout de laisser inachevé ce que je ne veux pas finir, car je les domine tous, comme le bon Sir Edwin et notre chère Jeanne pourront vous le confirmer. Il y a un bal à la cour tous les soirs. Je m'y amuse beaucoup et j'amuse tout le monde en dansant la valse avec Sa Majesté le roi jusqu'à ce que ses talons et sa pauvre vieille tête soient prêts à déclarer forfait. D'autres m'importunent pour que je danse avec eux mais je ris et secoue la tête en disant que je ne danserai avec personne d'autre que le roi parce qu'il est un merveilleux danseur. Cela plaît au plus haut point à Sa Majesté et me permet de ne pas être touchée par d'autres hommes car je suis jalouse pour vous...

« Sir Edwin vous racontera que je ne danse avec personne d'autre que le roi et que je ne danserai jamais avec qui que ce soit d'autre. Vous devez bien vous souvenir que c'est vous qui m'avez enseigné cette nouvelle danse. Ah ! Comme cela était merveilleux ! Et pourtant, au début, j'ai été effrayée et cela m'a mise en colère. Vous ne devez certainement pas vous douter de la force avec laquelle mon cœur a battu pendant ces premiers pas. J'ai bien pensé qu'il allait éclater. Et ensuite j'ai ressenti ce frisson de pure extase et le feu a couru dans mes veines ! Je savais que c'était mal, car en fait il s'agissait d'une sensation bien trop exquise pour être convenable. Et puis je me suis fâchée contre vous parce que vous étiez la raison pour laquelle je m'étais mal conduite et je vous ai réprimandé pour me repentir par la suite, comme d'habitude. Vous m'avez conquise et non séduite. Par la suite, en plus de me faire peur, ce sentiment m'attirait et j'avais hâte de danser à nouveau. J'avais du mal à attendre que le soir arrive et lorsqu'il arrivait que vous ne veniez pas, j'étais tellement fâchée que je vous détestais. Que pouviez-vous penser de moi, qui me montrais si intrépide et effrontée ! Et ce fameux après-midi ! Ah ! J'y pense à chaque heure qui passe. Je le revois et j'entends encore les paroles échangées, je ne fais que revivre encore et encore ces moments délicieux et plus j'y repense plus doux sont les souvenirs. Ils sont parfois si réels que je sens un frisson traverser mon corps. Que soit béni celui qui peut sourire et embrasser des souvenirs et en obtenir une félicité qui ne s'affaiblit jamais. Mais vous connaissez fort bien mon cœur et il est inutile que je vous inonde de ces effusions.

« Je désire encore vous parler de quelque chose de sérieux. Sir Edwin a abordé la question avec moi et ses propos m'ont fait sérieusement réfléchir. Je le remercie de ses conseils et il vous donnera tous les détails. Voici ce dont il s'agit : le dauphin, François d'Angoulême, s'est entiché de moi. Il se montre aussi importun et agit aussi follement que le vieux roi. Les gens de cet étrange pays qu'est la France ont des notions assez bizarres. Par exemple, personne ne trouve quoi que ce soit à redire à propos de la conduite du dauphin, tout cela parce qu'il a une femme, la princesse Claude, qui est la fille du roi. Je me moque de lui et je le laisse raconter ses boniments, car je n'ai pas les moyens de l'en empêcher. Les paroles ne peuvent abîmer les pétales de roses et elles ne me blesseront pas. De plus, grâce à son aide et à son exemple, je me trouve justifiée aux yeux de la cour, du fait que je traite cavalièrement le roi ; si ce n'était de cela, il me serait impossible de vivre ici. C'est ainsi que bien que je les ai en horreur, je suis poussée à tolérer les paroles du dauphin que je repousse d'un rire, m'assurant ainsi, comme vous pouvez l'imaginer, que tout cela demeure du badinage. Les choses étant ainsi, bien que ne le voulant pas véritablement, je me sers de François pour pouvoir traiter le roi comme je le désire et utiliser ce vieillard malade en tant que bouclier contre la trop grande familiarité du duc. Toutefois, mon ami, j'aurai vraiment peur de ce jeune François d'Angoulême le jour où le roi trépassera. Il est vraiment entiché de ma personne et je ne sais pas jusqu'où il ira. Le roi ne vivra pas très longtemps et vous devrez venir le plus rapidement possible le jour où cela surviendra, car je serai en très grand danger. J'ai un messager près de moi, prêt à partir immédiatement lorsque je vous enverrai chercher, et lorsqu'il arrivera, ne perdez pas un instant. Cela est d'une très grande importance pour vous comme pour moi. Je pourrais continuer à vous écrire encore et encore mais cela ne serait que pour vous répéter que mon cœur déborde d'amour pour vous. Je vous remercie de n'avoir jamais douté de moi et ferai en sorte que, par la suite, nous ne vivions que de belles choses.

«Marie, *Regina*.»

Regina. «Reine» en latin! C'était tout. Rien qu'une reine! Personne ne pouvait accuser Brandon d'avoir des goûts modestes.

Je pense avoir remis cette lettre en mains propres au cours de la seconde semaine du mois de décembre et environ deux semaines plus tard un messager est arrivé de Paris avec une deuxième lettre de Marie, que voici:

«Monsieur et cher ami,

«Salutations. J'ai tout juste le temps de vous écrire que le roi est si malade que l'on s'attend à ce qu'il trépasse dans la matinée. Vous savez ce que je vous ai écrit à ce sujet et j'aimerais ajouter que, bien que possédant la permission de mon frère d'épouser celui qui me plaît en deuxièmes noces, il s'avère plus prudent que nous agissions plutôt que de nous montrer trop scrupuleux pour lui demander un autre consentement. Il serait donc préférable que vous m'épousiez en accord avec ce dernier consentement pour ne pas risquer d'avoir l'obligation de nous marier sans autorisation du tout. Je n'en dirai pas plus, cependant, arrivez le plus rapidement possible.

«Marie.»

Inutile de dire avec quelle fébrilité Brandon se dépêcha pour se rendre à Paris. Il quitta la cour sous le prétexte ostensible de me rendre visite, puis passa à Ipswich d'où il s'embarqua pour la France.

Le roi de France était mort avant que le message de Marie n'atteigne Londres, et lorsque nous sommes arrivés à destination, François 1er avait déjà pris la place de son beau-père sur le trône. J'avais deviné juste. Étant donné que la surveillance, plutôt symbolique, du vieux roi ne s'exerçait plus, le fringant Protecteur des Lettres déclencha ses attaques amoureuses sur Marie avec une incroyable assiduité. Il la supplia, lui déclara son amour, probablement fondé. Il l'implora et, trois jours après la mort du vieux roi, lui promit de divorcer de Claude et de faire de Marie la reine de France pour la deuxième fois. Lorsqu'elle refusa cette offre flatteuse, la surprise de François fut des plus sincères.

— Avez-vous seulement une idée de ce que vous refusez? demanda à Marie celui qu'on devait appeler plus tard le Roi guerrier. Je vous offre d'être ma femme, la reine de vingt millions de fidèles sujets, du pays le plus peuplé d'Europe. Mais vous êtes assez folle pour refuser un tel cadeau et un homme tel que moi en guise d'époux?

— Je suis déjà reine, Votre Majesté, et de bonne grâce. Je ne vous ai pas attendu pour cela. D'ailleurs, cet honneur ne m'est pas plus important que le serait un malheureux penny. Être princesse d'Angleterre est pour moi un titre suffisant, qui supplante tous les autres. Quant à cet amour que vous me déclarez, permettez-moi de vous rappeler que vous avez déjà une douce et bonne épouse à qui le dispenser. En ce qui me concerne, je n'en ai rien à faire, seriez-vous cent fois roi. Mon cœur appartient à un autre et j'ai la permission de mon frère pour l'épouser.

— Un autre? Dieu du ciel! Dites-moi qui est ce personnage que je l'embroche sur mon épée!

— Ne vous méprenez pas, car vous n'auriez pas le beau jeu avec lui. Aussi vaillant et fort que vous puissiez être, vous ne seriez qu'un enfant entre ses mains...

François fut si furieux qu'il posta des gardes autour des appartements de Marie en se jurant qu'il aurait raison d'elle.

Dès que Brandon et moi arrivâmes à Paris, nous louâmes un logement discret, et bien nous en prit. Je partis en reconnaissance et découvris que notre reine veuve était séquestrée dans le vieil hôtel des Tournelles. Avec l'aide de la reine Claude, j'obtins secrètement une entrevue et appris la vérité sur toute cette affaire.

Si Brandon avait été identifié et que l'on avait connu la raison de sa présence à Paris, il est certain que François 1er l'aurait fait discrètement assassiner.

Ayant compris que Marie n'était rien de moins que prisonnière, j'étais prêt à abandonner la partie mais pas Marie, dont l'esprit était sans cesse en ébullition.

Après qu'elle l'eut éconduit, François devint désespéré et décida de tout mettre en œuvre pour garder Marie à sa cour. Ainsi eut-il l'idée diabolique de la lier à un cousin de nature plutôt faible, le duc de Savoie. Il dépêcha une ambassade auprès d'Henri VIII en lui proposant qu'advenant le mariage de Marie avec ce falot représentant de la maison de Savoie il était prêt à rembourser les quatre cent mille couronnes de la dot de la princesse. Il offrit également à Henri la couronne impériale advenant la mort de Maximilien 1er, une offre plus généreuse que toutes celles qu'aurait pu lui faire le roi Louis. De plus, il promit à Henri de confirmer ses possessions anglaises en France et de renoncer à certaines prétentions sur celles-ci. Aux yeux de François 1er, la jeune princesse n'avait pas de prix, mais celle-ci n'avait aucune idée des machinations qui se tramaient dans son dos.

Quant à Henri, on se doute bien que pour la moitié de cette somme il aurait renié un serment prononcé sur la sainte croix elle-même. La promesse qu'il avait faite à Marie ne l'embarrassait pas outre mesure devant les propositions du nouveau roi de France. Aussi, dans sa cupidité, Henri fut-il aussi prompt à envoyer une ambassade pour accepter cette offre que le beau François l'avait été pour la proposer. Il se moquait totalement des nouvelles tortures que cet arrangement malsain pouvait occasionner à sa sœur et je crois bien que le prix de la gageure lui enlevait tout scrupule. Pour ce pactole, il aurait été prêt à couper lui-même la tête de Marie avec une hache de tonnelier!

Si François et Henri agissaient rapidement dans leurs manigances, Marie les gagnait de vitesse. Elle avait dressé son plan en un clin d'œil. Immédiatement après m'avoir rencontré à l'hôtel des Tournelles, elle demanda à la reine Claude de venir la retrouver, car elles étaient devenues amies. Claude lui raconta tout ce qu'elle savait, car Marie n'était pas au courant du mariage projeté avec le duc de Savoie. Claude, on s'en doute, ayant intérêt à garder l'ancienne jeune reine le plus loin possible de la France et de son époux François, ne demandait pas mieux que de nous tendre une main secourable. Enfin, lorsque je dis «nous», disons que c'était Marie qui menait le bal. Nous avons alors convenu que Marie et la reine Claude devaient partir le plus rapidement possible dans la voiture de cette dernière pour, de toute évidence, se rendre à l'église entendre la messe. Brandon et moi devions nous rendre à la même chapelle où Jeanne et moi nous étions mariés. Marie avait en effet décidé que le petit curé pouvait également administrer le sacrement du mariage en présence d'un groupe très restreint.

Je me hâtai de retrouver Brandon et de retourner avec lui à la chapelle où nous avons attendu pendant un laps de temps qui nous parut interminable. Enfin, les deux reines entrèrent pour faire leurs dévotions. Dès que Marie et Brandon se retrouvèrent, la reine Claude et moi fîmes mine d'admirer la chapelle et de déchiffrer les inscriptions latines qui l'ornaient. Si les amoureux ne se mariaient pas dans les minutes qui suivaient, je risquais la mort. Aussi me fallait-il leur rappeler constamment que le temps était précieux. À la fois joyeuse et affligée, Marie leva les mains et défit ses cheveux qui lui retombèrent sur les épaules. Lorsque Brandon vit cela, il tomba à genoux et embrassa l'ourlet de la robe. Elle se pencha, le pria de se relever et plaça sa main dans la sienne.

C'est ainsi que Marie épousa l'homme qu'elle avait sauvé de l'échafaud quatre mois auparavant en devenant reine de France.

Marie et la reine Claude n'avaient rien laissé au hasard en ce qui concernait la fuite. Deux heures plus tôt, on avait envoyé un messager porteur d'un mot de la reine ordonnant que l'on prépare un navire prêt à appareiller de Dieppe dès notre arrivée.

La cérémonie terminée, Claude rattacha prestement les cheveux de Marie et les deux reines quittèrent la chapelle dans leur voiture. Nous les suivîmes pour les retrouver à la porte Saint-Denis où nous attendaient quatre gardes du corps et des chevaux vigoureux. Le messager qui s'était rendu à Dieppe s'était arrangé pour préparer les relais. Comme d'habitude, lorsque quelqu'un la délivrait de tout souci, Marie pouvait se payer la fantaisie de s'effrayer. Aussi, sans perdre une minute nous franchîmes ces quelque quarante lieues en moins de vingt-quatre heures. Nous n'avons fait qu'une brève halte dans une agglomération des environs de Rouen, une ville que nous contournâmes soigneusement.

Avec notre avance, nous ne craignions pas de nous faire intercepter bien que Marie évoquât la possibilité que les vents puissent refuser de se lever pendant plusieurs jours après notre arrivée à Dieppe. Heureusement, personne ne nous avait pris en chasse. Nous pouvions remercier la reine Claude qui avait fait courir le bruit que Marie était souffrante. Au plus grand plaisir de la fugitive, lorsque nous arrivâmes à Dieppe, un vent comme tout marin pouvait en rêver soufflait sur la Manche. Bref les chevaux, les relais et les vents nous avaient été favorables. Délivrée de ses appréhensions, Marie riait et applaudissait de joie, les yeux embués de larmes.

Notre navire était excellent et conçu pour affronter les mers les plus capricieuses. Pendant que nous naviguions, Marie et moi nous entendîmes pour rencontrer le roi dès notre débarquement en Angleterre et, si possible, lui faire entendre raison. Nous avions confiance d'y parvenir, car nous comptions sur l'aide de Wolsey. Si cela ne fonctionnait pas, nous avions un plan de rechange. Brandon devait mener le navire vers le havre d'une certaine île de la côte du Suffolk et là nous attendre pour une période d'un an si le besoin s'en faisait sentir. En effet, Marie risquait fort d'être détenue temporairement à cause du caractère obstiné d'Henri. Ensuite, dûment nanti de provisions et pourvu d'un nouvel équipage, le navire pourrait emporter le couple vers les terres dont il avait toujours rêvé: la Nouvelle-Espagne.

Si Henri acquiesçait, il ne fallait pas que Marie s'attende à vivre comme une princesse, à moins que le roi ne s'attendrisse et ne comble les époux de ses largesses, ce qui était des plus douteux. Les tourtereaux pouvaient toujours se rendre dans le Suffolk et vivre auprès de Jeanne et moi sur le domaine de Brandon. Marie était d'accord pour mener ce genre de vie simple et fit savoir que c'est tout ce qu'elle souhaitait.

Une chose militait en faveur de l'acquiescement du roi: au cours des trois derniers mois, Brandon était devenu nécessaire aux chères distractions qui comptaient plus que tout dans la vie d'Henri.

Marie et moi nous rendîmes à Londres pour rencontrer le redoutable monarque. Nous avions débarqué à Southampton dans le but de brouiller les pistes advenant le cas où quelqu'un aurait eu la malencontreuse idée de retrouver notre navire. Le roi fut enchanté de revoir sa sœur à qui il prodigua plusieurs marques d'affection.

Marie jouait la partie serrée, mais elle était prête à livrer bataille le cas échéant. Elle se garda de fournir quelque indice que ce soit à son frère pour lui faire savoir qu'elle était au courant des manigances de François Ier pour la forcer à épouser le duc de Savoie. Elle comptait sur la promesse que lui avait faite le roi de la laisser libre d'épouser qui bon lui semblait à la mort de Louis XII.

Aussi Henri VIII lui demanda :

— Mais que faites-vous donc ici ? On vient tout juste d'enterrer le roi Louis…

— Certainement et cela ne me préoccupe guère. Je l'ai épousé pour la durée de son existence et non point pour un seul instant après celle-ci. Voilà pourquoi je suis partie en les laissant l'embaumer et l'enterrer si ça leur fait plaisir. Ils feront ce qu'ils veulent. Cela ne me concerne pas.

— Mais… commença Henri, interrompu par sa sœur.

J'avais pris soin de m'assurer que Wolsey soit présent à cette rencontre. Nous étions donc réunis dans une petite pièce pour écouter le plaidoyer que la princesse livra avec l'éloquence dramatique et la persuasion féminine qu'on lui connaissait. Elle nous parla des insultes ignobles que François avait proférées à son égard et de ses propositions malhonnêtes sur lesquelles elle insista lourdement tout en cachant les intentions du monarque peu scrupuleux d'en faire une reine après s'être débarrassé de Claude, car cela aurait pu donner des idées à Henri VIII. Elle raconta son incarcération à l'hôtel des Tournelles et autres vexations et périls qu'elle avait courus dans les moindres détails. Elle finit son récit en passant ses mains autour du cou d'Henri, en pleurant et en le suppliant de la protéger et de la sauver, elle, son infortunée sœurette.

Ce fut du grand art, si bien que j'en oubliai qu'elle nous faisait là du théâtre. J'en avais la gorge serrée. Cependant, cela ne dura pas. Marie, dont la tête était dissimulée au regard des autres dans le justaucorps de son frère, me sourit malicieusement d'un air complice à travers ses larmes et ses sanglots. J'éclatai alors d'un rire nerveux qui faillit tout faire rater. Henri me regarda d'un air interrogateur et je tentai de masquer cette crise d'hilarité en un chagrin inconsolable tout en me voilant la face. Wolsey m'aida dans ce camouflage en s'essuyant le coin de l'œil avec un pan de son vêtement. Nous voyant tous aussi affectés, Henri fut rempli d'indignation et, après avoir écarté Marie, se répandit en invectives d'une voix de stentor.

— Ah! le vil chien! s'exclama-t-il. Traiter ainsi ma sœur, ma petite sœur, la fille de mon père! Choisir la première princesse d'Angleterre et reine de France pour en faire sa catin! Par tous les dieux, je jure de châtier ce forban pesteux jusqu'à ce qu'il en hurle. Je le jure par ma couronne, cela dût-il me coûter mon royaume!

Il continua jusqu'à ce qu'il se retrouve à court de mots.

Disons entre parenthèses qu'il se souvint peut-être des lamentations de Marie lorsqu'il affronta François 1er en 1520 dans un combat amical au camp du Drap d'or. Henri VIII fut battu et humilié en dépit de la grande générosité qu'il déploya lors de cet événement. On sait comment, par la suite, Henri Tudor finit par s'allier à Charles Quint pour régler de vieux contentieux avec le roi de France.

Henri insista pour que Marie reprenne le récit de ses mésaventures avec l'entreprenant François. Elle expliqua ensuite comment j'étais arrivé à temps et de quelle façon, afin d'échapper à l'emprise du roi et se protéger, elle s'était trouvée forcée d'épouser Brandon et de fuir.

— J'avais tellement hâte de revenir en Angleterre pour me marier, là où mon cher frère aurait pu me conduire à l'autel. J'avais si peur de François et je n'avais pas d'autre échappatoire. Alors...

— Dieu du ciel! Si j'avais une autre sœur de votre acabit, je jure que je me pendrais! Mariée à Brandon! Vous êtes folle ou alors idiote! Doux Jésus! Vous finirez par me détruire! Une seule autre personne comme vous en Angleterre et tout ce fichu royaume risquerait de sombrer dans les flots! Je ne veux rien entendre. Mariée à Brandon et sans mon consentement!

— Non! Non! Mon frère, reprit Marie doucement en se blottissant affectueusement contre le torse massif du roi. Pensez-vous que je me serais permis de déroger aussi grossiè-rement à nos coutumes? Jamais je ne l'aurais fait. Ne soyez pas injuste. J'ai déjà eu à supporter un long exil si loin de vous pendant si longtemps! Il y a quatre mois, vous m'aviez donné votre consentement. Vous en souvenez-vous?

— Je sais, je sais... Vous auriez fait n'importe quoi pour parvenir à vos fins et il est certain qu'en fin de compte vous obtenez toujours ce qui vous plaît. Enfer et damnation!

— Mais, mon frère, je prends monseigneur l'évêque de York à témoin: dans cette même pièce, presque au même endroit qu'aujourd'hui, vous m'aviez promis que si j'acceptais d'épou-ser Louis de France, advenant son décès, je pourrais me remarier avec qui bon me semblerait. Bien sûr, à la suite de notre conversation, vous saviez déjà qui j'avais choisi dans cette éventualité. C'est ainsi que je me suis rendue dans une petite chapelle en compagnie de la reine Claude comme témoin, que j'ai défait mes cheveux, que j'ai épousé Brandon et que nul pouvoir sur terre n'y pourra rien changer...

Elle le regarda avec une petite moue de défi, comme pour demander au roi ce qu'il comptait faire à la lueur de ces événements.

Surpris, Henri la regarda puis s'esclaffa en se tenant les côtes.

— Mariée à Brandon après avoir défait vos tresses! Ha! Ha! Ha! Ça parle au diable! Il n'y a pas à dire... Quelle bonne blague ma petite sœur vous avez joué au roi Louis... Je parierais ma couronne qu'il était content de crever. En tout cas, vous lui en avez fait voir, c'est certain...

— Il m'a voulue, il m'a eue... répliqua Marie avec un petit haussement d'épaules.

— Pour sûr et le pauvre Brandon, lui, ne sait pas ce qui l'attend! J'ai vraiment pitié de ce malheureux, par Jupiter!

— Oh! Mais là c'est très différent...

Différent, certes. Aussi différent que l'amour l'est de l'exécration, la lumière de l'obscurité, le paradis de l'enfer, Brandon de Louis.

Henri se tourna vers Wolsey:

— N'avez-vous jamais entendu une histoire aussi insensée, monseigneur?

L'évêque dut admettre qu'il n'avait jamais eu connaissance d'une affaire semblable.

— Et alors, que devons-nous faire? lui demanda le roi.

Wolsey prit une expression pensive de circonstance.

— Je ne vois qu'une seule chose à faire, dit-il d'un air benoît accompagné de mots apaisants qui firent regretter à Marie de l'avoir traité de «roquet de boucher».

Après une pause, Henri demanda:

— Mais où donc est Brandon? C'est un brave garçon après tout et il nous faut bien accepter ce que l'on ne peut changer. Il sera suffisamment puni pour avoir à vous supporter comme femme... Dites-lui de revenir, car je suis sûr que vous me le cachez quelque part, et nous essaierons de faire quelque chose pour lui...

— Et que ferez-vous pour lui, mon frère? lui dit Marie qui voulait profiter des bonnes dispositions du roi.

— Ne nous soucions pas de cela maintenant...

Elle lui prit la main avec insistance.

— Enfin, que voulez-vous au juste? Qu'on en finisse! Aussi bien me rendre tout de suite à vos désirs, car je sais que vous finirez par parvenir à vos fins. Allons! Et qu'on n'en parle plus...

— Pourriez-vous le faire duc de Suffolk?

— Euh... Je suppose que oui. Qu'en pense monseigneur l'évêque de York?

Wolsey opina en pensant que cela était dans l'ordre des choses.

— Alors qu'il en soit ainsi, dit Henri. Maintenant, je m'en vais chasser et je ne veux plus entendre un seul mot de cette affaire, car pour ce garçon vous seriez capable de me pousser à abdiquer!

Il allait quitter la pièce lorsqu'il se retourna vers Marie et lui dit:

— Au fait, ma sœur, pourriez-vous me trouver Brandon d'ici dimanche prochain? J'organise une joute…

Marie pensa qu'il n'y aurait pas de problème. Elle avait obtenu gain de cause. Un seul mot ou une syllabe de travers, une hésitation et tout se serait écroulé. Heureusement que Marie… Mais j'arrête là, car vous devez être las de m'entendre louer les qualités de cette exceptionnelle figure de notre histoire.

Finalement, bien qu'ancienne reine, elle ne bénéficia d'aucun douaire de l'administration de François 1er. Quant à Brandon, on lui octroya le titre de duc de Suffolk mais ne reçut jamais les terres qui allaient avec. Ils durent donc se contenter de l'argent de la reine que j'avais réussi à faire sortir de France. Pourtant, Brandon se considérait comme l'homme le plus riche sur terre et était certainement l'un des plus heureux. Il peut être périlleux de vivre avec une femme comme Marie, sauf si elle accepte volontairement de se soumettre à son conjoint – ce qu'elle avait fait en tissant elle-même les fils de soie de sa sujétion. Toutefois, sa propension au bonheur était quasi infinie.

C'est ainsi que Marie, cette femme à la volonté de fer, s'effaça des livres d'histoire en faisant de son cœur le trône de son époux, de son âme son empire, de ses désirs ses sujets et de sa volonté, qui s'exerçait si rigoureusement sur les autres, le serviteur de son doux et aimable seigneur et maître Charles Brandon, duc de Suffolk.